復刻版 韓国併合史研究資料 ⑫②

朝鮮刑務提要 (中)

龍溪書舍

本復刻版製作に際しては、東京経済大学図書館のご好意により、同図書館所蔵本を影印台本とした。ここに深甚の謝意を表する次第である。

朝鮮總督府看守教習所編纂

朝鮮刑務提要
（中）

朝鮮司法協會發行

凡例

一、本書ハ大正十二年三月一日現行ノ法令、訓達、通牒等ヲ輯錄シタリ

一、法令等ノ前文ハ之ヲ省略シ題號件名、日附及番號ノミヲ揚ク、其ノ總令トアルハ朝鮮總督府令、總訓トアルハ同訓令官通ハ官通牒ノ略語ナリ

一、本文中括【　】弧ヲ附シタルハ法令ノ改廢ニ由リ異動アリタルコトヲ示ス

刑務提要目次

第一編　憲法

第一章　憲法

	發布年月	法文種類	番號	頁
一　憲法發布勅語				一
二　大日本帝國憲法				一
三　請願令	六、四	勅令	三七	五
四　請願ニ關スル件	六、七	官通	一三〇	六
五　請願書取扱方ノ件	六、九	官通	一七一	六
六　刑事事件ニ關スル請願書ノ取扱ニ關スル件	一〇、四	法通		七

第二章　皇室典範

	發布年月	法文種類	番號	頁
一　皇室典範	二二、二			八
二　皇室典範增補	四〇、二			一〇

第三章　詔書

	發布年月	法文種類	番號	頁
一　韓國ヲ帝國ニ併合ノ件	四三、八	詔書		一四
二　韓國ノ國號ヲ改メ朝鮮ト稱スル件	四三、八	勅令	三一八	一四
三　前韓國皇帝ヲ册シテ王ト爲スノ件	四三、八	詔書		一四

四　李堈及李熹ヲ公ト爲ス件……四三、八　詔書　一四
五　王族及公族ノ稱呼……四三、八　宮廷錄事　一五

第二編　法例

第一章　法例

一　朝鮮ニ施行スヘキ法令ニ關スル件……四四、三　法律　三〇　一七
二　朝鮮ニ於ケル法令ノ效力ニ關スル件……四三、八　制令　一　一七
三　明治四十三年制令第一號ニ依ル命令ノ區分ニ關スル件……四三、一〇　制令　八　一七
四　制令ニ於テ法律ニ依ルノ規定アル場合ニ其ノ法律ノ改正アリタルトキノ效力ニ關スル件……四四、六　訓令　一一　一八
五　法例ヲ朝鮮ニ行施スルノ件……四五、三　勅令　二一　一八
六　法例……三一、六　法律　一〇　一八
七　法例第十三條ノ疑義ニ關スル件……四、九　官通　二六七　二〇
八　警務總長等ノ發スル命令ノ罰則ニ關スル件……四三、九　勅令　三七六　二一

第二章　共通法

一　共通法……七、四　法律　三九　二三
二　共通法ノ一部ヲ施行スルノ件……七、五　勅令　一四四　二四
三　共通法第三條等改正法律施行期日……一〇、六　令　二八三　二四

第三章　公布式

一　公布式……四〇、二　勅令　六　二五
二　制令公布式……四三、八　統令　五〇　二七
三　朝鮮總督府令公文式……四三、一〇　總令　一　二七
四　朝鮮總督府通令公文式……四三、一〇　總令　二　二七
五　朝鮮總督府島令公文式……四、五　總令　四三　二八

第三編　官規

第一章　官制

一　朝鮮總督府官制……四三、九　勅令　三五四　二九
二　拓殖局事務官制……一一、一一　勅令　四七六　三一
三　朝鮮總督府監獄官制……四二、一〇　勅令　二四三　三一
四　奏任及判任待遇朝鮮總督府監獄職員定員……九、五　總令　七〇　三二
五　朝鮮總督府監獄ニ看守部長及女監取締部長ノ職ヲ置クノ件……一一、四　總訓　一七　三三
六　看守部長選任ニ關スル件……七、　典會指示　三二
七　女監取締部長設置ニ關スル件……一一、四　法通　三三

第二章　分掌規程

一　朝鮮總督府事務分掌規程……四、五　總訓　二六　三四
二　拓殖事務局分課規程……一一、一一　拓事局長　三八
三　朝鮮總督府委任事項規程……九、四　內訓　四　三九
四　朝鮮總督府所屬官署委任事項規程……一〇、二二　內訓　五　四九
五　所屬官署委任事項中署名ニ關スル件……四五、六　官通　二二七　五四
六　典獄委任事項ノ攝行ニ關スル件……九、四　法通　五四
七　朝鮮總督府監獄事務分掌及處務ニ關スル規程……五、一〇　總內訓　一七　五四
八　主任制度施行ニ關スル件……五、一〇　司秘　三五九　五六
九　監獄事務專決施行ニ關スル件……五、一〇　司秘　三八二　五六
一〇　事務簡捷ニ關スル件……一〇、　典會指示　五六
一一　處務ノ敏活適正ヲ圖ルノ件……六、　典會指示　五七
一二　朝鮮總督府及所屬官署ノ民事訴訟ニ關シ國ヲ代表スルノ件……三九、七　勅令　一八四　五七
一三　本府所屬官署ノ司掌事務ニ係ル民事訴訟ニ付國ヲ代表スル件……四三、一〇　總令　四二　五七
一四　民事訴訟提起ニ關シ認可申請方ノ件……四、二　官通　四六　五七

第三章　官等俸給

一　高等官官等俸給令……四三、三　勅令　一三四　五八
二　初敍官等ノ制限ヲ受ケサル高等文官他ノ高等文官ト爲ル場合ノ官等ニ關スル件……三六、一二　勅令　二八五　七九

三　文武判任官等級令……………………四三、六　勅令　二六七　八〇
四　朝鮮總督府監獄醫敎誨師及敎師ノ官等等級配當ノ件……………八、二　勅令　二三　八一
五　奏任官又ハ判任官ノ待遇ヲ受クル監獄醫敎誨師及敎師ノ官等等級配等ノ件……………七、九　勅令　三四七　八一
六　判任官俸給令……………………四三、三　勅令　一三五　八二
七　判任官待遇者俸給ニ關スル件……………四〇、六　勅令　二四四　八四
八　文官俸給支給細則……………………二五、一二　大省令　一　八四
九　俸給受領ニ關スル件……………………一一、一〇　庶通　八五
一〇　判任官以下定期昇級發令期ノ件……………元、一一　官通　一三五　八五
一一　陸海軍准士官以下ノ受恩給者文官ニ任用ノ場合俸給支給方……………三、三三　勅令　一三二　八五
一二　准士官以下受恩給者文官ニ任用ノ場合俸給計算方……………三三、四　大省令　一九　八五
一三　准士官以下ノ受恩給者文官ニ任用ノ合諸給與及納金計算方……………三三、六　勅令　三二七　八六
一四　文官ニシテ陸海軍ニ召集セラレタル者ノ俸給ニ關スル件……………三七、九　勅令　二〇六　八六
一五　朝鮮臺灣及樺太在勤文官加俸令……………四三、三　勅令　一三七　八六
一六　朝鮮總督府及所屬官署職員ノ加俸ニ關スル件……………二、三　總令　三六　八七
一七　加俸支給方ニ關スル件……………………六、一　官通　一七　八八
一八　加俸支給ニ關スル件……………………六、二　官通　二一　八八
一九　俸給支給ニ關スル通牒廢止ノ件……………一二、一　官通　四　八九
二〇　俸給日割計算方ノ件……………………四、四　官通　一一一　八九
二一　文官ニシテ陸海軍ニ召集中ノ者俸給支給方ノ件……………二、七　官通　二一一　八九

二二	軍役ニ在ルモノ召集セラレタルトキ通報方ノ件	三、八	官通	三〇五	九〇
二三	陸海軍應召者ノ給與ニ關スル件	三、八	官通	三一三	九〇
二四	陸海軍應召者遺族扶助法納金算定ニ關スル件	七、一二	官通	一八一	九〇
二五	文官懲戒令ニ依ル減俸ノ件	元、八	官通	一九	九一
二六	減俸處理方ノ件	元、九	官通	四五	九一
二七	俸給半減支給上疑義ノ件	二、五	官通	一五四	九一
二八	朝鮮人死亡者ノ俸給其ノ他仕拂順位ノ件	三、一〇	官通	三九六	九一

第四章　給與　諸手當

一	奏任及判任待遇朝鮮總督府監獄職員給與令	四二、一〇	勅令	二五一	九三
二	奏任及判任待遇監獄職員給與令ノ改正ニ關スル件	一一、一〇	法通		九三
三	朝鮮人タル看守及女監取締ノ給與ニ關スル件	八、一〇	總令	一六七	九三
四	奏任及判任待遇監獄職員給與令	一一、一〇	勅令	四三八	九三
五	監獄職員給與令ノ解釋ニ關スル件	四、一〇	司長回答		九五
六	朝鮮總督府及所屬官署雇員規程	一一、一〇	府令	一四一	九五
七	朝鮮總督府及所屬官署ノ囑託員ニ關スル件	一一、一〇	府令	一四二	九七
八	巡查看守等俸給支給方ノ件	二、一〇	官通	三一六	九七
九	看守ニ對スル昇給ノ件	五、	長官通		九七
一〇	俸給支給ニ關スル件	九、四	官通	三二	九八

一一	各廳雇等日給ノ者休暇日ニモ給額支給	八、六	太達	一一四	九八
一二	傭員俸給ヲ傭員其ノ他ニ給スル諸手當支給方ノ件	二六、二	勅令	一七	九八
一三	日給者給料支給ニ關スル件	四四、二	官通	一	九八
一四	雇員以下月俸支給方ニ關スル件	四四、三	官通	四〇	九八
一五	傭人月俸給金額及支給方ニ關スル件	四四、四	官通	七七	九八
一六	雇員以下可成日給採用ノ件	二、七	官通	二〇三	九九
一七	雇員又ハ傭人ニシテ在郷陸海軍軍人タル者應召中給料支給ニ關スル件	七、七	官通	一一七	九九
一八	判任官以下ノ職員ニシテ朝鮮語ニ通スル者ニ特別手當ヲ給スル件	一〇、三	勅令	三四	九九
一九	朝鮮總督府及所屬官署職員朝鮮語奬勵規程	一〇、五	總訓	二八	九九
二〇	臨時朝鮮語奬勵手當支給取扱方ニ關スル件	一一、七	官通	六六	一〇一
二一	臨時朝鮮語奬勵手當支給方ニ關スル件	一一、九	官通	七七	一〇三
二二	特別手當支給ニ關スル件	一〇、四	法通		一〇三
二三	通譯兼掌者特別手當ニ關スル件	四四、四	官通	七五	一〇三
二四	朝鮮總督府看守及朝鮮總督府女監取締非番勤務手當及特別手當支給規則	八、一一	總訓	五四	一〇三
二五	監丁ニ對スル時間外勤務手當給與ニ關スル件	七、九	官秘	二三七	一〇四
二六	交通至難ノ場所ニ在勤スル職員ニ手當給與ノ件	九、九	勅令	四〇五	一〇四
二七	勤勉手當給與令	九、一一	勅令	五四五	一〇五

二八	朝鮮總督府及所屬官署勤勉手當支給規則	一一、八	總訓	四〇	一〇六
二九	勤勉手當支給方ニ關スル件	九、四	官通	三一	一〇七
三〇	勤勉手當ニ關スル件	一〇、九	官通	八一二	一〇七
三一	勤勉手當ニ關スル件	一一、二	庶通		一〇七
三二	朝鮮陸接國境地方ニ在勤スル朝鮮總督府及其ノ所屬官署職員ノ臨時特別手當給與ニ關スル件	九、九	勅令	四〇〇	一〇八
三三	年額又ハ月額ノ手當金支給方	三三、一	大省令	一	一〇八
三四	傳染病豫防救治ニ從事スル官吏准官吏及傭員月手當支給ノ件	二八、六	勅令	七一	一〇八
三五	政府ヨリ恩給ヲ受クル者召集中手當支給ノ件	三八、六	勅令	一七九	一〇八
三六	朝鮮總督府及所屬官署職員ノ宿舍料ニ關スル件	四三、九	勅令	三九二	一〇八
三七	宿舍料支給規程	四、一二	總訓	六三	一〇九
三八	宿舍料支給方ノ件	四四、五	官通	一〇四	一一一
三九	宿舍料支給方ノ件	四四、五	官通	一一九	一一一
四〇	宿舍料支給ニ關スル疑義件	四四、五	官通	一三四	一一一
四一	宿舍料支給ニ關スル件	元、一一	官通	一二六	一一一
四二	宿舍料支給規則ニ關スル件	二、五	官通	一五三	一一二
四三	宿舍料及賄料ノ給與ニ關スル件	二、五	官通	一六九	一一二
四四	宿舍料支給ニ關スル件	四、一二	官通	三五五	一一二
四五	宿舍料支給方ノ件	五、二	官通	二一	一一三

四六	宿舍料支給ニ關スル件	五、四	官通	一六一	一一三
四七	宿舍料支給ニ關スル件	五、九	官通	一四六	一一三
四八	宿舍料支給方ニ關スル件	七、九	官通	一四八	一一四
四九	宿舍料支給方ニ關スル件	八、五	官通	七一	一一五
五〇	宿直又ハ徹夜勤務者食料及特別文具ニ關スル件	二四、三	勅令	二七	一一五
五一	朝鮮總督府及所屬官署賄料支給規程	二、三	總訓	一二	一一五
五二	朝鮮總督府看守女監取締給與品及貸與品規則	四二、一〇	總令	五三	一一六
五三	看守以下給與品ニ關スル件	八、一	司通	五二	一一八
五四	看守防寒外套使用ニ關スル件	一〇、一〇	官通	九〇	一一八
五五	看守敎習所卒業生ノ給與品等ニ關スル件	七、一〇	司通	一三二〇	一一八
五六	監獄授業手被服給與規程	四、三	總訓	一三	一一九
五七	看守女監取締及授業手被服代料支給ニ關スル件	八、一	官通	一	一二〇
五八	看守女監取締及授業手給與品代料渡ニ關スル件	八、四	官通	五二	一二〇
五九	授業手給與品代料渡ノ件	八、一	官通	六	一二〇
六〇	傭人被服代料渡ニ關スル件	四、一一			一二一
六一	監丁給與靴代料渡ノ件	四、一〇	官通	二七四	一二一
六二	監丁脚袢代料給與ノ件	四、一一	官通	一二二〇	一二一
六三	監丁被服代料ニ關スル件	八、六	官通	八七	一二一

第五章　旅費

一　内國旅費規則……四三、六　勅令　二七四　一二三

二　内國旅費規則第二條ニ依リ鐵道賃船賃ニ關スル件……九、五　大省令　一六　一二四

三　大藏省所管旅費支給規則……四三、七　大省令　三三　一二五

四　大藏省所管經費支辨ニ屬スル各廳員朝鮮臺灣及樺太內旅費支給規則……四三、七　大省令　三五　一二七

五　朝鮮總督府旅費規則……四、三　府令　二四　一二八

六　朝鮮總督府減額旅費規程……三、八　訓令　四五　一三〇

七　間島琿春安東地方ヘ出張スル者ノ旅費ニ關スル件……九、一〇　總訓　四七　一三七

八　同上旅費支給上疑義ノ件……一一、三　官通　一九　一三八

九　出張命令申請書記載方ニ關スル件……六、一〇　官通　一七七　一三八

一〇　下關釜山間連絡船賃ニハ辨當代ノ實費ヲ含ム件……一〇、一　庶部決定　一三八

一一　家族移轉料支給上家族ノ順位及赴任手當ニ關スル件……九、九　官通　八八　一三八

一二　赴任旅費ニ關スル件……一〇、四　官通　三四　一三八

一三　旅費減額ノ件……一〇、三　官通　二三　一三八

一四　旅費支給ニ關スル件……一一、六　官通　五五　一四〇

一五　移轉料ノ件……四三、一〇　朝乙發　五八　一四〇

一六　旅費年度區分ノ件……元、一一　伺　一四〇

一七　支度料ヲ支給セサル件……四、一二　總長通　一四一

一八　赴任旅費及歸鄉旅費ニ關スル件……二、二　協定事項　一四一

一九　旅費支給ニ關スル件……四、五　總長決定　一四一

二〇 在勤廳所在地ニ關スル件……三、四 官通 一〇八 一四一
二一 旅費支給方ニ關スル件……六、 官通 一一六 一四一
二二 陸路旅行行程ノ件……四四、九 總 一三五八 一四二
二三 旅費支給上里程計算ニ關スル件……五、八 官通 一三一 一四二
二四 遞信地圖使用ニ關スル件……一一、三 官通 一八 一四三
二五 旅行證明ニ關スル件……四三、 協定事項 一四三
二六 京城海州間旅行順路追加ニ關スル件……七、三 官通 四一 一四三
二七 里程證明ニ關スル件……三、 伺指令 一四四
二八 歸國旅費支給ニ以スル件……四三、 協定事項 一四四
二九 朝鮮總督府旅費規則第十條ノ勤續二年ノ解釋ノ件……四四、三 會議決定 一四四
三〇 歸鄉旅費支給ニ關スル件……五、二 一四四
三一 歸鄉旅費支給ニ關スル件…… 一四四
三二 歸任旅費支給ニ關スル件……五、六 一四四
三三 汽車汽船ノ路程ニ關スル件……元一一 一四五
三四 旅費支給ニ關シ證明書省略ノ件…… 一四五
三五 出廷旅費支出ニ關スル件……二、二 官通 四一 一四五
三六 出廷旅費ニ關スル件……四、六 官通 二〇二 一四五
三七 女監取締旅費ノ件回答……四、八 總長回 一四五
三八 女監取締歸鄉旅費ノ件……六、六 伺指令 一四六

三九	授業手出張旅費ノ件	二、六	伺指令		一四六
四〇	旅費概算渡精算ノ件	四四、七	官通	二〇四	一四六
四一	歸國旅費支給ニ關スル勤續年數通算ノ件	四三、一一	協定事項		一四六
四二	減額旅費規程中解釋ノ件	三、一〇	會課長決		一四六
四三	減額旅費規程中疑義ノ件	三、九	會主式伺		一四六
四四	日額旅費ヲ受クル者用務地滯在中他ノ用務ノ爲其ノ用務地内ヲ旅行シタル場合旅費支給ニ關スル件	三、	會議決定		一四八
四五	日額旅費ヲ受クル者勤務演習ニ召集セラレタルトキノ支給方ノ件	七、九	會主伺		一四八
四六	海上距離ニ關スル件	二、七	庶收	一〇九六七	一四八
四七	旅費減額支給ニ關スル件	一〇、二	法局通		一四八
四八	旅費支給ニ關スル件	一〇、八	官通	七五	一四九
四九	旅費減額支給ノ件	一一、四	法局通		一四九
五〇	朝鮮各道府面里程表使用ニ關スル件	一一、四	官通	二六	一五〇
五一	旅費減額ニ關スル件	一一、四	西監達	七	一五〇

第六章　任免　休職　死亡

一	文官任用令	二、八	勅令	二六一	一五一
二	奏任文官特別任用令	九、五	勅令	一六〇	一五二

三　文官試補及見習ニ關スル件……　四三、六　勅令　二七五　一五六
四　判任文官特別任用令……　九、八　勅令　三五七　一五七
五　朝鮮人タル官吏ノ特別任用ニ關スル件……　四三、九　勅令　三九六　一五八
六　海軍准士官及下士官ヲ判任官ニ任用ノ件……　一一、一〇　勅令　四三二　一五九
七　陸軍准士官及下士ヲ判任文官ニ任用ノ件……　一一、一〇　勅令　四三一　一五九
八　文官技倆證明書ヲ有スル者ノ採用ニ關スル件……　一〇、一　法通　一五九
九　文官任用令上疑義ノ件……　三、一〇　官通　三六三　一六〇
一〇　職員採用手續ノ件……　四五、六　官通　二一八　一六〇
一一　高等官勤務指定報告ニ關スル件……　九、四　官通　二七　一六〇
一二　官吏休職轉勤退官等ノ事由詳具方ノ件……　四四、八　官通　二四七　一六〇
一三　大正八年勅令第三八六號施行ノ際別ニ辭令書ニ交付セラレサルモノ、勤務箇所ノ件……　八、八　總訓　三三　一六〇
一四　給與令改正ニ伴フ履歷書整理ノ件……　九、一〇　監　二、三五九　一六〇
一五　裁判所書記試驗合格者判任官見習ニ關スル件……　四、四一　官通　一六　一六〇
一六　朝鮮總督府看守採用規則……　四四、五　總令　五八　一六一
一七　朝鮮總督府看守採用手續……　四四、六　總訓　一五　一六三
一八　朝鮮總督府看守採用規則施行細則……　七、八　西監達　二二　一六三
一九　看守採用試驗ニ關スル件……　七、六　監　八六六　一六七
二〇　朝鮮總督府看守ノ採用等ニ關スル件……　七、四　司秘補　一三　一六八
二一　看守採用ニ關スル件……　五、　典會　一六八

二二　女監取締採用ニ關スル件……四、七　司秘　二二五　一六八
二三　看守免官ニ關スル具申方ノ件……一〇、一　法通　一六九
二四　在郷陸軍軍人採用ニ關スル件……四五、三　官通　八一　一六九
二五　雇員定員ニ關スル件……四三、一二　司庶通　三、二〇三　一六九
二六　給仕採用ニ關スル件……二、二　官通　三三　一七〇
二七　監獄職員ノ進退及身分帳簿取扱方ノ件……一〇、六　法通　一七〇
二八　陸軍軍人服務令施行規則ニ依ル屆出履行方ニ關スル件……一〇、二　官通　一五　一七七
二九　履歷書記載例ニ關スル件……一一、一二　官通　一〇二　一七七
三〇　戰時事變ノ際巡査看守休職ニ關スル件……三七、二　勅令　三三　一八一
三一　巡査看守休職ノ件……三、八　人　一、七四一　一八一
三二　巡査看守休職給ニ關スル件……三、九　官秘通　二八五　一八一
三三　休職看守ニ對スル復職並定員ノ補充ニ關スル件……三、九　官通　三二八　一八一
三四　休職又ハ退職ノ者ノ採用ニ關シ身分取調ノ件……三、一〇　官通　三六七　一八二
三五　監獄醫敎誨師及敎師ノ休職ニ關スル件……七、一〇　勅令　三六六　一八三
三六　休職看守ノ復職ニ關スル件……七、一二　監　一、六三二　一八三
三七　職員疾病ニ因リ辭職出願ニ關スル件……四四、二　司庶發　九二　一八三

第七章　試驗敎習

一　高等試驗令……七、一　勅令　七　一八四
二　普通試驗令……七、一　勅令　八　一八六

三　高等試驗令施行細則……七、二　閣令　一　一八六
四　朝鮮人判任文官試驗規則……四四、六　總令　七九　一八七
五　朝鮮總督府看守長特別任用學術試驗及實務考査規程……九、一一　總令　一六九　一八八
六　看守成績表ニ關スル件……九、一〇　法秘　一、〇六七　一八九
七　朝鮮總督府看守敎習規程……七、五　總訓　二三　一九〇
八　看守採用試驗採點標準ノ件……四四、一二　司刑　一、二三七　一九一
九　朝鮮總督府看守敎習所生徒心得……七、九　西監達示　二七　一九一
一〇　朝鮮總督府看守敎習細則……七七、　西監達　一九　一九三
一一　看守ノ復習訓練ニ關スル件……四、　典會訓示　一九五
一二　看守訓練ニ關スル件……五、　典會訓示　一九六
一三　看守學術試驗成績ニ關スル件……六、　典會注意　一九六
一四　看守敎習ニ關スル件……七、　典會指示　一九六
一五　職員ノ訓練敎養ニ關スル件……一〇、　典會指示　一九六
一六　朝鮮總督府及所屬官署職員朝鮮語奬勵規程……一〇、五　總訓　二八　一九六
一七　朝鮮語奬勵試驗執行ニ關スル件……一一、一　秘課長　一九八
一八　國語及朝鮮語奬勵ニ關スル件……三、　典會指示　一九九
一九　朝鮮語奬勵ニ關スル件……六、　典會注意　一九九

第八章　分限、服務、休暇、儀禮、服忌

一　文官分限令……三二、三　勅令　六二　二〇〇

二	官吏服務紀律	二〇、七	勅令	三九	二〇一
三	官紀振肅ニ關スル件	六、六	官通	一一四	二〇二
四	官吏服務紀律ニ關スル件	六、一〇	官通	一八四	二〇二
五	官吏職務外ニ公衆ニ對シ演説又ハ敍述スルヲ得	二二、一	內閣訓令		二〇二
六	不用品拂下ノトキ其ノ官廳所屬官吏ノ入札禁止	八、八六	政官達	一五二	二〇二
七	官吏服務心得書配布ノ件	四五、四	官通	一四八	二〇二
八	官吏服務心得書署名方ノ件	四五、五	官通	一八二	二〇三
九	服務心得書格納容器ノ件	四五、	人	四六七	二〇三
一〇	服務心得書名狀況報告方ノ件	四、五六	官通	二三〇	二〇三
一一	服務心得配付ノ件	元、一一	官通	一二三	二〇三
一二	服務規律及服務書心得讀聞セ方ノ件	元、一二	官通	一六八	二〇四
一三	職員ノ服務ニ關スル訓告ハ文書ヲ以テ之ヲ爲スヘキ件	二、一	官通	一〇	二〇四
一四	服務心得書末尾ノ總督名ハ誦讀ヲ省略ノ件	五、一二	人通	二、三五七	二〇四
一五	總督訓示	四三、一〇	總訓	四四	二〇四
一六	官吏ニ對スル訓諭	五、一二	總訓		二〇五
一七	官吏ニ對スル訓諭	六、五	內閣訓令	一	二〇五
一八	官吏ニ對スル訓諭	七、八	總訓		二〇七
一九	監獄醫敎誨師敎師藥劑師看守及女監取締職務規程	三、五	總訓	一一	二〇七
二〇	看守及女監取締勤務規程	三、五	總內訓	一〇	二一〇
二一	官紀振肅ニ關スル件	三、	典會訓示		二一一

二二	官紀振肅ニ關スル件	三、		典會注意		二二一
二三	監獄職員會議ニ關スル件	三、		典會指示		二二一
二四	監獄醫以下職員ノ執務ニ關スル件	三、		典會指示		二二一
二五	內外勤職員配置ニ關スル件	三、		典會指示		二二一
二六	職員ハ上訴ヲ慫慂シ又ハ投書密告ヲ戒ムル件	三、		典會注意		二二二
二七	分監ニ於ケル事務簡便ヲ計ルヘキ件	四、		典會指示		二二二
二八	看守及女監取締ノ職務上携帶セル物品使用保管ニ關スル件	四、		典會注意		二二二
二九	訓示及指示ノ勵行ニ關スル件	五、		典會訓示		二二二
三〇	訓示指示事項ノ勵行ニ關スル件	六、		典會指示		二二二
三一	監獄ノ事務ハ裁判所警察官署ト連絡ニ關スル件	六、		典會指示		二二二
三二	內勤看守配置按排ニ關スル件	六、		典會注意		二二三
三三	勤務演習召集演習召集及簡閱點呼ノ免除ニ付餘人ヲ以テ代フヘカラサル職務ヲ奉スル者ニ關スル件	八、	二	勅令	二一	二二三
三四	大正八年勅令第二十一號ニ依ル職務ヲ奉スル者指定	八、	三	內閣告示	二	二二三
三五	官吏召集免除ノ件	八、	三	人	六七四	二二三
三六	召集免除ニ關スル件	七、	五	司秘	三九八	二二三
三七	召集免除ノ具申書式ニ關スル件	七、	六	司長通		二二三
三八	勤務演習簡閱點呼免除內申書類ニ關スル件	一一、	七	秘補	一、九八七	二二四
三九	官廳奉職又ハ雇傭中ノ在鄉軍人召集等ノ場合ニ關スル件	六、	八	官通	二一五	二二四
四〇	召集免除認可通報方ノ件	七、	九	人	二一八四	二二五

四一	召集及點呼免除者取扱方ノ件	七、九	官通	一五三	二一五
四二	官吏召集及點呼免除ニ關スル件	七、一二	人	二、八二〇	二一五
四三	官吏召集及點呼免除ニ關スル件	八、六	人	一、五六	二一六
四四	官吏演習召集及簡閱點呼免除具狀方ニ關スル件	八、二	官通	一六	二一六
四五	官吏勤務演習及點呼免除ニ關スル件	八、三	人	六九四	二一六
四六	召集及點呼免除者通報廢止ニ關スル件	一〇、一一	秘補	二、三五三	二一七
四七	應召者通報方ノ件	七、八	官通	一三二	二一七
四八	應召者通報方ノ件	七、九	監	一、一八五	二一七
四九	官廳執務時間	一一、七	閣令	六	二一八
五〇	朝鮮總督府及其所屬廳ノ執務時間ニ關スル件	四三、一二	閣令	一六	二一八
五一	朝鮮總督府及所屬官署執務時間	一一、七	府令	一〇三	二一八
五二	執務時間ノ勵行ニ關スル件	一一、七	文	四九	二一九
五三	休暇報告ニ關スル件	一一、七	法長通		二二〇
五四	休暇報告ニ關スル件	一一、八	法長通		二二〇
五五	休暇日	六、一	太政告示	二	二二〇
五六	日曜日休暇	九、三	太政達	二七	二二〇
五七	官員父母祭日休暇	六、九	太政達	三一八	二二〇
五八	休日ニ關スル件	元、九	勅令	一九	二二〇
五九	朝鮮總督府始政記念日	四、六	總告	一五一	二二一
六〇	始政記念日ノ件	四、六	官通	二〇一	二二一

六一	囑託員ノ請暇ニ關スル件	四四、三	官通	三三	三二二
六二	拜謁敬禮式ノ件	四四、一〇	朝乙發	八〇	三二二
六三	天長節ニ於ケル賀表捧呈ニ關スル件	二、七	宮省告示	一五	三二三
六四	天長節祝日ニ關スル件	二、八	官通	二六五	三二三
六五	三大節賀表差出方ノ件	四三、一〇	朝乙發	三二	三二三
六六	賀表奉呈方ノ件	二、一二	宮內省告	三一	三二三
六七	三大節賀表奉呈方ノ件	一〇、一二	官通	一四〇	三二三
六八	判任官席次ノ件	四三、一一	司庶人	一三八	三二四
六九	國旗揭揚ノ件	四三、一〇	司庶	二二三	三二四
七〇	廢廳中囚人ノ服役及死刑執行ニ關スル件	元、七	勅令	二	三二四
七一	服忌令京家ノ制及産穢混穢廢止	七、一〇	太政布告	一〇八	三二四
七二	僧尼服忌ノ制	五、六	太政布告	一七六	三二八
七三	忌濟ノ節除服出仕宣下ヲ止メ忌服屆出及忌濟日出仕方	三、一	太政布告		三二八
七四	各省奏任官除服出仕達方	六、二	太政布告	五二	三二八
七五	遠地出張在勤官吏忌服中出仕方	六、一〇	太政布告	三四七	三二八
七六	地方官除服出仕方	八、一	太政官達	一〇	三二八
七七	除服出仕ニ關スル件	二、九	官通	二九八	三二九
七八	除服出仕ニ關スル件	九、二	官通	一五	三二九

第九章　服制、點檢、禮式

一	朝鮮總督府監獄職員服制	一〇、三	勅令	四〇	二三〇
二	朝鮮總督府監獄職員服裝規則	一一、一	總訓	二	二四二
三	朝鮮總督府看守防寒外套制式	四、一二	總令	一二八	二四三
四	看守防寒外套使用ニ關スル件	四、二三	官通	三四八	二四三
五	女監取締服裝ニ關スル件	二、七	官通	二四一	二四三
六	女監取締ノ被服ニ關スル件	四、七	官通	二三八	二四五
七	功六級、勳七等以下服裝ニ關スル件	八、二	内閣告示	一	二四五
八	官廳職員ノ服裝ニ關スル件	八、八	人	一、五五〇	二四五
九	朝鮮總督府及所屬官署文官禮式	四四、一一	總訓	八七	二四六
一〇	屋外最敬禮ノ件	四、一〇	人秘	二、〇五六	二四六
一一	看守點檢ニ關スル件	五、	典會訓示		二四七

第十章　檢閲、監督

一	朝鮮總督府所屬官署事務檢閲規程	三、八	總訓	四三	二四八
二	事務檢閲規程中疑義ノ件	三、一〇	監	二一	二四八
三	檢閲ノ勵行ニ關スル件	六、	典會指示		二四九
四	分監(課所)ノ事務ニ付檢閲ヲ行ヒタル場合ニ於ケル件	三、	典會指示		二四九
五	事務ノ監督ニ關スル件	三、	典會訓示		二四九
六	指示注意事項ノ部下職員ニ傳達及狀況報告ノ件	三、	典會指示		二四九
七	分監事務監督ノ周到ヲ期スヘキ件	五、	典會訓示		二四九

八　範ヲ部下ニ示スヘキ件……五、　典會訓示　　二四九
九　分監事務ノ監督ニ關スル件……六、　典會指示　　二五〇

第四編　位勳、褒章、救恤、恩給、賞罰

第一章　位勳、褒章

一　敍位條例……二〇、五　勅令　一〇　二五一
二　敍位條例施行細則……九、一二　閣令　一八　二五一
三　文武官敍位進階內則……二、四八　內閣總訓　　二五二
四　在京者ノ定期敍位ニ關スル件……一一、九　祕書課通　　二五五
五　朝鮮貴族ノ敍位ニ關スル件……四三、八　皇室令　一六　二五五
六　朝鮮人官吏ノ敍位ニ關スル件……九、四　閣議　六二　二五五
七　有位者改姓名轉貫轉居死亡等宮內省ヘ屆出方……二四、六　宮賞達　二一　二五六
八　婦人ノ勳勞アル者ニ瑞寶章ヲ賜フノ件……八、五　勅令　三三二　二五六
九　敍勳內則……二五、一二　閣達　　二五六
一〇　敍勳內則取扱手續……元、八　賞勳　五三　二五六
一一　朝鮮人官吏ノ定例敍勳ニ關スル件……九、四　閣議　六一　二六四
一二　韓國併合記念章制定ノ件……四五、四　勅令　五六　二六五
一三　勳章佩用式……二一、一一　勅令　七六　二六五

一四	勳章記章佩用心得	二三、二	賞勳告示	一	二六六
一五	功六級勳七等以下ノ勳章及記章褒賞ノ佩用ニ關スル件	八、二	閣告示	一	二六七
一六	外國勳章佩用願規則	一八、一一	太政布告	三五	二六七
一七	略章略綬佩用心得	二三、二	賞勳告示	二	二六七
一八	勳章記章褒章ノ佩用取締ニ關スル件	四一、一二	勅令	二九二	二六八
一九	舊韓國勳章及記章ノ佩用ニ關スル件	四三、八	勅令	三三四	二六八
二〇	勳章褫奪令	四一、一二	勅令	二九一	二六八
二一	勳章褫奪令施行細則	四一、一二	閣令	二	二六九
二二	勳章還納手續	二三、三	閣令	九	二七二
二三	帶勳者犯罪ニ關スル往復文書經由ノ件	四五、二	官通	三六	二七二
二四	褒章條例	一四、一二	太政布告	六三	二七二
二五	褒章條例取扱手續	二七、一	閣令	一	二七四
二六	褒章條例取扱手續等ニ依リ府縣知事及主務大臣ノ職務ヲ行フ官吏	四四、一一	閣令	一三	二七四
二七	褒賞ニ關スル件	四五、一	官通	三	二七四
二八	褒賞ニ關スル件	四五、七	官通	二七二	二七五
二九	金銀木杯金圓賜與手續第二條ニ依ル褒賞取扱方ニ關スル件	二、一二	官通	四一二	二七五
三〇	褒賞ニ關スル件	四五、七	官通	二四九	二七五
三一	敍勳者等族籍氏名變更屆出方	三、一二	閣告示	六	二七五
三二	勳等進敍ノ節同種下級ノ勳章還納方	二二、三	勅令	三八	二七六

三三 寄附者行賞ニ關スル件……九、五 官 通 四一 二七六
三四 勳章記章褒章等受領者諸届出手續……三一、一〇 賞勳告示 一 二七六
三五 舊韓國勳章受領ノ朝鮮人犯罪申牒ノ件……四四、七 官 通 二〇六 二七六
三六 勳章勳記功記年金證書又ハ外國勳章佩用免許證沒收ノ場合ニ行テ犯人ノ本籍戶籍吏ニ通知ノ件……四三、三 統 訓 一 二七六
三七 朝鮮警察賞與規程……四四、六 總 令 七六 二七七

第二章 救恤

一 官吏療治料給與ノ件……二五、九 勅 令 八〇 二七八
二 朝鮮總督府看守及朝鮮總督府女監取締ノ療治料給助料及弔祭料給與ニ關スル件……四四、七 勅 令 二〇二 二七八
三 巡査看守療治料給助料及弔祭料給與令……三四、七 勅 令 一四九 二七八
四 巡査看守弔祭料計算方ノ件……二、七 官 通 二二一 二七九
五 巡査看守療治料給助料及弔祭料給與令ノ解釋ニ關スル件……六、三 會 第 八一三 二七九
六 明治三十三年法律第十五號及同年法律第三十號ノ一部ヲ朝鮮ニ施行スルノ件……四四、一〇 勅 令 二七二 二八〇
七 傳染病豫防救治ニ從事スル者ノ手當金ニ關スル件……三三、三 法 律 三〇 二八〇
八 明治三十三年法律第三十號第五條ノ療治料ノ件……五、一二 總 令 一〇四 二八一
九 傳染病豫防救治ニ從事スル者ノ療治料ニ關スル件……五、一二 官 通 二二九 二八一
一〇 各廳技術工藝ノ者就業上死場ノ手當內規……一二、二 大政官達 四 二八一

第三章　恩給、退隱料、扶助料

一	官吏恩給法	二三、六	法律	四三	二八三
二	官吏恩給法施行規則	二三、七	閣令	三	二八五
三	文官傷痍疾病等差例	一八、三	太政達	一六	二八七
四	官吏遺族扶助法	二三、六	法律	四四	二八九
五	官吏遺族扶助法施行規則	二三、七	閣令	四	二九〇
六	官吏恩給法及官吏遺族扶助法補則	二九、三	法律	三六	二九一
七	官吏恩給法及官吏遺族扶助法補則施行規則	二九、三	閣令	二	二九二
八	恩給扶助料等ノ増額ニ關スル件	九、七	法律	一〇	二九二
九	大正九年法律第十號ニ依ル恩給扶助料等ノ増額及明治二十三年勅令第二五四號ニ依ル休職給ノ増額ニ關スル件	九、八	勅令	二七八	二九四
一〇	大正九年法律第十號施行手續	九、九	總令	一四八	二九六
一一	大正九年法律第十號施行手續	九、八	閣令	八	二九六
一二	大正九年法律第十號ニ依リ更正ニ係ル恩給等支給規則	九、九	遞省令	八〇	二九七
一三	増加恩給等ノ増額ニ關スル件	一一、三	法律	一八	二九七
一四	大正十一年法律第十八號施行手續	一一、七	府令	一〇一	二九八
一五	大正十一年法律第十八號施行手續	一一、五	閣令	五	二九八
一六	大正十一年法律第十八號ニ依ル増加恩給等ノ増額ニ關スル件	一一、五	勅令	二八四	二九九

一七	増加恩給等ノ増加金額支給規則	一一、六	遞省令	四二	三〇一
一八	朝鮮總督府及關東（都督府）等在勤官吏ノ恩給及遺族扶助料ニ關スル件	四〇、五	法律	四八	三〇二
一九	明治四十年法律第四八號ヲ適用セサル官吏ニ關スル件	四〇、五	勅令	一八八	三〇二
二〇	朝鮮人官吏ノ恩給退隱料及遺族扶助料等ニ關スル件	七、四	法律	三〇	三〇二
二一	恩給退隱料及扶助料等請求書式其ノ他ニ關スル件	一一、五	官通	三七	三〇三
二二	看守女監取締退隱料扶助料等請求ニ關シ關係官署ヘ附箋照會事項ノ概要	自一〇、四 至一一、四	調		三一五
二三	戸籍謄本提出ニ關スル件	八、三	官通	三六	三一六
二四	恩給退隱料證書等郵送ニ關スル件	七、八	官通	一三三	三一六
二五	巡査看守死亡者履歴書下付ニ關スル件	九、五	秘	一三一四	三一七
二六	傭人扶助令	七、一	勅令	三八二	三一八
二七	巡査看守退隱料及遺族扶助料法	三四、七	法律	三八	三一九
二八	巡査看守退隱料及遺族扶助料法施行令	三四、七	勅令	一四八	三二二
二九	朝鮮總督府等在勤ノ內地人タル警部補巡査看守及女監取締ノ退隱料及遺族扶助料ニ關スル件	四〇、五	法律	四九	三二三
三〇	朝鮮總督府巡査、看守退隱料及遺族扶助料取扱ニ關スル件	四四、六	總令	七一	三二四
三一	內閣恩給局長管掌ニ屬スル巡査、看守退隱料及遺族扶助料取扱規程	三四、六	閣令	一	三二四

三二 明治四十年法律第四十九號ヲ適用セサル巡査、看守及女監取締ニ關スル件…………四〇、五　勅令　一八九　三二六
三三 文官判任以上ノ者退官賜金ノ件…………二三、六　勅令　九八　三二六
三四 朝鮮人官吏ノ文官退官賜金ニ關スル件…………七、四　勅令　六二　三二六
三五 文官退官賜金年數計算方ノ件…………元、一　官通　一七　三二七
三六 退官賜金及死亡賜金支出關係書類提出方ノ件…………二、七　官通　二三〇　三二七
三七 郵便官署ヲシテ年金、恩給等ノ支給事務ヲ取扱ハシムル件…………四三、三　勅令　二五　三二八
三八 年金恩給支給規則…………四三、三　遞省令　六　三二八
三九 郵便局ニ於テ取扱フ年金、恩給、遺族扶助料及退隱料等ノ支給期日…………四三、三　遞省告　三四一　三三一
四〇 退官賜金及死亡賜金ニ關スル件…………元、九　人　二四五　三三一
四一 退官賜金支拂ニ關スル件…………二、一　官通　一二　三三一
四二 朝鮮人官吏ノ文官退官賜金ニ關スル件…………七、四　人　八八一　三三一
四三 退官賜金死亡賜金ニ關スル件…………八、五　官通　六八　三三一
四四 行政整理又ハ軍備制限整理ニ際シ職ヲ離レシメラレタル者ノ特別賜金等ニ關スル件…………一一、一　勅　四七九　三三一
四五 大正十一年勅令第四百七十九號ニ依リ特別ノ賜金又ハ手當ヲ國債ヲ以テ付交スル場合ニ於ケル交付價格ニ關スル件…………一一、一　大藏省　五六　三三三

第四章　賞與、懲戒

一	朝鮮總督府看守及朝鮮總督府女監取締精勤證書授與規則	四四、六	總訓	五一	三三四
二	看守及女監取締精勤證書雛形ニ關スル件	二、五	官通	一六六	三三五
三	看守及女監取締精勤證書雛形ニ關スル件	四四、六	官通	一七五	三三五
四	看守精勤證書ニ關スル件	四四、六	司刑發	四〇二	三三五
五	看守等精勤證書授與規則ニ依ル勤續期間ニ關スル件	四四、六	司刑發	三七六	三三五
六	看守及女監取締精勤證書授與又ハ無効ニ歸シタル場合ニ報告ヲ要スル件	五、一	監	八七	三三六
七	年末賞與辭令書式ノ件	六一、一	人	二、五八九	三三六
八	文官懲戒令	三二、三	勅令	六三	三三六
九	朝鮮總督府監獄所屬職員中奏任待遇者ノ懲戒ニ關スル件	四四、五	總令	六三	三三九
一〇	臺灣總督府朝鮮總督府及關東廳ノ巡查及判任待遇監獄職員ノ懲戒ニ關スル件	九、八	勅令	三六二	三三九
一一	判任待遇(統監府)監獄職員ノ懲戒ニ關スル件	四二、一一	統令	四九	三三九
一二	監獄判任待遇職員懲戒規程	三六、三	司法省令	七	三三九
一三	免官免職及停職者免除ノ件	三〇、一二	勅令	一四	三四〇
一四	懲戒又ハ懲罰ノ免除ニ關スル件	元、一〇	勅令	三〇	三四〇

一五	恩赦令及大正元年勅令第三十號ノ解釋ニ關スル件	二、一〇	官通	三二五	三四〇
一六	朝鮮總督府及所屬官署雇員ノ懲戒免除ニ關スル件	元、一〇	官通	九二	三四一
一七	官吏待遇者及雇員懲戒ニ由ル減俸處理ノ件	元、一〇	官通	一〇九	三四一
一八	懲戒又ハ懲罰ノ免除ニ關スル件	四、一一	勅令	二〇六	三四一
一九	本府及所屬官署雇員ノ懲戒免除ニ關スル件	四、一一	官通	三一八	三四二
二〇	傭人ノ懲戒又ハ懲罰免除ニ關スル件	四、一一	官通	三二七	三四二

第五編　文書、統計、報告、指紋

第一章　文書、官印

一	朝鮮總督府公文書規程	四五、三	總訓	三六	三四三
二	經由文書進達ニ關スル件	三、七	官通	二七八	三四七
三	朝鮮總督府監獄書類保存規程	四四、一二	總訓	九三	三四八
四	公文書ノ宛名等ニ關スル件	一〇、一二	官通	一一二	三五〇
五	總督政務總監宛文書封筒ノ件	六、一一	總	四五八	三五一
六	文書發送方ニ關スル件	四四、二	官通	一四	三五一
七	鐵道部及法務局主管ニ係ル文書取扱方ノ件	八、九	官通	一一五	三五一
八	土木部主管ニ係ル文書取扱方ノ件	九、一一	官通	九八	三五一
九	信書ノ宛名表記方ノ件	九、一〇	民	五〇	三五一

一〇	信書ノ宛名表記方ニ關スル件	九、一〇	民	五〇	三五三
一一	檢事長經由ノ文書ニ關スル件	九、一〇	監通	二、三九六	三五三
一二	文書ノ取扱ニ關スル件	一〇、一〇	法通牒		三五三
一三	人事ニ關スル文書取扱方ノ件	四三、一二	朝乙發	二、一三五	三五四
一四	人事ニ關スル文書提出方ノ件	四四、七	官通	二三六	三五四
一五	朝鮮總督府官報編纂規程	九、二	總訓	一〇	三五四
一六	官報通牒ニ同文通牒掲載ニ關スル件	四四、二	總訓	一三	三五七
一七	官報通牒ニ關スル件	四四、一〇	文	二一七	三五七
一八	朝鮮司法協會雜誌ノ掲載ヲ以テ一般通牒ニ代フル件	一一、一	法通牒		三五七
一九	朝鮮司法協會雜誌掲載ノ一般通牒ニ關スル件	一一、三	法通牒		三五八
二〇	官報原稿送付方ノ件	元、七	官通	二八三	三五八
二一	官報等ニ關スル文書發送方	二、六	印刷局		三五八
二二	內地官報ニ廣告掲載方ノ件	四四、一	官通	一九	三五八
二三	出張辭令ノ官報原稿送付方ノ件	三、二	官通	五一	三五八
二四	職員出張ニ關スル官報報告方ノ件	九、三	官通	一九	三五八
二五	所屬官署ヘ印刷物發送ノ件	四五、五	官通	一八四	三五九
二六	往復用紙使用方ノ件	四、五	官通	一六六	三五九
二七	寫眞送付ノ件	九、一一	文通	四九三	三五九
二八	外國ニ提出スル爲發給スル證明書取扱方ノ件	六、九	官通	一五一	三五九
二九	書類綴方ノ件	四四、一	朝乙發	四七六	三六〇

三〇	文書取扱方ニ關スル件	五、三	官通	三四	三六〇
三一	提出書類ノ編綴方ノ件	三、	典會注意		三六〇
三二	文書進行番號ノ件	元、八	總	一	三六〇
三三	成案ノ記號ニ關スル件	一一、七	文書課長		三六〇
三四	用字例及文例ニ關スル件	四四、三	官通	一八	三六〇
三五	電信略符號ノ使用等ニ關スル件	三、二	官通	四四	三七一
三六	公文書ニ學位ヲ記載セサルノ件	九、七	政秘	一、七一〇	三七一
三七	外國ニ歸化シタル朝鮮人ノ取扱ニ關スル件	四、一〇	總內訓	二〇	三七一
三八	內勤職員ニ關スル件	一〇、六	法通牒		三七一
三九	事務整理ニ關スル件	一一、八	文	五二	三七一
四〇	文書事務簡捷ノ件	二、	典會指示		三七四
四一	帳簿事務ノ簡捷ヲ圖ル件	五、	典會注意		三七五
四二	朝鮮ノ標準時	四四、一一	府告	三三八	三七五
四三	文書誤記、脫字等注意ノ件	四、	典會注意		三七五
四四	宿直員ノ用紙取締ノ件	四、	典會注意		三七五
四五	改正例規ノ整理ニ關スル件	四、	典會注意		三七五
四六	收受ノ文書ノ查閱ニ關スル件	五、	典會注意		三七五
四七	文書、帳簿ノ整理保存ノ件	六、	典會注意		三七五
四八	監獄ノ沿革吏編纂ノ件	七、	典會注意		三七六
四九	簿冊ノ整理ノ件	一〇、	典會指示		三七六

五〇 新年用門松ニ關スル件……五、一二 總 四三二 三七六
五一 官印寸法……三一、八 閣令 五 三七六
五二 公文書ニ用フル印章ニ關スル件……四、三 官通 七三 三七六
五三 公文書ニ用井ル印鑑屆出ニ關スル件……一一、三 法通牒 三七六
五四 典獄補ノ印章ニ關スル件……一〇、一〇 法通牒 三七七
五五 元號ノ稱呼……元、七 內閣告示 一 三七七

第二章 統計、報告

一 朝鮮總督府統計事務取扱方……七、九 總訓 四七 三七八
二 朝鮮總督府報告例……元、一一 訓令 二〇 三七八
三 報告例ノ電報報告中略符號使用ノ件……二、一一 官通 三九二 三七九
四 監獄統計中央集査實施ニ關スル件……一一、五 法通牒 四八〇
五 監獄統計小票取扱ニ關スル件……一一、一〇 法通牒 四一七
六 統計ノ進歩改善ニ關スル件……五、五 內閣訓令 一 四一七
七 監獄統計報告ノ調製及提出……四、 典會注意 四一七
八 監獄統計ノ注意……六、 典會注意 四一八
九 書類ノ淨書校合等ノ件……三、 典會注意 四一八
一〇 監獄統計從事者ノ養成ニ關スル件……一一、五 監 二一 四一八
一一 統計主任ニ關スル件……五、三 官通 三八 四一八
一二 統計主任ニ關スル件……七、九 官通 一四九 四一九

一三　統計主任ニ關スル件……一〇、七　庶務部長　四一九
一四　統計ニ關スル件……七、四　監　三五三　四一九
一五　統計ニ關スル件……七、三　監　三五三　四二〇
一六　監獄統計ニ關スル件……九、一　法　通　一四七　四二四
一七　統計ニ關スル件……一〇、五　法通牒　四二四
一八　看守轉勤ノ報告方ニ關スル件……一一、一〇　法通牒　四二五
一九　職員死亡報告ニ關スル件……九、一　官　通　四　四二五
二〇　職員死亡報告ニ關スル件……一〇、四　法通牒　四二五
二一　職員勤務指定報告ニ關スル件……九、一　法　三四　四二五
二二　監獄事務報告ニ關スル件……一〇、一　法通牒　四二六
二三　月報提出ニ關スル件……一一、五　法通牒　四二六
二四　死刑ノ執行ニ依リ出監シタル者ノ小票記入方ニ關スル件……一一、五　法通牒　四二六
二五　期限內ニ事務報告提出ノ件……三、　典會注意　四二六
二六　統計事務ノ整備ニ關スル件……五、五　官　通　七五　四二七
二七　監獄統計報告ノ調製……五、　典會注意　四二七
二八　職員定員及現員配置對照表提出ノ件……一〇、二　秘書課長　四二七
二九　監獄醫以下現員現給ノ件……一〇、四　法通牒　四二七
三〇　資格者ノ履歷等提出ノ件……三、　典會注意　四二八
三一　朝鮮語獎勵手當ヲ受クル者ニ關スル件……一一、五　鮮語試　一〇七　四二八
三二　監獄事務報告書ノ調製……二、　典會指示　四二八

三三 作業科程、工錢ノ増減ノ報告…… 六、 典會注意 四一八
三四 事變報告ノ件…… 四三、一二 刑 八九九 四一八
三五 在監人ニ關スル電報報告ニ日鮮人等ノ區別記載ノ件…… 四四、一〇 司 刑 八五四 四一九
三六 在監者ニ關スル報告文書ノ件…… 四三、一一 檢 發 一、四〇八 四一九
三七 施政上ノ參考ニ資スヘキ事項報告ノ件…… 五、 典會注意 四一九
三八 本府ニ定期報告期日勵行ノ件…… 五、 典會注意 四一九
三九 例規ノ設定改廢報告ノ件…… 五、 典會注意 四一九
四〇 監獄ニ關連スル事項ニ付テノ報告ノ件…… 六、 典會注意 四一九
四一 事務報告ノ調製ニ關スル件…… 六、 典會注意 四一九
四二 復命書ノ寫ヲ提出スヘキ件…… 六、 典會注意 四二〇
四三 朝鮮總督府月報材料報告ニ關スル件…… 四四、五 司 庶 四五一 四二〇
四四 朝鮮彙報ニ關スル規程…… 六、九 總 訓 三九 四二〇

第三章 指紋

一 指紋取扱規程…… 一〇、一二 訓 令 七一 四二一
二 指紋原紙取扱心得及記載例ノ件…… 一一、一 法 通 牒 四三九
三 指紋押捺ニ關スル件…… 一一、一 法 通 牒 四四一
四 指紋原紙編綴ニ關スル件…… 一一、一 法 通 牒 四四一
五 指紋取扱ニ關スル件…… 一一、五 法 通 牒 四四一
六 受刑者指紋對照ノ件…… 七、一〇 監 一、二九三 四四二

七	內地受刑者ノ指紋對照ノ件	七、九	監	一、二九三	四四三
八	受刑者指紋原紙作成ノ件通知	七、一一	司省監丙	六七二	四四四
九	指紋利用ニ關スル件	八、二	監	二六六	四四四
一〇	指紋原紙記載事項異動報告ニ關スル件	六、三	監	四一〇	四四五
一一	指紋原紙記載事項異動報告ニ關スル件	五、三	監	三四四	四四五
一二	指紋分類番號ニ關スル件	一〇、三	法通牒		四四五
一三	指紋原紙提出ノ件	三、	典會注意		四四五
一四	指紋取扱及習熟ニ關スル件	三、	典會指示		四四五
一五	指紋ノ對照ニ關スル件	二、	典會指示		四四五
一六	指紋ノ研究ニ關スル件	六、	典會指示		四四六
一七	指紋再捺ニ關スル件	三、	典會注意		四四六
一八	指紋ノ改捺ニ關スル件	三、	典會注意		四四六
一九	指紋印象徵取方ニ關スル件	三、	典會注意		四四六
二〇	指紋原紙印象鮮明ナルヘキ件	三、	典會注意		四四六
二一	指紋原紙ニ記載事項ニ關スル件	三、	典會注意		四四六
二二	指紋原紙上ノ自署ニ關スル件	三、	典會注意		四四六
二三	指紋ノ確實ナルヘキ件	三、	典會注意		四四七
二四	指紋原紙特徵欄ノ記載方ノ件	三、	典會注意		四四七
二五	指紋取扱上注意ヲ要スル件	四、	典會注意		四四七
二六	指紋疑義アル場合照會ニ於ケル符箋使用ノ件	三、	典會注意		四五七

二七　指紋取扱上注意ヲ要スル件……………　五、　典會注意　四四七
二八　内地人受刑者ノ指紋原紙作製ノ件……………　九、三　監　五七四　四四八

第六編　會計

第一章　通則

一　朝鮮ニ施行スル法律ニ關スル件……………　四三、九　勅　四一二　四四九
二　朝鮮總督府特別會計ニ關スル件……………　四三、九　勅　四〇六　四四九
三　朝鮮總督府特別會計規則……………　四、三九　勅　四〇七　四五〇
四　會計法……………　一〇、四　法律　四二　四五一
五　會計法施行期日ノ件……………　一〇、一二　勅　四八六　四五五
六　會計規則……………　一一、一　勅　一　四五五
七　會計規則及特別會計規則ノ規定ニ依リ調製スルコトヲ要スル帳簿ノ樣式及記入方ニ關スル件……………　一一、三　大省令　二〇　七四三
八　朝鮮總督府及所屬官署會計事務章程……………　三、八　總訓　四二　五〇三
九　會計事務章程中取扱方ニ關スル件……………　三、九　官通　三二四　六〇二
一〇　國庫出納金端數計算法ヲ朝鮮、臺灣、樺太ニ施行ノ件……………　五、三　勅　五七　六〇二
一一　國庫出納金端數計算法……………　五、一　法律　二　六〇二
一二　國庫出納金端數計算法ヲ適用セサル種目……………　五、三　勅令　五六　六〇三

一三	共公團體ノ收入及仕拂ニ關シ國庫出納金端數計算法準用ノ件	五、八	勅令	二〇九	六〇三
一四	國庫出納金端數計算法ニ關スル件	五、四	官通	五七	六〇四
一五	國庫金ノ收支上厘位切捨ニ關スル取扱方ノ件	四四、一	會局長通朝會發	一	六〇四
一六	政府ト私人トノ債務ノ相殺ニ關スル件	一一、四	大省訓	一五	六〇四
一七	朝鮮總督府官報ノ發行及發賣ニ關スル件	四三、八	統告	一九七	六〇四
一八	朝鮮總督府官報廣告掲載ノ件	元、一〇	總告	七三	六〇五
一九	豫定經費算出概則	三三、六	閣令	一九	六〇五
二〇	歲入歲出豫算概定順序	三二、三	閣令	一二	六〇六
二一	豫算編成順序竝第二豫備金支出要求手續	一一、五	總訓	二五	六〇六
二二	豫算概算ニ關スル件	四、三	監五三法長通		六〇七
二三	監獄經費實費調ノ件	一〇、四	法長通		六一五
二四	一般會計所屬歲入豫算資料報告方ノ件	七、六	司	四九九	六一八
二五	大正十一年度歲出豫算中第一豫備金ヲ以テ補充シ得ヘキ費途ノ件	一一、六	勅令	三三二	六一九
二六	大正十一年度歲入歲出科目解疏				六一九

第二章 歲入

一	歲入事務ニ關スル法令ノ效力ニ關スル件	四四、三	朝乙發	二、三二五	六二七
二	在監者遺留物品賣却代金歲入科目整理方ノ件	三、八	官通	二八九	六二七

番號	件名	年月	種別	號數	頁
三	分監ノ收入事務ニ關スル件	一〇、四	法長通		六二七
四	囚徒工錢製作收入調ノ件	一〇、四	法長通		六二七
五	囚徒工錢製作收入調ノ件	一〇、七	法長通		六二八
六	證券ヲ以テスル歲入納付ニ關スル法律ヲ朝鮮、臺灣及樺太ニ施行スルノ件	五、一二	勅	二五五	六二八
七	證券ヲ以テスル歲入納付ニ關スル件	五、三	法律	一〇	六二八
八	證券ヲ以テスル歲入納付ニ關スル法律施行期日	五、一二	勅令	二五四	六二八
九	證券ヲ以テスル歲入納付ニ關スル法律施行細則	五、一二	大省令	三二	六二九
一〇	證券ヲ以テ納付シ得ル歲入ノ科目及其ノ納付ニ關スル制限	六、三	總令	二三	六三一
一一	證券ヲ以テスル歲入納付ニ關スル件	六、四	官通	七九	六三二
一二	歲入納付ニ使用スル證券ニ關スル件	五、一二	勅令	二五六	六三三
一三	證券ノ納付ニ關スル制限	五、一二	大省令	三〇	六三四
一四	證券ヲ以テスル歲入納付ニ關スル件	六、五	官通	九四	六三五
一五	渡切經費出納擔任者及物品取扱主任死亡ノ場合ニ關スル件	六、五	官通	九七	六三六
一六	印紙ヲ以テスル歲入金納付ニ關スル件	九、六	勅令	一九〇	六三六
一七	歲入歲出國庫內移換收支取扱手續ノ件	四、四	官通	一三一	六三七
一八	諸收入收納取扱規程	三三、四	大省令	二七	六四〇
一九	告知書類ノ刷色、寸法等ノ件	二、三	官通	五二	六四三
二〇	歲入金年度記載方注意ノ件	四五、二	官通	五五	六四四

二一	物件賣拂代金延納規則	一一、一	府令	一	六四四
二二	朝鮮臺灣及樺太ニ施行スル法律ニ關スル件	四四、四	勅令	一二〇	六四五
二三	租稅外諸收入金整理ニ關スル件	四四、三	法律	五八	六四五
二四	明治四十四年法律第五十八號施行規則	四四、四	勅令	一三一	六四六
二五	貸付金取扱規程	四四、四	大省令	一七	六四六
二六	租稅外諸收入金ヲ貸付金ニ編入方ノ件	四、九	官通	二五八	六四八
二七	貸付金ニ編入稟申ノ際添附スヘキ書類ノ件	四四、六	官通	一六七	六四八
二八	租稅外未收入金ヲ貸付金ニ編入ノ件	六、三	官通	五四	六四九
二九	歲入繰越整理ニ關スル件	四四、三	官通	二四	六四九
三〇	三月三十一日繰越額計算表提出方ノ件	九、四	官通	三八	六四九
三一	歲入調定濟額ニシテ翌年六月末日マテニ收入整理ヲ了セサルモノ取扱方	二四、八	大省訓	六八	六四九
三二	收入金繰越手續	二五、五	大省訓	二五	六五一
三三	歲入年度等誤謬ノ場合訂正手續	一一、四	大省令	三八	六五一
三四	襲用豫算歲入ノ收入濟額ト(金庫)ノ收入額ト不突合ノ事由調査ニ關スル件	四四、一〇	官通	三〇九	六五三
三五	歲入金月計對照表ニ關スル件	四四、一一	官通	三一七	六五四
三六	告知書類ニ記載ノ納人住所又ハ氏名誤謬ノ場合措置方ノ件	四五、一	官通	二五	六五四
三七	歲入金額收高月計通知書ニ關スル件	四五、六	官通	二二三	六五四

三八 歳入金誤謬訂正ニ關スル件……七、六 官通 一〇八 六五四
三九 歳入年度所管廳等誤記訂正請求方ノ件……九、五 官通 四四 六五五
四〇 歳入金領收濟通知書ニ關スル件……五、五 官通 七八 六五六
四一 徵收報告書提出方ニ關スル件……九、八 官通 六四 六五六
四二 歳入金月計對照表ニ關スル件……九、九 官通 八九 六五六
四三 徵收報告書ト〔金庫〕月計對照表トノ差額整理方ノ件……一〇、六 官通 五八 六五六
四四 歳入金月計對照表ニ關スル件……一一、三 官通 一九 六五七
四五 徵收報告書ニ關スル件……一一、五 官通 四一 六五七
四六 歳入金月計突合表取扱方ノ件……一一、五 官通 四四 六五七
四七 徵收報告書及徵收總報告書記載方ノ件……一一、六 官通 五三 六五八
四八 徵收報告書整理方ノ件……一一、七 官通 七〇 六五八
四九 徵收報告書整理ニ關スル件……一一、八 官通 七一 六五八
五〇 歳入徵收額計算書ニ添附スル證憑書ノ件……一一、九 官通 八一 六五八
五一 歳入徵收官交替ノトキ通知方……三三、五 大省訓 四五 六五八
五二 國庫納金徵收方ノ件……二、五 官通 一一七 六五九
五三 囚徒工錢製作及收入調ノ件……一〇、四 法長通 六五九

第三章 歳出

一 官廳ニ於テ印刷局製造品買入レニ關スル件……四〇、二 法律 五 六六〇
二 支出官事務章程……一一、一 大省令 一 六六〇

三　（支拂命令及金額氏名表）記載方ニ關スル件……四二、二　大省通往　二、〇一〇　六六七
四　諸支出金仕拂ニ關スル件……四五、六　會　二、〇〇三　六六七
五　會計事務章程第三十九條ノ二ニ依リ支出官ヨリ提出スヘキ補充費途ニ屬スル經費經理ノ實蹟報告ニ關スル件……一一、八　官　通　七二　六六七
六　國庫納金ニ關スル小切手振出ノ件……一一、七　官　通　六五　六六八
七　繰替拂ニ關シ注意ノ件……四四、二　通　朝　乙　八七二　六六八
八　資金前渡官吏隔地ノ債主ニ對シ支拂ヲ爲ス場合ニ於ケル取扱手續ノ件……一一、九　官　通　八四　六六八
九　現金前渡官吏遠隔ノ地ノ債主ニ對シ仕拂ヲ爲ス場合ニ關スル件……四四、三　官　通　二八　六六八
一〇　現金前渡官吏送金方ノ件……四四、一〇　官　通　三〇三　六六九
一一　送金拂ノ正當領收證保存ニ關スル件……八、六　官　通　八四　六六九
一二　豫算ニ關スル現在員比較調ノ件……四四、三　官　通　四一　六六九
一三　豫算ニ對スル現在員比較調作成方ニ關スル件……四四、一〇　官　通　三〇七　六七〇
一四　水道其ノ他設備ニ關スル經費區分ノ件……四四、一二　官　通　三七八　六七〇
一五　歳出金繰替拂通知書ニ關スル件……二、一　官　通　二二　六七一
一六　印刷所ニ對スル注文及代金支拂ニ關スル件……四五、四　官　通　一一六　六七一
一七　支出濟額報告書調製方等ニ關スル注意事項……一一、五　財務司通　六七一
一八　經費節約ニ關スル件……二、　典會指示　六七三
一九　經費節約ニ關スル件……五、　典會訓示　六七三

二〇 官報法令全書等代價納付方ノ件…… 二、一〇 官 通 三三七 六七三
二一 〔仕拂命令官〕署名ニ關スル件…… 九、四 官 通 二八 六七三
二二 電報送金ニ關スル件…… 九、一〇 會 五九九一 六七四
二三 歲出金繰替拂證票發行ニ付遞信局ヘ通牒方ノ件…… 一〇、一 官 通 三 六七四
二四 前渡金仕拂殘額ヲ歲入ニ納付シタル場合支出計算書記載方ノ件…… 一〇、七 官 通 六五 六七四
二五 豫算繰越ニ關スル件…… 一一、三 官 通 一三 六七五
二六 國庫納金ニ關スル小切手振出ノ件…… 一一、七 官 通 六五 六七五
二七 小切手振出日附ニ關スル件…… 一一、五 官 通 四〇 六七五
二八 會計事務章程第三十九條ノ二ニ依リ支出官ヨリ提出スヘキ補充費途ニ屬スル經費經理ノ實蹟報告ニ關スル件…… 一一、八 官 通 七二 六七五
二九 米豆購入ニ關スル件…… 七、 典會注意 六七七

第四章 物品

一 物品會計規則…… 二二、六 勅令 八四 六七八
二 物品出納簿記帳方ノ件…… 四四、一一 官 通 三四九 六七九
三 在監者食料品出納ニ關スル件…… 五、七 官 通 一〇六 六七九
四 物資購入ニ關スル件…… 三、九 會 四、一二七 六八〇
五 經費支辨區分ノ件…… 三、一 會 一五〇 六八〇
六 生産品價格算定ニ關スル件…… 二、一〇 會 六、〇〇一 六八〇

七　物品辨償債務免除ノ件……元、一二　官通　一七五　六八一
八　物品取扱主任及專用者ノ辨償責任免除ノ件……四、一二　官通　三四六　六八一
九　琺瑯燒修理ニ關スル件……六、一一　監　一、四〇五　六八二
一〇　度量衡器ノ供給ニ關スル件……一〇、四　官通　二六　六八二

第五章　契約

一　入札又ハ契約ノ保證金ニ關スル件……四三、九　勅令　三四〇　六八三
二　一般ノ競爭ニ加ラムトスル者ニ必要ナル資格ニ關スル件……一一、六　府令　九〇　六八三
三　一般ノ競爭ニ加ラムトスル者ニ必要ナル資格ニ關スル件……一一、四　大省令　三三　六八四
四　入札人及請負人心得竝契約書案ノ件……四四、四　官通　六六　六八五
五　豫算繰越ニ關スル契約方ノ件……四四、六　官通　一八六　六九七
六　契約書省略ニ關スル件……一一、九　官通　七九　六九七
七　擔保トシテ政府ニ納ムヘキ國債等ノ價格算定ニ關スル件……四一、一一　勅令　二八七　六九七
八　印紙納付ニ關スル疑義ノ件……八、六　官通　八八　六九七

第六章　供託、預金、保管

一　供託ニ關スル件……元、八　制令　一　六九九
二　大正十一年制令第二號ニ依リ指定シタル供託所……一一、三　總令　三八　七〇〇
三　朝鮮總督府供託局ノ豫金取扱店……一一、四　總告　九一　七〇〇
四　大正十年法律第六十九號供託法中改正法律施行ニ關スル

件………………一一、二　勅令　二八　七〇〇
五　供託法第三條ニ依ル供託金利息………………一一、三　府令　三六　七〇〇
六　供託物ノ還付又ハ取戻ヲ請求スル場合ニ關スル件………………一一、三　勅令　七五　七〇〇
七　朝鮮總督府供託局供託物取扱規則………………一一、三　總令　三四　七〇〇
八　指定供託所供託物取扱規則………………元、一一　總令　三八　七一〇
九　入札保證金寄託ノ件………………七、八　官通　一三八　七一九
一〇　期滿失效期日通知書樣式及寄託通知書、送付書、拂渡證書等用紙寸法竝制色制限ニ關スル件………………八、二　官通　二五　七二〇
一一　保管金拂出方ノ件………………一一、五　官通　四二　七二一
一二　寄託金ノ權利移轉又ハ其ノ他ノ事故ノ爲期滿失效期日ニ變更ヲ生シタル場合（金庫）ニ通知方ノ件………………四五、六　官進　二〇五　七二一
一三　保管金規則ヲ朝鮮ニ施行スルノ件………………四四、四　勅令　六三　七二二
一四　保管金規則………………二三、一　法律　一　七二三
一五　保管金取扱規程………………一一、二　大省令　五　七二三
一六　預金部貯金取扱規程………………一一、二　大省令　六　七二七
一七　政府所有有價證券取扱規程………………一一、二　大省令　七　七四〇
一八　政府保管有價證券取扱規程………………一一、二　大省令　八　七四三
一九　供託有價證券取扱規程………………一一、二　大省令　九　七四九

第七章　出納官吏

一　出納官吏事務規程…………　一一、一　大藏省令　二　七五一
二　朝鮮總督府遞信官署現金受拂規則…………　一一、四　總令　五七　七六三
三　歳入歳出外現金出納官吏現金取扱方ノ件…………　二、四　官通　八九　七六四
四　出納官吏銀行又ハ一私人ニ現金保管ヲ託セシ場合ニ於テ該預金ニ對スル利子ヲ受取リタルトキノ取扱方…………　明三三、七　大藏訓令　五六　七六五
五　預金利子收入取扱方ノ件…………　三、七　官通　二五六　七六五
六　證明上添付書類省略ノ件…………　八、二　官通　二一　七六五
七　出納官吏現金保管ニ關スル件…………　一一、九　官通　八〇　七六五
八　出納官吏辨償責任ノ免除ニ關スル件…………　元、一一　勅令　四一　七六五
九　仝件…………　元、一一　官通　一五〇　七六六
一〇　仝件…………　四、一一　勅令　二〇七　七六六
一一　仝件…………　五、一　官通　一〇　七六六

第八章　國庫

一　日本銀行國庫金取扱規…………　一一、三　大藏省令　一〇　七六八
二　日本銀行政府有價証劵取扱規程…………　一一、二　大藏省令　一一　七八五

第九章　計算證明

一	計算證明規程	一一、三	會檢達	一	七九六
二	計算證明規程第二十三條及第四十一條ノ調書並報告書ノ書式ノ件	一一、六	官通	六三	八三三
三	會計實地檢查ノ結果說明ニ關スル件	一〇、八	法長通牒		八三六
四	會計法規ニ基ク出納計算ノ數字及記載事項ノ訂正ニ關スル件	一一、五	大藏省令	四三	八三六
五	計算證明上指定並省略ニ關スル件	一一、五	官通	四六	八三七
六	「仕拂」證明証憑書ニ關スル件	二、一二	官通	四〇一	八四三
七	同件	八、五	官通	七〇	八四四
八	朝鮮總督府會計監查規程	二、七	總訓	四四	八四四
九	會計監查ニ關スル件	二、七	官通	二四七	八四五
一〇	檢查員休日又ハ退廳後臨檢スルモ檢查ニ應スヘキノ件	明二五、五	大藏訓令	三五	八四五
一一	會計ニ關スル協定事項報告ノ件	元、七	官通	二	八四六
一二	計算書報告書誤記又ハ遺算ニ關スル注意ノ件	明四五、三	官通	七四	八四六
一三	證明書類調理及發送方注意ノ件	明四四、一一	官通	三二三	八四六
一四	歲入歲出ノ報告書提出方ノ件	一二、一	官通	六	八四六

一五	諸計算書及証憑書保存年限ノ件	五、三	官通	四〇	八四七
一六	歳入證明ニ關スル件	明四四、七	官通	二二二	八八五
一七	歳入徴收額証明方注意事項	七、六	官通	九一	八八八
一八	一般會計歳入徴收報告書提出方ノ件	七、八	官通	一二九	八八八
一九	會計檢査院ニ對スル証明書類提出方ニ關スル件	明四五、六	官通	二三一	八八八
二〇	收入計算及檢定書調製方ノ件	一〇、六	官通	五〇	八八九
二一	歳入証憑書枚數記載ニ關スル件	明四四、三	官通	一九	八八九
二二	証明書類調理上注意事項ノ件	明四四、四	官通	九三	八九〇
二三	証明書類調理上注意事項追加ノ件	明四四、六	官通	一七三	八九五
二四	証明書類調理上注意ノ件	一〇、八	官通	七七	八九六
二五	証明書類調理ニ關スル件	明四四、四	官通	六一	八九七
二六	仕拂計算書提出方ノ件	三、七	官通	二五五	八九七
二七	最終支出計算書副本提出方ノ件	六、四	官通	八三	八九七
二八	仕拂計算書ニ檢定書添付ノ件	明二五、五	大藏訓	三〇	八九七
二九	出納官吏檢査規程	明四五、五	官通	一九五	八九八
三〇	物品出納計算委託檢査成績報告書ニ關スル件	六、五	官通	九九	八九九
三一	物品檢査書提出方ノ件	明四四、一一	總	一、九九三	八四七

第七編　官有財産

第一章　管理

一	朝鮮官有財産管理規則	明四四、七	勅令	二〇〇	九〇一
二	官有財産ノ整理區分、臺帳其ノ他ノ樣式竝圖面調製標準	四、一	總訓	二	九〇三
三	各省管理官有財産ノ管理ニ關スル件	一一、一〇	官通	九二	九〇三
四	官廳ノ所管ニ係ル不動産登記ノ囑託ニ關スル件	一〇、八	府令	一二三	九〇三
五	官有財産第一回目錄調製ニ關スル件	七、四	官通	五九	九〇四
六	官有財産ニ關スル件	明四五、四	官通	九〇	九〇四
七	官有財産保存竝取毀ニ關スル件	明四四、一〇	官通	二九七	九〇四
八	火災豫防ニ關シ改善及注意ノ件	四、一二	官通	三三一	九〇四
九	火災豫防ニ關シ注意ノ件	五、一一	官通	一九二	九〇八
一〇	火災豫防ニ關シ注意ノ件	六、一一	官通	一九六	九〇九
一一	火ノ元取締巡視ノ件	六、一一	會第	四、一一〇	九一〇

第二章　土地　建物　營繕

一	朝鮮總督府建築標準	大五、一一	總訓	四三	九一一
二	工事竣功ノ場合報告通知ニ關スル件	大四、一〇	營	二六七五	九一七
三	監獄營繕工事施行ニ付注意スヘキ件	大四、七	司監通牒		九一七

四　物品出納簿記載方ノ件……二、一〇　官通　三二二　九一八
五　他廳ノ官用地及建物保管換ノ場合ニ於ケル手續ノ件……明四四、五　官通　一一三　九一八
六　官有財產貸付及使用報告ノ件……明四四、一一　官通　三三五　九一八
七　官有財產貸付及賣拂ニ關スル契約書文例改正ノ件……六、一一　官通　二〇五　九二三
八　國有林野產物及土石採收等ノ件……明四四、九　官通　二七三　九二九
九　監獄所屬ノ土地建物ノ坪數等增減變更ノ場合通報方ノ件……明四四、五　司刑發　三二三　九三〇
一〇　朝鮮總督府官舍規程……二、七　總訓　四〇　九三一
一一　官舍電話官給ニ關スル件……一〇、五　庶長通牒　九三四
一二　營繕工事進捗程度報告ニ關スル件……明四三、一二　刑　九二〇　九三四
一三　獄務ト獄舍ノ設備……五、　典會訓示　九三四
一四　廳舍其他現在調提出方ノ件……明四五、四　監　七六　九三五
一五　監獄構內ノ空地使用ノ件……五、　典會注意　九三五

第八編　監獄

第一章　監獄令及監獄令施行規則

一　朝鮮監獄令……明四五、三　制令　一四　九三七
二　監獄法……明四一、三　法律　二八　九三七
三　朝鮮監獄令施行規則……明四五、三　總令　三四　九四二

四 監獄令等發布ニ關シ注意ノ件……明四五、三 司 刑 八七一 九五五

第二章 收監 名籍

一 監獄及監獄分監ノ名稱位置……明四三、一〇 總 令 一一 九五七
二 朝鮮軍陸軍軍法會議處斷囚徒ヲ普通監獄ニ拘禁スル件……八、四 官 通 五六 九五八
三 浦塩臨時軍法會議判決囚收監ニ關スル件……九、七 監 一四一一 九五八
四 監獄收容區分變更ニ關スル件……六、三 官 通 六七 九五九
五 受刑者收容區分ニ關スル件……九、九 官 通 八〇 九六〇
六 特殊受刑者集禁ニ關スル件……一一、九 官 通 八六 九六〇
七 特殊受刑者ノ集禁區分ニ關スル件……一一、一二 官 通 一〇九 九六一
八 分類集禁ニ關スル件……一、一〇 典會指示 九六二
九 刑事被告人滯獄日數調査ノ件……三、九 法檢長通牒 九六二
一〇 收監ノ際書類帳簿ノ對照ニ關スル件……四、 典會指示 九六二
一一 囑託婦女又ハ外國人ノ拘禁費用ニ關スル件……七、八 官 通 一三九 九六二
一二 監獄ニ於テ入監簿其ノ他備付ノ件……四、二 總 訓 六 九六二
一三 身分帳簿名籍表中氏名記載方ノ件……七、一一 監 一、四八三 九九四
一四 在監者ノ身分帳簿人相表ニ關スル件……五、六 司長通牒 九九四
一五 無籍者就籍ニ關スル件……六、七 法 三二八 九九四
一六 證明令第三條ノ四親等內ノ親族ニ關スル件……明四五、七 官 通 四二六 九九四

一七 行狀錄ノ記載方ノ件……二、 典會指示 九九六
一八 身分帳ノ整理ニ關スル件……四、 典會注意 九九六
一九 身上票ノ作成ニ關スル件……五、 典會注意 九九六
二〇 身上票ノ作成ニ關スル件……六、 典會注意 九九六
二一 身上照會ハ短刑期モ可成之ヲ爲スヘキ件……六、 長官注意 九九七
二二 笞刑ノ前科ヲ名籍表ニ記載ノ件……四、七 監 二九一 九九七
二三 民籍ノ身位ニ關スル件……六、五 官通 一〇七 九九七
二四 在監者行狀視察ニ關スル件……四、 典會指示 九九九
二五 在監者ノ行狀審查ノ查定標準一定ノ件……五、八 監 八五九 九九九
二六 短期四ノ行狀表作製省畧ノ件……五、八 監 八五九 九九九
二七 行狀審查期算出方ノ件……四、一〇 司秘 二六九 九九九

第三章 參觀 情願

一 情願書進達ニ關スル件……六、 典會注意 一〇〇一

第四章 領置

一 領置品ノ評價格ニ關スル件……四、 典會注意 一〇〇二
二 領置品ノ評價格ニ關スル件……六、 典會注意 一〇〇二
三 携入品ノ消毒勵行ニ關スル件……七、 典會注意 一〇〇二

四　交付洩領置品處分ニ關スル件……四、一　官通　八　一〇〇二
五　領置金交付洩ニ關スル件……四、六　海發　五四九　一〇〇二
六　沒入品廢棄品ノ利用ニ關スル件……二、　典會指示　一〇〇二
七　期間ヲ經過シタル遺留品ハ速カニ處分スヘキ件……四、　典會注意　一〇〇三
八　煙草器械卷紙ノ引繼ニ關スル件……一〇、八　專庶　五八七　一〇〇三
九　沒入廢棄簿ニ關スル件……八、三　監　四七二　一〇〇三

第五章　戒護　處遇　押送

一　監獄職員銃器携帶ニ關スル件……明四二、一〇　統令　四八　一〇〇四
二　豫審廷ニ於テ看守退廷ノ件……明四五、一　司刑　一七五　一〇〇四
三　豫審廷ニ於テ看守退廷ノ件……四、一一　監　六六六　一〇〇四
四　監房別異ニ關スル件……二、　典會訓示　一〇〇四
五　在監人文身取締方ノ件……二、一一　京覆檢事長三ノ二六八　一〇〇四
六　拘禁ニ關スル件……三、　典會指示　一〇〇五
七　工場其ノ他ノ建物ヲ監房ニ代用スル場合ハ報告ヲ要スル件……四、　典會注意　一〇〇五
八　入監釋放時ノ獨居拘禁ニ關スル件……四、　典會指示　一〇〇五
九　刑事被告人ヲ既決監ニ移ストキノ措置處遇ニ關スル件……四、　典會指示　一〇〇五
一〇　監房工場ニ於ケル在監者ノ座席ニ關スル件……四、　典會指示　一〇〇六
一一　監獄ニ於ケル事故ハ即報ヲ要スル件……五、　典會注意　一〇〇六

一二 非常時ニ處スル演習ニ關スル件……五、 典會注意 一〇〇六
一三 非常時ニ處スル設備及訓練演習ニ關スル件……七、 典會指示 一〇〇六
一四 監房工場ノ取締ヲ嚴ニスヘキ件……五、 典會指示 一〇〇六
一五 經費節約及戒護上ニ關スル件……七、 監 二〇九 一〇〇六
一六 監獄事務ノ改善ニ關スル件……七、 典會訓示 一〇〇七
一七 監獄構內出入者ノ檢查監督ヲ嚴ニスヘキ件……七、 典會注意 一〇〇七
一八 在監者衣類檢查監房及工場ノ搜檢ニ關スル件……七、 典會指示 一〇〇七
一九 戒議職員士氣ノ振作及戒具ニ關スル件……一〇、 典會指示 一〇〇七
二〇 支那人在監者斷髮ニ關スル件……六、九 監 一〇六一 一〇〇八
二一 累犯者處遇ニ關スル件……二、 典會指示 一〇〇八
二二 紀律アル慣習養成ニ關スル件……二、 典會指示 一〇〇八
二三 過四ニ付注意ノ件……三、 典會指示 一〇〇八
二四 遇四ニ付注意ノ件……三、 典會訓示 一〇〇八
二五 在監者處遇ニ關スル件……四、 總督訓示 一〇〇九
二六 未成年者ノ特別處遇ニ關スル件……四、 典會指示 一〇〇九
二七 獄務ノ改善ニ關スル件……五、 典會指示 一〇〇九
二八 行刑內容充實シ其效果發揚スベキ件……六、 典會訓示 一〇〇九
二九 累犯入監者ノ處遇ニ關スル件……七、 典會指示 一〇一〇
三〇 長期囚ニ對スル保護監督ニ關スル件……七、 典會指示 一〇一〇

三一	政治的犯罪囚ニ對スル處遇ノ件	一〇、	典會指示		〇一〇一
三二	刑事被告人ニ對スル處遇ノ件	一〇、	典會局長指示		一〇一〇
三三	囚人及被告人護送規則	明四二、一〇	統令	五一	一〇一一
三四	護送中ノ在監者逃走ニ關スル件	五八、	官通	一三九	一〇一三
三五	鐵道乘車賃割引ニ關スル件	七三、	官通	三八	一〇一三
三六	鐵道乘車賃割引ニ關スル件	七七、	司法部長	一、〇五三	一〇一四
三七	護送者取扱方ニ關スル件	八五、	官通	六六	一〇一四
三八	在監者移監ノ場合添付スヘキ書類ノ件	五、六	司法部長通牒		一〇一四
三九	受刑者移監ニ關スル件	九、九	監	一九七六	一〇一四
四〇	護送中ノ囚人ニ關スル件	六、	典會注意		一〇一五
四一	在監者民事訴訟ニ關シ出廷ノ件	明四四、六	京監照		一〇一五
四二	民事訴訟ニ關シ裁判所ノ呼出ニ對シ在監者出廷ノ件	明四四、八	司民	七	一〇一六
四三	自動車取締規則	一〇、七	府令	一一三二	一〇二六

第六章　作業

一	作業規程設定ノ件	五、八	監	八五九	一〇二四
二	試行ニ係ル作業報告ニ關スル件	一一、七	法務長通牒		一〇二四
三	日曜日ノ作業ニ關スル件	一一、六	監	三三	一〇二四
四	日曜日ノ作業ニ關スル件	三、七	刑	七四四	一〇二四

五　日曜日ノ作業ニ關スル件……一一、六　監　三三　一〇二四
六　委託業ニ關スル件……七、七　監　一、一六九　一〇二五
七　作業新設又ハ受負作業ニ關スル認可申請書ニ關スル件……二、　典會指示　一〇二五
八　監獄傭夫ノ使用人員減少ニ關スル件……三、　典會指示　一〇二五
九　監傭夫ノ選擇ニ注意ヲ票スヘキ件……七、　典會注意　一〇二六
一〇　理髮工新設ニ關スル件……七、一三　監　一、六八一　一〇二六
一一　理髮工新設ニ關スル件……七、一　監　六五回答　一〇二六
一二　理髮工新設ニ關スル件……七、一　檢發　一五五照　一〇二六
一三　在監者ノ請負工事出役ニ關スル件……二、　典會指示　一〇二六
一四　共進會出品物ニ關スル件……四、五　法發　一二回答　一〇二六
一五　監獄作業中危険豫防ニ關スル件……二、　典會指示　一〇二七
一六　監獄作業ノ指導督勵ニ關スル件……四、　典會訓示　一〇二七
一七　作業ノ施設ニ關スル件……四、　典會指示　一〇二七
一八　監獄作業ノ種類目的ニ關スル件……二、　典會訓示　一〇二七
一九　作業ノ選擇ニ關スル件……五、　典會注意　一〇二八
二〇　作業ノ督勵及發展ニ關スル件……六、　典會指示　一〇二八
二一　作業ノ新設就役費ヲ有利ニ運用スヘ件……六、　典會注意　一〇二八
二二　作業ノ成績向上ヲ計ルヘキ件……六、　典會注意　一〇二八
二三　業種ノ選擇工錢ノ科定施業及督勵ノ方法ニ關スル件……七、　典會注意　一〇二八

二四　工場增築ニ關スル件……七、　典會注意　一〇二九
二五　豚ノ飼養奬勵ニ關スル件……七、　典會注意　一〇二九
二六　作業ノ新設及請負作業ノ契約ニ關スル件……一〇、　典會指示　一〇二九
二七　製作品委託販賣ノ件……六、一〇　會　三、一三四　一〇三〇
二八　在監者主食物及作業素品產出ニ關スル件……四、　典會指示　一〇三〇
二九　製產品價格算定ニ關スル件……二、一　會　六、〇〇一　一〇三〇
三〇　製品賣價算定ニ關スル件……六、一〇　監　一、三三九　一〇三一
三一　作業収支表ニ關スル件……六、六　監　八一八　一〇三一
三二　監獄作業収入額調ノ件……一〇、四　法長通牒　一〇三一
三三　作業月表及全年表作成ニ關スル件……四、七　官　通　二九〇　一〇三二
三四　作業工錢引上ニ關スル件……二、　典會指示　一〇三二
三五　各監獄ニ於ケル見積工錢權衡ヲ保ツヘキ件……二、　典會指示　一〇三二
三六　受負人ノ工錢滯納ノ措置ニ關スル件……四、　典會指示　一〇三二
三七　作業工錢ノ改廢ニ關スル報告ニ關スル件……五、　典會注意　一〇三二
三八　監獄傭夫ノ就業者ノ監督ニ關スル件……五、　典會指示　一〇三二
三九　在監人作業科程ノ了否査定ニ關スル件……四、二　刑　一三九　一〇三二
四〇　看病夫科程良否ニ關スル件……四、　監　二九一　一〇三三
四一　即決官署ノ囑託ニ係ル留置者ノ作業ニ關スル件……四、一二　監　八二五　一〇三三
四二　作業賞與金不計算日ニ關スル件……明四四、一一　司刑發　七四　一〇三三

四三 作業賞與金不計算ニ關スル件……五、 典會注意 一〇三三
四四 假出獄ノ取消又ハ刑執行停止者再入ノ場合作業賞與金ノ計算ニ關スル件……五、六 司長通牒 一〇三四
四五 刑ノ執行停止ニ依ル出監者ノ作業賞與金等ニ關スル件……七、九 監 一、一六八 一〇三四
四六 作業賞與金ノ計算ニ際シ行狀査定適正ヲ要スル件……二、 典會指示 一〇三四
四七 刑事被告人中ノ就業日數ハ受刑後ニ通算スヘキ件……四、七 官通 二九一 一〇三四
四八 累犯者ノ作業賞與金計算方ニ關スル件……四、八 監 二九一 一〇三四
四九 累犯者タルコト發見ノ場合ニ於ケル作業賞與金計算方ノ件……四、七 官通 二九一 一〇三五
五〇 作業賞與金計算高ノ減削ニ關スル件……四、七 官通監 二九一 一〇三五
五一 作業賞與金給與洩ノ場合ニ於ケル取扱方ノ件……明四四、七 司刑發 四六三 一〇三五

第七章　教誨　教育

一 教誨ノ方法ニ關スル件……五、 典會訓示 一〇三六
二 鮮語及國語ノ習熟ニ關スル件……二、 典會指示 一〇三六
三 教師教誨師ハ鮮語ノ修習ヲ要スヘキ件……一〇、 典會指示 一〇三六
四 個人教誨ノ周到ヲ期スヘキ件……五、 典會指示 一〇三六
五 教誨原簿ノ記載方ノ件……二、 典會指示 一〇三七
六 受刑者ノ教育ニ關スル件……七、一二 監 一、六五七 一〇三七
七 十八歳未滿ノ受刑者ノ教育ノ監督ニ關スル件……三、 典會指示 一〇三七

八 幼年者敎育ノ適切ヲ期スヘキ件…………六、 典會指示 一〇三七
九 鮮人受刑者ノ國語普及ヲ圖ルヘキ件…………七、 典會指示 一〇三七
一〇 看讀書籍ノ選擇ニ關スル件…………二、 典會訓示 一〇三七
一一 敎務主任會協同議事項決議ニ關スル件…………六、一〇 監 一、三三五 一〇三八

第八章 給與

一 自弁糧食ノ許否ニ關スル件…………四、 典會指示 一〇四二
二 自弁糧食ノ許否ニ關スル件…………五、 典會指示 一〇四二
三 留置中ノ囚人及刑事被告人ニ給與スル食料額ノ件…………明四四、八 總訓 六九 一〇四二
四 留置中ノ囚人及刑事被告人タル朝鮮人ニ給與スル食料額ノ件…………六、九 警訓甲 二五 一〇四二
五 監獄事務報告附表ニ關スル件…………一〇、四 法長通牒 一〇四二
六 在監者食料品出納ニ關スル件…………五、七 官通 一〇六 一〇四二
七 糧食取扱方ニ關スル件…………五、六 司長通牒 一〇四三
八 在監者保健上給養ノ改善ヲ期スヘキ件…………七、 典會注意 一〇四三
九 副食物ノ献立ニ關スル件…………二、 典會指示 一〇四三
一〇 副食物ノ配合ニ關スル件…………三、 典會指示 一〇四三
一一 内鮮人糧食ノ差別撤廢ノ件…………五、 典會注意 一〇四四
一二 在監者衣類臥具製式ニ關スル件…………八、二 官通 二一六 一〇四四
一三 十八歳未滿囚衣類製式ニ關スル件…………一一、五 監 一二 一〇四七

一四　在監人ノ使用ニ供スル團扇使用ノ件……明四四、八　司　刑　二四　一〇四七
一五　在監者雜具品目增加ノ件……明四五、二　京城監伺　一〇四八
一六　在監者使用雜具增加ノ件……五、八　總　督　一〇四八
一七　在監者使用雜具增加ノ件……五、八　釜山監　一〇四八

第九章　衛生　醫療

一　傳染病豫防令……四、六　制　令　二　一〇四九
二　傳染病豫防令施行規則……四、七　總　令　六九　一〇五一
三　傳染病豫防手續……四、七　警訓甲　三六　一〇五三
四　清潔方法及消毒方法……四、七　總　令　七一　一〇五八
五　肺結核豫防ニ關スル件……七、一　總　令　四　一〇六二
六　種痘規則……開五〇四、七〇　內　令　八　一〇六三
七　朝鮮總督府痘苗賣下規則……明四三、一二　總　令　六八　一〇六五
八　受刑者ノ定期健康診斷ノ時期ニ關スル件……七、五　監　六一〇　一〇六五
九　慈惠醫院長會議注意事項ニ關スル件……明四五、七　刑　六二六　一〇六五
一〇　中毒患者施療ニ關スル件……明四五、四　刑　五三　一〇六六
一一　傳染病者ノ隔離消毒ニ關スル件……二、　典會指示　一〇六六
一二　在監者健康狀態及保健的施設ニ關スル件……三、　典會指示　一〇六六
一三　在監者保健的施設ヲ周到ナラシムヘキ件……四、　典會指示　一〇六六

一四 監獄衛生上ノ施設ニ關スル件…… 七、 典會注意 一〇六六
一五 診療ニ偏セズ一般衛生ノ周到ヲモ期スヘキ件…… 五、 典會指示 一〇六七
一六 監獄醫ノ診察ニハ懇切ナル取扱ヲ爲スヘキ件…… 一〇、 典會指示 一〇六七
一七 壞血病者ニ關スル件…… 五、 典會注意 一〇六七
一八 患者月報記載方ノ件…… 明四五、一 司 刑 三九三 一〇六七
一九 監獄醫ノ帳簿整理ニ關スル件…… 五、 典會注意 一〇六七
二〇 死刑ノ執行濟報告ニ關スル件…… 五、五 官 通 六二 一〇六七
二一 刑死者ノ墳墓祭祀肖像等ノ取締ニ關スル件…… 九、一〇 府 令 一六〇 一〇六八
二二 流行性感冒豫防救治ニ從事シ感染又ハ死亡シタル者ニ對スル手當給與ニ關スル件…… 九、六 官 通 五三 一〇六八
二三 死刑執行又ハ拘禁中ノ死亡ニ因ル民籍ノ取扱等ニ關スル件…… 六、二 官 通 二九 一〇六八
二四 墓地火葬場埋葬及火葬取締規則…… 明四五、六 總 令 一二三 一〇六九
二五 遺骸取扱埋葬方法ニ關スル件…… 五、 典會注意 一〇七一
二六 醫務主任會同協議事項ニ關スル件…… 六、八 監 九八八 一〇七一

第十章 接見 書信

一 刑事被告人ノ發受スル信書ニ關スル件…… 九、一〇 監 二三八三 一〇七三
二 書信及接見ノ制限期間ニ關スル件…… 四、七 官 通 二九一 一〇七三
三 廢棄スヘキ信書ニ關スル件…… 五、六 司長通牒 一〇七三

第十一章　賞罰

一　在監者ニ對スル處遇ニ關スル件……四、　典會指示　　一〇七四
二　賞遇ハ假出獄又ハ刑執行停止ニ依リ効力ヲ失フヘキ件……四、七　官通　二九一　一〇七四
三　懲罰期間計算ニ關スル件……七、七　官通　一、一六九　一〇七四
四　刑ノ執行ノ寛嚴宜シキヲ要スル件……四、　典會指示　　一〇七四
五　在監者紀律違反ニ對スル措置ニ關スル件……五、　典會注意　　一〇七四
六　在監者處罰執行ニ關スル件……六、九　監　一、一三三　一〇七五
七　作業賞與金減削懲罰ニ關スル件……六、　典會注意　　一〇七五
八　作業賞與金減削罰ノ適用ノ件……七、　典會注意　　一〇七五

第十二章　恩赦　假出獄　釋放

一　朝鮮舊刑所犯ノ罪囚ニ對シ大赦ヲ行フノ件……明四四、一　司刑發　六〇　一〇七六
二　赦免ノ恩典ニ浴シタルモノニ關シ更ニ犯罪事件ヲ受理セシ場合ノ報告……明四、三八　勅令　三二五　一〇七八
三　朝鮮舊刑所犯ノ罪囚ニ對シ大赦ヲ行フノ件施行手續……明三四、八　統訓　一七　一〇七九
四　恩赦令……元、九　勅令　二三　一〇八〇
五　恩赦令施行規則……元、一〇九　總令　二〇　一〇八〇
六　大赦令……元、九　勅令　二四　一〇八一
七　赦免證明……元、九　總告　四六　一〇八二

八	減刑ニ關スル件	三、五	勅令	一〇四	一〇八二
九	減刑ニ關スル件	四、一一	勅令	二〇五	一〇八三
一〇	在監人員表ニ恩赦出獄者數掲記方ノ件	四、一一	官通	三一五	一〇八四
一一	王世子李垠ト方子女王トノ結婚ニ丁リ恵澤ヲ施サムカ爲朝鮮人ニ對シ特ニ恩赦ヲ行フノ件	九、四	勅令	一二〇	一〇八四
一二	李王世子殿下ト梨本宮方子女王殿下トノ御婚儀ニ關スル件	九、四	總訓	二〇	一〇八五
一三	無期刑ノ恩赦減刑ヲ得タル者ニ係ル他ノ有期刑ノ執行ニ關スル件	五、六	司秘	二七〇	一〇八五
一四	恩赦出獄人員ニ關スル件	九、七	法秘	八六三	一〇八六
一五	假出獄取締規則	明四五、三	總令	三三	一〇八六
一六	假出獄及假出場ニ關スル取扱手續	明四五、	總訓	一六	一〇九〇
一七	假出獄取締規則ニ關スル件	七、三	官通	四四	一〇九二
一八	刑期三分ノ一應答日算出方ニ關スル件	明四三、一〇	刑	二八九	一〇九三
一九	朝鮮人タル受刑者ニ對スル刑期三分ノ一應答日算出方	明四三、一一	刑	四六二	一〇九三
二〇	二個以上ノ刑ノ言渡ヲ受ケタル者ノ刑期三分ノ一算出ニ關スル件	五、一一	司秘	三九六	一〇九三
二一	行狀査定ノ標準ニ關スル件	二、	典會訓示		一〇九四
二二	假出獄具申書ノ記載方ノ件	三、	典會注意		一〇九四
二三	假出獄具申書記載方ノ件	五、	典會注意		一〇九四

二四　假出獄及假出場ノ具申書作成ノ件……七、　典會注意　一〇九四
二五　假出獄具申書様式設定ノ件……一〇、四　法長通　一〇九四
二六　短期受刑者ニ對スル假出獄具申ノ件……七、　指示　一〇九五
二七　分監ノ假出獄具申ハ典獄ヲ經由シテ分監長爲スモ妨ナキ件……六、　典會注意　一〇九五
二八　假出獄ノ言渡ニ注意スヘキ件……七、一　監　六六　一〇九五
二九　假出獄者官報掲載ニ關スル件……七、四　監　五〇五　一〇九五
三〇　假出獄及假出場執行報告ニ關スル件……七、一　監　三五　一〇九五
三一　出獄後ノ視察及保護ニ關スル件……三、　典會指示　一〇九六
三二　假出獄出監者再入監ノ場合通報方ノ件……六、六　司秘　一一二　一〇九六
三三　假出獄處分取消ニ關スル件……九、三　法局長　六二一　一〇九六
三四　假出獄具申書ニ添付スヘキ行状録ニ關スル件……四、七　監　二九一　一〇九六
三五　假出獄具申書ニ添付スヘキ判決書ノ件……五、八　監　八五九　一〇九七
三六　假出獄具申書ニ添付スヘキ行状表ニ關スル件……一一、四　法長通牒　一〇九七
三七　假出獄許可者釋放時通報ニ關スル件……六、一〇　監　一、二四九　一〇九七
三八　受刑者釋放ノ際所轄警察官署ヘ通知方ノ件……明四四、五　司刑發　三三七　一〇九八
三九　受刑者釋放ノ際所轄警察署ヘ通知ノ件……四、一一　監　七七五　一〇九八
四〇　出獄者通報ニ關スル件……四、一一　警務總長　一〇九八
四一　受刑者釋放ノ際所轄警察官署ヘ通知ノ件……六、三　監　二〇六　一〇九八
四二　通知ノ場合ハ面洞里名ヲ記載スル件……三、　典會注意　一〇九八

四三 出獄者通報ニ關スル件…… 九、六 監 一、九三一 一〇九九
四四 癩病者及精神病者ノ釋放時ニ於ケル取扱方ニ關スル件…… 一〇、一〇 通牒 一〇九九
四五 出獄後ニ於ケル保護監督…… 七、 典會指示 一〇九九

第十三章 保護

一 免囚保護事業補助金下付手續…… 二、五 總内訓 五 一一〇一
二 免囚保護會收支計算書ノ件…… 五、 典會注意 一一〇八
三 免囚保護事業成績表ニ關スル件…… 五、 典會注意 一一〇九
四 免囚保護事業援助ニ關スル件…… 三、 典會指示 一一〇九
五 免囚保護事業補助金下付手續ニ關スル件…… 三、 典會注意 一一〇九
六 免囚保護事業創始發展ニ關スル件…… 四、 典會訓示 一一〇九
七 免囚保護方針ニ關スル件…… 四、 典會指示 一一〇九
八 免囚保護會ノ監督ニ關スル件…… 四、 典會指示 一一一〇
九 免囚保護會ノ名稱ニ關スル件…… 四、 典會注意 一一一〇
一〇 免囚保護範圍ニ關スル件…… 七、 典會注意 一一一〇
一一 免囚保護事務ニ付雙互連絡ヲ計ルヘキ件…… 一〇、 典會指示 一一一〇
一二 恩赦出獄人保護ニ關スル件…… 四、一一 監 七三一 一一一〇
一三 釋放者保護ニ關スル件…… 三、 典會指示 一一一一

第九編 裁判執行 刑期計算

第一章 裁判執行

一	刑ノ執行指揮ニ關スル取扱規程	四、二	總訓	四	一一二
二	上訴期間内ニ上訴ノ取下ヲナシタル場合ノ刑ノ執行方ニ關スル件	明四五、五	監會決		一一七
三	管外ノ監獄ニ對スル刑執行又ハ出監指揮ニ關スル件	明四五、五	檢監會決		一一八
四	刑ノ執行停止ニ關スル件	二、一〇	刑	六四九	一一八
五	刑ノ執行停止指揮ニ關スル件	四、六	發	三、一二三	一一八
六	刑事上告取下ニ關スル件	四、六	檢事長通		一一九
七	行刑ノ實情調査ニ關スル件	三、五	總督訓示		一一九
八	併科刑ノ執行ニ關スル件	三、八	高發	一、一四八	一一九
九	執行指揮書ニ添付スベキ判決書ノ送付方ノ件	四、	長官注意		一二〇
一〇	刑ノ執行指揮書ニ添付スベキ判決謄本抄本ニ關スル件	六、一〇	司會注意		一二一
一一	刑ノ執行指揮書ニ罪名其他記入方ノ件	七、七	官通	一一三	一二一
一二	殘刑執行指揮書ノ記載方ニ關スル件	八、二	官通	一四	一二二
一三	刑ノ執行指揮書ニ添付スベキ判決抄本ノ抜抄方ニ關スル件	九、一一	刑	四九	一二二
一四	刑ノ執行指揮ニ關スル件	一〇、五	司會注意		一二三
一五	內地裁判所ノ檢事ニ對スル刑ノ執行囑託ニ關スル件	四、一	高發	一一	一二三

一六 刑執行受託ノ件……四、九 監 四八〇 一一三
一七 受刑者ニ對スル勾引狀ノ執行ニ關スル件……九、九 監 一、九七六 一一三
一八 無期刑ノ恩赦減刑ヲ得タル者ニ係ル他ノ有期刑ノ執行ニ關スル件……五、六 司 秘 二〇七 一一三
一九 累犯加重決定ノ執行ニ關スル件……五、一一 高 發 三、〇〇五 一一三
二〇 被告人ノ性格及犯罪ノ因由情狀等監獄ニ通知ニ關スル件……六、 司會指示 一一四
二一 刑ノ執行猶豫者ニ對スル出監指揮書ノ記載方ニ關スル件……七、九 官 通 一五五 一一四
二二 刑事闕席判決ノ決定日ニ關スル件……七、一二 司 秘 一、〇四八 一一五
二三 軍法會議ニ於テ財産刑ヲ科セラレタル者ノ勞役場留置執行方ニ關スル件……七、一二 法 三二八 一一六
二四 罰金科料納付方ノ件……一一、四 法務回答 一一六
二五 勞役場留置ト刑事訴訟法第三百十七條トノ關係ニ關スル件……四、九 高 檢 發 二、三六四 一一七
二六 勞役場留置ニ關スル件……六、四 監 四二四 一一八
二七 勞役場留置ニ關スル件……五、三 司部長官 一一八
二八 加重刑執行ニ關スル件……四、一二 高 發 三、三四七 一一八
二九 刑事判決ノ正本謄本抄本ノ手數料……元、八 總 令 三 一一八
三〇 作業賞與金ヲ以テスル公訴裁判費用支辨ニ關スル件……二、 刑 四八八 一一九

第二章 刑期計算

一　逃走又ハ釋放當日ノ刑期算入ニ關スル件……明四四、三　司刑發　一六七　一一三〇
二　刑法第二十一條ノ未決勾留ノ解釋ニ關スル件……二、二　刑　一一一　一一三〇
三　加重刑ノ刑期計算ニ關スル件……二、六　高檢發　八七五　一一三〇
四　刑期計算ニ關スル件……三、一〇　刑　八六三　一一三一
五　殘刑期計算ニ關スル件……九、九　刑　八　一一三三
六　殘刑起算日ニ關スル件……八、九　高檢　六、一四三　一一三四
七　恩赦ニ浴シタル者ノ刑期計算方ニ關スル件……九、一〇　官通　九六　一一三四
八　勞役場留置執行中ニ於ケル殘日數ノ計算方ニ關スル件……一〇、五　法長通　一一三四
九　刑事令施行前刑法大全ノ刑ニ處セラレタル者ノ刑期計算ニ關スル件……明四五、五　高檢發　七九八　一一三五

第五編　文書 統計 指紋

第五編　文書　統計　指紋

第一章　文書、官印

一　朝鮮總督府公文書規程

明治四十五年三月
總訓第三六號

改正　大正元年一二第一二號　四年三第一〇號　五年三第一三號
　　　七年三第一四號　九年第七三號

第一條　總督府及所屬官署ニ於ケル文書ノ取扱ハ特ニ規定シタルモノヲ除クノ外此ノ規程ニ依ル

第二條　文書ハ別段ノ規定アルモノヲ除クノ外官署又ハ官署ノ長ノ名ヲ以テ施行スヘシ　但シ總督府職員ニシテ朝鮮總督府委任事項規程ニヨリ專行ノ委任ヲ受ケタル者並中樞院、遞信局及道ノ職員ニシテ專行ノ委任ヲ受ケタル者ハ當該事項ニ關シ其ノ名ヲ以テ通牒、照覆ヲ爲スコトヲ得

第二條ノ二　定例ニ依リ提出スル計算書統計等ノ報告ニハ送付書ヲ省略スルコトヲ得

第三條　所屬官署ヨリ總督府ヘ提出スル文書ハ別段ノ規定アルモノヲ除クノ外其ノ監督官署ヲ經由スヘシ　但シ至急ヲ要スル場合ニ於テハ直ニ總督府ニ提出シ監督官署ニ其ノ旨ヲ報告スルコトヲ得

第三條ノ二　經由官署ハ上級官署ニ文書ヲ進達スル場合ニ於テハ文書ノ相當欄ニ其ノ意見ヲ簡明ニ記入スヘシ特ニ意見ヲ附スルノ必要ナキトキハ番號、經由年月日、官署名ノミヲ記入シ之ニ捺印スヘシ

第四條　單ニ文書ノ寫ヲ以テ通報スル場合ニ於テハ特ニ送付書ヲ附セス寫ノ欄外ニ「寫送付」ノ記號ヲ附シ番號年月日及官署名ヲ記入シ其ノ長之ニ檢印スヘシ

第五條　（削除）

第六條　一事件ニ關係スル文書ハ其ノ處分ノ完結ニ至ル迄總テ同一番號ヲ用ウヘシ

番號ハ毎年之ヲ新ニスヘシ

第七條　文書ノ發行者名及宛名ハ職名ノミヲ記載シ氏名ヲ省略スルコトヲ得但シ部外ヘ發スル文書ハ此ノ限ニ在ラス

第八條　部内ニ對シ發スル指令ニハ發行者ノ氏名ヲ省略シ職印ノミヲ用ウヘシ

第九條　同文文書ヲ印刷配付スル場合ニ於テハ發行者名ノ下ニ職印ヲ省略スルコトヲ得

第十條　文書ハ簡明ヲ旨トシ平易ニ記述スヘシ

主文ノ理由ヲ詳述スル爲長文ニ亘ルモノハ之ヲ別紙ト爲スヘシ

第十一條　文書ノ記載例及用紙ハ別紙樣式ニ依ル　但シ輕易ナル文書ニ在リテハ番號ヲ省略スルコトヲ得

第十二條　文書ノ淨書ハ楷書又ハ行書ニ限リ明瞭ニ書シ字句ヲ加除シタルトキハ主任課長又ハ之ニ準スヘキ者之ニ檢印スヘシ

第十三條　文書ハ列規アルモノ及圖表等ヲ除ク外所定ノ罫紙ヲ用ウヘシ

但シ印刷ニ付スル場合ハ白紙ヲ用ウルコトヲ得

第十四條　秘密ヲ要スル文書ノ封筒ニハ職員ノ進退賞與及懲戒ニ關スル

モノニ在リテハ「人秘」其ノ他ノモノニ在リテハ「秘」ノ記號ヲ附スヘシ

職員ノ進退、賞與及懲戒ニ關スル電報ハ暗號ヲ用ウル場合ト雖親展電報ト爲スヘシ

第十五條　文書ニ添付スヘキ物品ヲ別途發送スルトキハ文書ノ欄外及封筒ニ物品添附ノ記號ヲ附シ物品ニ本書ノ番號ヲ記スヘシ

第十六條　多數ノ同文通牒ヲ發スル場合ニ於テハ之ヲ官報又ハ公報ニ掲載スルコトヲ得

第十六條ノ二　部内ニ發著スル電報ニハ電信略符號ヲ使用スヘシ　但シ印刷ニ附シ又ハタイプライターヲ用フル場合ハ此ノ限リニ在ラス

第十七條　遞信局ヨリ總督府ニ提出スヘキ上申、申請及伺ハ朝鮮總督府處務規程第二章ノ規定ニ準シ議案ノ形式ニ依リ總督ノ決裁ヲ受ケ報告ハ供覽ノ形式ニ依リ取扱フヘシ

附　則

本令ハ明治四十五年四月一日ヨリ之ヲ施行ス

(様式一)　上申

番　號

大正　年　月　日　　職　印

職　殿

何、、、、ノ件上申

何、、、、及上申候也

(様式二)　申請

番　號

大正　年　月　日　　職　印

職　殿

何、、、、ノ件申請

何、、、、致度候條認可(許可)相成度候也

(様式三)　伺

番　號

大正　年　月　日　　職　印

職　殿

何、、、、ノ件伺

何、、、、許可シ(ト心得)(別紙何、、、、ノ通實施シ)可然哉

(様式四)　報告

番　號

大正　年　月　日　　職　印

職　殿

何、、、、ノ件報告

何、、、、候條(左記)(別紙ノ通)(別冊ノ通)(報告例第何)及報告候也

（記）

（何、、、）

（別紙）

（樣式五）　願屆

何何願（屆）

小官何、、、致度候間許可相成度候也（何、、、、致候ニ付及屆出候也）

大正　年　月　日　　職　氏　名　自印

職　殿

備考　白紙ヲ用ヰル場合ハ初ノ部分約五行程ヲ明ケ置クヘシ

（樣式六）　指令

番　號　　職

（明治何年）何月何日附何第、、、號上申（申請）（伺）（願）何、、、、、ノ件（左記條件ヲ附シ）（左記ノ通更正ノ上）認可ス（許可ス）（承認ス）（詮議シ難シ）（何ノ通「左ノ通」心得ヘシ）（何何スヘシ）

大正　年　月　日　　職印

（樣式六ノ二）　指令ノ二

（何總代）　氏　名（外名）

（何府）（何組合）（何會議所）（何會社）

何年　月　日附（何第　號）願（申請）何ノ件許可ス（但シ左記「別記」命令ヲ遵守スヘシ）（認可シ「國庫ヨリ」「地方費ヨリ」金・・・圓ヲ補助ス）（寄附ノ件採納ス）

大正　年　月　日　　職　氏　名　印

（樣式七）　命令ノ一

番　號

何、、、、ノ件

職　氏　名

何、、、、スヘシ（其ノ官ハ「何、、、、ニ」付何、、、、ヲ調査報告スヘシ）（何、、、、ハ何、、、、ニ付此ノ旨「左ノ通」心得ヘシ）

大正　年　月　日　　職印

（樣式八）　命令ノ二

何、、、勤務ヲ命ス　　（官）氏　名

（何、、、、出張ヲ命ス）

（除服出仕）

（雇員ヲ命シ月給（日給）何、、、、ヲ給ス）

（願ニ依リ（事務ノ都合ニ依リ）（御用濟ニ付）雇員ヲ免ス）

（月給（日給）何、、、、ヲ給ス）

大正　年　月　日　　官署名

（様式九）　通牒（通報）（通知）

番號

大正　年　月　日　　職　印

職殿

何、、、、ノ件通牒（通報）（通知）

何、、、何、、、、スル儀ト御承知相成度（何、、、、ニ依リ何、、、相成度）（何、、、為念）依命）及通牒（通報）（通知）候也

（様式十）　照會

番號

大正　年　月　日　　職　印

職殿

何、、、、ノ件照會

何、、、、御意見承知致度（至急回答有之度）候也

（様式十一）　回答

番號

大正　年　月　日　　職　印

職殿

何、、、、ノ件回答

（明治何年）何月何日附何第、、、號照會ノ趣異存無之（夫夫取計置）（御意見ノ通ニ）（承諾致）（左ノ通御承知相成度）（依命及回答）候也

（様式十二）

備考

一　宛先ヘ直接發送スル場合ニ用ユ

二　美濃版ハ十行及十三行トシ半紙版ハ十行トス

（番　號）

大正　年　月　日　　（職　印）

（職　殿）

（何、、、、ノ件）（上申）

官署名

（樣式十三）

備考

一　他官署ヲ經テ宛先ヘ發送スル場合ニ用ユ

二　美濃版ハ十行及十三行トシ半紙版ハ十行トス

經由官署長意見

（番號）

大正　年　月　日

（職　印）

（職　殿）

（何、、、、、ノ件）（上申）

官署名

二　經由文書進達ニ關スル件

大正三年七月
官通牒第二七八號

總務局長

各所屬官署長宛

經由文書ヲ上級官署ニ進達スル場合ニ於テ特ニ意見ヲ附スルノ必要ナキモノニ在リテモ往々上申書等ヲ附スルノ向有之候得共右ハ自今必ス公文

書規程第三條ノ規定ヲ勵行相成度依命及通牒候也

三　朝鮮總督府監獄書類保存規程

明治四十四年十二月
總訓第十三號
朝鮮總督府監獄

第一條　完結書類ハ左ノ三種ニ分チ之ヲ保存スヘシ

甲部書類　永久保存
乙部書類　十年保存
丙部書類　三年保存

第二條　書類ハ左ノ事項ニ分類スヘシ

一　吏員
二　名籍
三　統計
四　會計
五　領置
六　教誨及教育
七　衞生及醫療
八　拘禁及戒護
九　作業
十　營繕
十一　用度
十二　給養
十三　釋放及死亡
十四　指紋
十五　雜件

秘密文書ハ前條ノ種別ニ從ヒ便宜相當ノ分類ヲ爲スヘシ

第三條　書類編製ノ方法ハ曆年ヲ以テ分界トシ前條ノ分類ニ從ヒ類別收綴スヘシ　但シ會計ニ關スル書類ハ會計年度ヲ以テ分界トス編綴書類ニ附屬スル繪畫書翰附圖等ノ類ハ別輯トシテ編綴スルコトヲ得

繼續事業又ハ一事件ニシテ夥多ノ文書アルモノハ一件書類トシテ編綴スルコトヲ得

各部書類ハ厚キ表紙ヲ用ヒ其ノ分類ノ番號、類名及編製ノ年次ヲ記載シ且件名丁數ヲ記載シタル目錄ヲ附スヘシ

同一文書ニシテ二類以上ニ渉リ分割シ難キモノハ一類ニ其ノ原本ヲ編綴シ他ノ一類ニハ其ノ所在ヲ目錄中ニ記載スヘシ

指紋原紙ハ編綴スルヲ要セス數字順ニ從ヒ便宜數箇ニ區劃シタル棚ニ整頓スヘシ

第四條　前條ニ依リ成册ト爲シタルモノハ公文目錄ヲ設ケ之ニ登錄スヘシ

第五條　保存期間ハ其ノ完結シタル翌年ヨリ起算ス

保存期間ヲ經過シタル書類ハ典獄又ハ分監長ニ於テ之ヲ點檢シ廢毀ノ手續ヲ爲スヘシ

第六條　書類ノ種類區分ハ左ノ標準ニ依ルヘシ

甲部書類ニ編製スヘキモノ

一　上級官廳ノ訓令、指令、通牒、告示ノ類
一　永久依據スヘキ諸規則ノ類

一　上級官廳ニ對スル禀申ノ類
一　外國人ニ關スル重要ナル禀議申牒ノ類
一　職員ノ進退賞罰及給助ノ類
一　官吏定規恩給及退官賜金支給ノ類
一　大赦、特赦、假出獄及假出場等ノ類
一　統計諸表ノ類
一　監獄地所建物ニ關スル類
一　在監人ノ逃走、反獄及非常事變報告ノ類
一　指紋ニ關スル類
一　其ノ他前項ニ準スヘキ重要ノ書類

乙部書類ニ編製スヘキモノ

一　監獄作業增設等ノ類
一　地所建物ノ修繕等ノ類
一　物品ノ購入修繕等ノ類
一　製作品ノ註文保管及賣却ノ類
一　諸契約書ノ類
一　領置金處分ノ類
一　決算ヲ了シタル金錢出納ニ關スル書類
一　在監人ノ作業日課表ノ類
一　其ノ他前各項ニ準スヘキ書類

丙部書類ニ編製スヘキモノ

一　甲乙部ニ屬セサル書類

第七條　帳簿ノ種類區分ハ左ノ標準ニ依ルヘシ

甲部書類ニ準スヘキモノ

一　官吏身分ニ關スル帳簿
一　在監人名目錄
一　死亡帳
一　入監簿
一　出監簿
一　滿期曆簿
一　在監人身分帳
一　監獄沿革誌
一　官有財產ニ關スル帳簿
一　典獄命令及訓示ニ關スル帳簿
一　懲戒委員會決議ニ關スル帳簿
一　辭令原簿
一　監獄日誌
一　其ノ他重要ナル諸帳簿

乙部書類ニ準スヘキモノ

一　會計ニ關スル諸帳簿
一　醫務ニ關スル諸帳簿
一　共犯簿
一　領置金品ニ關スル諸帳簿
一　作業ニ關スル諸帳簿
一　其ノ他前各項ニ準スヘキ諸帳簿

丙部書類ニ準スヘキモノ

一 監房検査簿
一 監督簿
一 控訴申立ニ關スル帳簿
一 文書遞付簿
一 發送簿
一 其ノ他前各項ニ準スヘキ諸帳簿

第八條 前各條ニ規定ナキモノハ典獄ノ定ムル所ニ依ル

第九條 本規程ハ統監府監獄ヨリ繼受シタル完結書類ニ之ヲ準用ス

四　公文書ノ宛名等ニ關スル件

大正十年十二月二十九日
官通牒第一一二號

改正　大正一一年八官通牒第七五號

庶務部長

本府各局長、官房部長、秘書課長、首席參事官
首席監察官、外事課長、各所屬官署ノ長　宛

自今官通牒其ノ他公文書宛名等ニ於テ「本府各局部長」、「各第一次所屬官署」及「第一次所屬官署ノ長」ト稱スルハ左ノ諸官竝官廳ヲ指ス儀ト御了知相成度依命及通牒候也

本府各局部長

秘書課長　首席參事官　外事課長　首席監察官
庶務部長　土木部長　鐵道部長　內務局長
財務局長　殖産局長　法務局長　學務局長
警務局長

第一次所屬官署	第一次所屬官署ノ長
中樞院	中樞院議長
遞信局	遞信局長
專賣局	專賣局長
高等法院	高等法院長
高等法院檢事局	高等法院檢事長
覆審法院	覆審法院長
覆審法院檢事局	覆審法院檢事長
地方法院	地方法院長
地方法院檢事局	地方法院檢事正
監獄	典獄
醫院	醫院長
濟生院	濟生院長
勸業模範場	勸業模範場長
中央試驗所	中央試驗所長
營林廠	營林廠長
道	道知事
稅關	稅關長
獸疫血清製造所	獸疫血清製造所長
警察官講習所	警察官講習所長
水産試驗場	水産試驗場長
林業試驗場	林業試驗場長
高等土地調査委員會	高等土地調査委員會委員長

林野調査委員會　林野調査委員會委員長
官立學校　官立學校長
觀測所　觀測所長
地質調査所　地質調査所長

五　總督政務總監宛文書封筒ノ件

大正六年十一月
總第四五八號　總務局長

監獄典獄宛

總督又ハ政務總監ニ郵便ニ依リ提出セラルル文書ノ封筒宛名ニ單ニ朝鮮總督殿トシ又ハ京城政務總監殿トノミ記載スル向有之候處右ハ取扱上不便ニシテ行違ヲ生スル虞モ有之候ニ付爾今「京城、總督府内朝鮮總督殿」又ハ「京城、總督府内朝鮮總督府政務總監殿」ト記載相成度爲念此段及通牒候也

六　文書發送方ニ關スル件

明治四十四年二月
官通牒第一四號

特別ノ規定アルモノ及輕微ナル事項ニ關スル通牒照會應答ノ外本府ヨリ部外又ハ本府所屬各官署長官ニ對シ發送スル文書ハ總テ總督又ハ政務總監ノ名ヲ以テシ所屬官署長官ヨリ本府ニ提出スル文書ハ總督又ハ政務總監宛トスルコトニ決定相成候條此段及通牒候也

七　鐵道部及法務局主管ニ係ル文書取扱方ノ件

大正八年九月
官通牒第一一五號　政務總監

各所屬官署ノ長宛

鐵道部及法務局ハ京城府内貞洞ニ移轉セシニ付本府宛送附スヘキ文書ニシテ鐵道部及法務局主管ノ事項ニ係ルモノハ表面ニ右地名ヲ肩書シ鐵道部又ハ法務局若ハ部局長宛發送相成度此段及通牒候也

八　土木部主管ニ係ル文書取扱方ノ件

大正九年十一月
官通牒第九八號　庶務部長

各所屬官署ノ長宛

土木部ハ京城貞洞ニ移轉セシニ付本府宛送付スヘキ文書ニシテ土木部主管ニ係ルモノハ表面ニ右地名ヲ肩書シ土木部宛發送相成度此段及通牒候也

九　信書ノ宛名表記方ノ件

大正九年十月十三日
民第五〇號　法務局長

高等法院長、同檢事長、各覆審法院長、同檢事長、各地方法院長、同檢事正、各地方法院支廳判事、同檢事、各監獄典獄、各監獄分監長　宛

事務ノ處理上必要有之候條爾今信書ノ宛名表記方ニ關シテハ別紙ニ依リ御取扱相成候樣致度此段及通牒候也

（別紙）

信書ノ宛名表記方ニ付テ

一、爾今局長宛ニ發セラルル公文書ノ封筒及電報ノ宛名ノ表記方ニ付テハ左記ニ依リ取扱ハレタシ

（イ）局長ノ開披ヲ特ニ必要トスル機密文書ノ封筒及電報ハ宛名ニ局長ノ官職及氏名ヲ記シ「親展」ト表示セラルヘキコト

例（一）

京城府貞洞
法務局長
横田五郎
親展

發信人居所氏名
地方法院長

京城府貞洞
法務局長
横田五郎　殿
親展

地庶第一三九五號

（ロ）局長ノ開披ヲ必要トセサル程度（代理官ニ於テ爲スモ差支ナキモノ）ノ機密文書ノ封筒及電報宛名ニ局長ノ官職ノミヲ記シ氏名ヲ省略シ信書ニ付テハ人事、民事、刑事、庶務又ハ監獄事務ノ區別ニ依リ封筒ニ「親展人秘」「親展民秘」「親展刑秘」「親展庶秘」又ハ「親展監秘」ト表示シ電報ニ付テハ親展ト表示セラルヘキコト

例

京城府貞洞
法務局長
親展

發信人居所氏名
地方法院檢事正

京城府貞洞
法務局長　殿
親展人秘

地庶第一三九號

（ハ）其ノ他ノ公文書ノ封筒及電報ハ宛名ヲ總テ京城府貞洞法務局御中トセラルヘキコト

（ニ）電報ニ付テハ發信人居所氏名欄ニ必ス署號ヲ表記セラルヘキコト

二、爾今局長、各課長各事務官ニ宛テ專ラ私事ニ屬スル書信及電報ヲ發セラルル場合ハ必ス夫々官舍宛トシ特ニ氏名ノミヲ記シ官職ヲ記入セサルコト

例

京城府西小門町官舍
横田五郎　殿

一〇 信書ノ宛名表記方ニ關スル件

大正九年十月十五日
民第五〇號
法務局長

高等法院長、同檢事長、各覆審法院長、同檢事長、各地方法院長、同檢事正、各法院支廳判事、同檢事、各監獄典獄、各監獄分監長 宛

大正九年十月十三日附民第五〇號ヲ以テ首題ノ件ニ付及通牒置候處同通牒左記第一項（イ）ニ相當スル名宛信書ハ本官出張不在ノ場合ハ一々之ヲ出張先ニ廻付セシメ又ハ歸廳ノ上處理スルコトトナリ從テ其ノ間多數ノ日子ヲ要シ自然延滯スル場合可有之候ニ付テハ十分文書ノ內容性質ヲ案シ特ニ本官ニ於テ開披ヲ要スルモノニ限リ（イ）ノ御取扱相成度爲念及通牒候也

追書省略

一一 檢事長經由ノ文書ニ關スル件

大正九年十月
監通第二三九六號
法務局長

各監獄典獄、各監獄分監長 宛

監獄ヨリ本府ニ提出スル文書及本府ヨリ監獄ニ發送スル文書ニ付テハ從來一部ノ文書ヲ除クノ外所管檢事長ヲ經由スルヲ例トセル處今般事務ノ簡捷ヲ期スル爲別段ノ規定アルモノヲ除クノ外左記事項ニ關スル文書ニ限リ檢事長ヲ經由シ其ノ他ノ文書ハ經由ヲ要セサルコトニ檢事長ト打合濟ニ有之候條御了知相成度此段及通牒候也

追テ假出獄許可指令ニ付テハ直接具申監獄又ハ分監ニ送付シ同時ニ經由官廳ニ對シテハ其ノ旨通報スルコトニ致候條御了知相成度爲念申添候

記

一、奏任官、同待遇者及判任官、職員ノ任免、進級、賞罰其ノ他身分ニ關スル事項（逃走事故ノ如ク前掲職員ノ身分上責任ニ關係アル事項ヲ包含ス）
二、假出獄、假出場
三、重要ナル法律上ノ質疑
四、監務報告

一二 文書ノ取扱ニ關スル件

大正十年十月二十日
通牒
法務局長

各監獄典獄、各分監長 宛

本府ニ於テ發受スル文書ニ付テハ特殊ノ文書ヲ除クノ外一般ニ文書番號ヲ附セサルコトニ改正セラレ候ニ付本府ヨリノ照會ニ對シ回答セラルル

場合ニ於テハ必ラス照會書ノ日附及首題ヲ記載セラレ度此段及通牒候也

一三 人事ニ關スル文書取扱方ノ件

明治四十三年十二月
朝乙發第二一三五號

人事ニ關スル總督宛ノ文書ハ總テ（司法部長官）ヲ經ルコトニ決定相成候條依命此段及通牒候也

一四 人事ニ關スル文書提出方ノ件

明治四十四年七月
官通第二二六號

總務部長官

典獄宛

人事ニ關スル總督宛文書取扱方ニ付テハ明治四十三年十二月九日朝乙發第二一三五號ヲ以テ及通牒置候處爾今封筒ニ「人秘」ト記シ直接總督宛提出ノコトニ決定相成候條依命此段及通牒候也

一五 朝鮮總督府官報編纂規程

大正九年二月
總訓第一〇號

第一條 官報ハ官房庶務部文書課ニ於テ之ヲ編纂ス

第二條 官報登載事項及其ノ登載順序左ノ如シ

詔書欄
皇室令欄
法律欄（朝鮮ニ施行スルモノ又ハ一般周知ヲ必要トスルモノ）
勅令欄（同上）
軍令欄（同上）
條約欄（同上）
豫算欄（同上）
制令欄
府令欄
閣令欄（朝鮮ニ施行スルモノ又ハ一般周知ヲ必要トスルモノ）
省令欄（同上）
訓令欄（各省訓令ニ付テハ同上）
訓示欄
告示欄（各省告示ニ付テハ同上）
達欄（同上）
諭告欄
通牒欄
軍事公文欄
高等土地調査委員會公文欄
地方廳公文欄
會計檢査欄
敍任及辭令欄
彙報欄
土地收用公告欄
廣告欄
朝鮮譯文欄

第三條　制令、府令、訓令及告示改正ノ場合ハ參照トシテ舊規程其ノ他關係條項ヲ抄錄掲載ス

第四條　叙任及辭令欄ニハ左ノ事項ヲ登載ス

一　判任官及判任待遇以上職員ノ叙位竝勳功

二　奏任官及奏任待遇以上職員ノ任免陞等增俸退職休職復職懲戒及勤務

三　本府高等官竝所屬官署ノ長ノ出張

四　委員ノ命免

五　前四號ノ外登載ヲ要スト認メタル事項

第五條　彙報欄ニハ左ノ事項ヲ登載シ各般ノ狀況ヲ蒐錄ス

一　宮廷事項

二　王公族事項

三　官廳事項

（一）　開廳、休廳、廢廳、廳舍移轉、其ノ他ノ事項

（二）　奏任官及奏任待遇以上ノ職員ノ死亡、休職滿期、失官、氏名變更、本府高等官竝所屬官署ノ長ノ發著

（三）　朝鮮貴族ニ關スル事項

（四）　外國領事官ノ認可及發着等

（五）　死刑執行、大赦、特赦、減刑、辯護士名簿登錄、辯護士懲役處分及破産管財人任免

（六）　軍　事

（七）　賞　罰

（八）　救　恤

（九）　神社、寺院竝朝鮮寺刹及布教規則ニ依ル許可又ハ認可

四　調査及報告ニ關スル事項

（一）　人口ニ關スル調査及統計

（二）　住職、住持及布教者ノ異動竝布教所ノ廢止等

（三）　私立專門學校私立高等普通學校私立實業學校設置認可、教員免許狀下付、教員功績者表彰、官立學校卒業者、濟生院盲啞本科速成卒業者、講習會狀況、學事統計及報告、博物館狀況

（四）　道警部考試合格者、道巡査部長試驗合格者、警察官吏ノ功勞記章授與、道巡査、看守、女監取締ニ對スル精勤證書授與及其ノ沒收、看守長任用考試合格者、請願警察官ノ配置許可及配置期間內ノ廢止、警察官教養ニ關スル狀況、警察取締諸營業ノ禁止、停止及許可取消、訴訟代理業者屆出其ノ變更及取消

（五）　民事、刑事及監獄ニ關スル統計

（六）　貿易、貨幣課税物件ニ關スル統計、經濟狀況、地方金融概況煙草産業其ノ他財源調査涵養ニ關スル施設狀況、酒造及煙草耕作組合概況、金融機關營業概況、金融機關ノ設置、廢止及移轉、金融機關役員ノ異動、諸税令等ニ關スル申請申告上ノ手續ニ付一般ニ周知セシムヘキ事項

（七）　人蔘耕作許可及取消、人蔘植付檢査及收穫査定期日、人蔘耕作狀況、水蔘收納狀況、紅蔘製造成績、紅蔘輸出數量及日時蔘業統計、鹽輸移出統計、官鹽製造高狀況

（八）　産業統計、農作物作況、農作物災害及蟲害狀況、蠶業取締狀況、畜産狀況、勸業模範場及獸疫血清製造所事業狀況、農事講習

會、傳習會及品評會狀況、灌漑、開墾狀況、女子蠶業講習所成績獸疫豫防狀況、國有未墾地處分事項、灌漑事業認可、國有林野及其ノ産物ニ關スル許可及許可取消、林野調査狀況及成績、獸疫旬報及月報、移民ノ狀況

（九）商工業調査、市場及一般商工業概況、商品陳列館狀況、度量衡ニ關スル調査、其ノ他産業ノ保護奬勵上重要ナル事項

（十）會社ニ關スル許可及許可取消、會社事業ノ停止禁止、支店ノ閉鎖又ハ會社ノ解散命令

（十一）鑛業ニ關シ豫防命令又ハ停止命令、鑛業權ノ設定、移轉變更及消滅、鑛業登錄ノ更正變更、抹消及回復、共同鑛業權者脫退鑛業權代表者ノ指定、改定、鑛業權ノ回復、其ノ他鑛業ノ關スル屆出鑛業登錄及請求事件數及鑛業狀況

（十二）漁業免許及取消、水産業狀況、水産試驗及調査成績、水産組合業務成績

（十三）公有水面埋立規則、河川取締規則及大正三年府令第四十七號ニ依ル許可、許可取消及消滅

（十四）船舶統計、命令航路ニ於ケル汽船發着日時割、航海開始及休止、鐵道及附帶營業開始廢止、運賃及列車運轉時刻ノ改正其ノ他重要ナル事項、輕便鐵道及軌道ニ關スル許可及許可失効、取消業務ノ停止、運輸開始ノ認可、鐵道輕便鐵道、軌道、通信ニ關スル統計及報告

（十五）總督府醫院及各道慈惠醫院患者科別表、醫師、齒科醫師、醫生、限地開業、産婆、入齒營業、藥劑師及種痘認許員等ノ免許證下付、廢業、死亡、取消、停止及禁止、醫師藥劑師試驗合格者、痘病製造配付狀況、傳染病患者表

（十六）氣象、觀測

五、地方行政ニ關スル事項

地方費豫算決算臨時恩賜金ニ關スル事項、同經理方法、面費豫算決算、面基本財産、面積立金、洞里有財産、道府郡島參事異動、指定面面長異動、指定面相談役異動、道府郡島參事諮問會狀況、面吏員及篤行者選奬、府協議員異動、水利組合長及學校組合管理者異動

六　前各號ノ外登載ヲ要スト認メタル事項

第六條　廣告欄ニハ左ノ事項ヲ登載ス

一　朝鮮鑛業令施行規則第三條ヲ適用ノ場合

二　森林令施行規則第六條ヲ適用ノ場合

三　漁業令施行規則第六條ヲ適用ノ場合

四　國有未墾地ノ處分ニ關スル命令送達不能ノ場合ニ於ケル取消又ハ無効

五　檢定教科用圖書ノ書目、冊數、定價、著作物、發行者ノ住所、氏名及其ノ變更等、總督府出版教科用圖書ノ書目、發賣代價、發賣人許可及其ノ取消、業務廢止、住所、氏名及其ノ變更等

六　朝鮮總督府官報發賣手續

七　官公立學校生徒募集

八　船舶登錄

九　旅券、酒、煙草、船等ノ免許狀、許可證及認許證ノ無効

十　工事及物件ノ供給入札及入札拂下

十一　商業及法人登記、公示催告、除權判決
十二　住所不明ノ行旅死亡者
十三　前各號ノ外法令ノ規定ニ依リ登載ヲ要スル各種ノ廣告

連載廣告ハ三回ヲ限度トス

第七條　本府各局部長、秘書課長、外事課長、首席參事官及各所屬官署ノ長ハ部下職員ノ中ニ就キ官報主任ヲ命スヘシ

第八條　官報主任ハ其ノ局部課室ノ管掌ニ係ル事項ニシテ官報登載事項ニ該當スルモノナキヤ否ヲ注意シ該當事項ハ遲滯ナク原稿作成ノ上封筒ニ官報原稿ノ文字ヲ朱書シ文書課ニ送付スヘシ但シ法令及告示ニシテ文書課ヲ經由スル決裁文書ニ「官報掲載」ノ記號ヲ附シタル場合ニ於テハ別ニ送付ヲ要セス

第九條　前條但書ノ場合及法令告示ノ官報原稿ニハ第三條ノ參照事項ヲ添付スルヲ要ス

第十條　官報原稿ハ別ニ配付スル官報原稿用紙又ハ美濃形罫紙ニ楷書ニテ記入スヘシ　但シ統計、圖表類及印刷ニ係ルモノハ便宜美濃形白紙ニ記入シ又ハ其ノ印刷物ヲ美濃形白紙ニ貼付シテ之ヲ代用スルコトヲ得

第十一第　官報ノ原稿ノ締切時刻ハ正午トス　但シ號外ヲ發刊スル場合ハ此ノ限ニ在ラス

第十二條　官報ニ登載シタル事項ハ特ニ必要アル場合ヲ除クノ外總督ニ報告シ又ハ他官廳ニ通知スルコトヲ要セス

附　則

大正二年十一月朝鮮總督府訓令第五十七號ハ之ヲ廢止ス

（參照）

大正二年朝鮮總督府訓令第五十七號ハ朝鮮總督府官報編纂規程ナリ

一六　官報通牒ニ同文通牒掲載ニ關スル件

明治四十四年二月
總訓第一三號

本府各部局課又ハ其ノ職員ノ名ヲ以テ多數ノ所屬官署又ハ其ノ職員等ニ對シ同文通牒等ヲ發スル場合ニ於テハ秘密ヲ要スルモノヲ除クノ外別ニ公文ヲ用ヰス朝鮮總督府官報通牒欄ニ掲載スヘシ

一七　官報通牒ニ關スル件

明治四十四年十月
文第二一七號

本年二月三日訓令第十三號ヲ以テ官報通牒ノ件制定相成候處一旦官報ヲ以テ通牒セシモノハ別ニ公文ヲ用ヒサル儀ニ付若シ之カ精讀ヲ怠ルニ於テハ直ニ日常ノ事務ニ支障ヲ來タス次第ニテ現ニ一二ノ實例モ有之候條右ノ趣貴管下一般關係ノ向ヘ御注意置相成度爲念此段申進候也

一八　朝鮮司法協會雜誌ノ掲載ヲ以テ一般通牒ニ代フル件

大正十一年一月十六日
法務局長通牒

裁判所檢事局又ハ監獄等關係官公署ニ對シ當局ヨリ發スル通牒回答等ノ內一般執務上ノ參考ニ資スヘキモノトシテ通牒シ來リタルモノハ爾今特別ノ場合ノ外便宜之ヲ朝鮮司法協會發行ノ雜誌ニ掲載シ一般通牒ニ代フ

ルコトト致候御了知相成度此段及通牒候也

一九　朝鮮司法協會雜誌掲載ノ一般通牒ニ關スル件

大正十一年三月十三日
法務局長通牒

大正十一年一月十六日附通牒ニ依リ裁判所檢事局又ハ監獄等關係官公署ニ對スル當局ヨリノ通牒回答等ノ內參考ニ資スヘキモノトシテ一般ニ通牒シ來レルモノハ朝鮮司法協會雜誌ノ掲載ヲ以テ該通牒ニ代フルコトニ相成候ニ付テハ經費ノ都合上廳用トシテ同雜誌購入難相成向ハ同誌中ノ當該記載記事ヲ摘錄處理シ以テ從來ノ通牒ト連絡ヲ缺カサル樣御整理相成度爲念此段及通牒候也

追テ貴分監ニ對シテハ貴官ヨリ右ノ趣旨移牒相成度候

二〇　官報原稿送付方ノ件

大正元年七月
官通第二八三號

從來本府官報ニ掲載スヘキ原稿ヲ印刷所ニ送付スル向往往有之候處右ハ明治四十四年七月內訓第二十三號朝鮮總督府官報編纂規程第五條ニ依リ本府(總務課)ニ御送付相成度此段及通牒也

追テ官報廣告料ハ明治四十三年九月統監府告示第二百七號第六條ニ依リ印刷所ニ於テ之ヲ徴收スルモノニ候

二一　官報等ニ關スル文書發送方

大正二年六月
印刷局

官報法令全書及職員錄等ニ關スル文章ハ自今其編輯ニ關スルモノハ當局官報部編輯課ニ其發賣發送ニ關スルモノハ同發賣課ニ各其宛先ヲ區別シテ發送セラルヘシ

二二　內地官報ニ廣告掲載方ノ件

明治四十四年一月
官通第一九號

從來內地ノ官報ニ掲載スル廣告案ハ印刷局官報部ニ直送ノ事ト相成居候處自今右廣告案ハ必ス本部官報報告主任ヲ經由スル樣同局ヨリ照會有之候ニ付御了承相成度此段及通牒候也

二三　出張辭令ノ官報原稿送付方ノ件

大正三年二月
官通第五一號
總務局長

各所屬官署ノ長宛

本府官報編纂規程第二條第三號ニ依ル職員ノ出張ニシテ本府ニ於テ認可指令ヲ與ヘタルモノハ同條第二項ニ依リ當該官署ヨリ官報原稿ヲ調製シ官房(總務課)ヘ送付相成度此段及通牒候也

二四　職員出張ニ關スル官報報告方ノ件

大正九年三月
官通第一九號
庶務部長

本府各局部課長、首席參事官及各所屬官署ノ長 宛

本年二月朝鮮總督府訓令第十號ヲ以テ朝鮮總督府官報編纂規程改正相成候ニ就テハ同規程第四條第三號ノ本府高等官ノ出張及第五條第三號ノ二ノ職員發著報告方ニ關シテハ左記ノ通御取扱相成度爲念此段及通牒候也

記

一、本府高等官ノ出張及發着
　各本人勤務ノ局部課室ノ官報主任ヨリ報告スルコト
一、所屬官署ノ長ノ發着
　各所屬官署ノ官報主任ヨリ報告スルコト

二五　所屬官署ヘ印刷物發送ノ件

明治四十五年五月
官通第一八四號
政務總監

爾今本府ヨリ一般所屬官署ヘ印刷物ヲ配付スル場合ニ於テハ急速其ノ他特別ノ取扱ヲ要スル場合ヲ除クノ外左記上欄ノ官署ニ對シテ下欄ノ官署ニ對スル分ヲ一括送付可致候條夫夫送達方御取計相成度此段及通牒候也

左　記(抄出)

監　獄	監獄分監、出張所

二六　往復用紙使用方ノ件

大正四年五月
官通牒第一六六號
政務總監

各所屬官署長宛

今般朝鮮總督府處務規程ヲ改正シ本府及所屬官署間ニ往復スル輕微ナル照會、回答、通牒、通知及督促等ハ力メテ往復用紙ヲ以テ處理シ事務ノ簡捷ヲ期シ候條所屬官署ニ於テモ之ニ準シ取扱可相成及通牒候也

二七　寫眞送付ノ件

大正九年十一月
文第四九三號
庶務部長

監獄典獄宛

諸般ノ施設其ノ他施政ノ參考トナルヘキ事項ヲ撮影セラレタル時ハ本府ニ於ケル施政宣傳ノ參考ト致度ニ付其ノ一葉ニ年月日及說明ヲ記シ御送付相煩度及依賴候也

二八　外國ニ提出スル爲發給スル證明書取扱方ノ件

大正六年九月官
通第一五一號
總務局長

各部長官、官房局課長、所屬官署ノ長宛

外國ニ提出スル爲證明書ノ發給ヲ本府ニ出願スル者アル場合ニ於テ其ノ證明方左記ノ通決定相成候條依命及通牒候也

記

一、願人ヨリ邦文ノ證明書發給ヲ出願シタルトキハ願書二通ヲ提出セシメ其ノ一通ニ總督府名ヲ以テ奧書證明スルコト
二、願人ヨリ歐文ノ證明書發給ヲ出願シタルトキハ歐文ノ願書二通ヲ提出セシメ其ノ一通ニ外事課長ノ署名ヲ以テ奧書證明ヲ爲スコト　但シ外事課長ノ署名ニハB/O依命ト記スルコト

二九　書類綴方ノ件

明治四十四年一月
朝乙發第四七六號
總務部會計局

支出傳票其他提出書類ニシテ枚數多キモノニ留針ヲ用ヒ綴付置ク爲メ書類轉輾ノ際離脱スル虞レアルニ依リ曩ニ通牒ノ次第モ有之候ニ尚ホ留針ヲ用ヒラルル向モ有之事務上不便不尠候條自今二葉以上ノ書類ノ場合ハ必ス紙撚ヲ以テ縫綴相成度此段重テ通牒候也

三〇　文書取扱方ニ關スル件

大正五年三月
官通牒第三四號
總務局長

各所屬官署ノ長宛

本府ニ到達スル文書ニシテ紙數夥多ノモノヲ綴合セ又ハ是等書類ニ附箋ヲ爲スニ留針「ホツチキス」等ヲ使用スル向往往有之候處右ハ文書轉送ノ際自然分離又ハ脱落スルノ虞有之取扱上不便不尠候條自今是等ノ場合ハ紙撚ヲ以テ緊綴シ若クハ糊ニテ貼付シ提出相成候樣致度此段及通牒候也

三一　提出書類ノ編綴方ノ件

大正三年
典會注意

三、提出ノ書類ヲ往往「ピン」止トナスモノアリ紙撚ヲ以テ編綴方勵行ノコト

三二　文書進行番號ノ件

大正元年八月
總第一號
總務局長

七月三十一日ヨリ文書進行番號ヲ改メラルヘク依命此段及通牒候也

三三　成案ノ記號ニ關スル件

大正十一年七月
文書課長

各課(室)長宛

成案ニ完結又ハ未完結ノ記號ヲ附スヘキ旨曩ニ通牒相成候處完結ノ記號ヲ附スルトキハ原議ヲ主務課ニ返却セサルヘキヲ懸念シ實際完結ノ文書ニ未完結ノ記號ヲ附スル向有之候ヘ共右ハ完結未完結ニ拘ハラス原議ハ必ス一應主務課ニ返却可致ハ勿論成案ニ右記號ヲ附スルハ事實上ノ未完結文書ト文書件名簿トヲ一致整理セントスル目的ニ有之候條御了知ノ上夫夫正確ナル記號ヲ附スル樣御取計相成度候也

三四　用字例及文例ニ關スル件

明治四十四年三月
官通第一八號

用字例及文例刷成ニ付及送付候條自今公文ハ右ニ依ル樣可相成此段及通牒候也

用字例及文例

あ	上段ノ如ク用例ヲ定ム
アル	
充ツル	
新ニ	新タニ

	豫メ	豫
	當ル	當タル
	預ラス	預カラス
	改メサル	改タメサル
	非サレハ	
	（出席スルニ非サレハ）	
	在ラス	
	（此ノ限ニ在ラス）	
	在リテハ	
	（官吏ニ在リテハ府縣ニ於テハ）	
い	至リ	
	謂フ	云フ
	雖	雖モ
	違反	違背、違犯
	以上、以下	
	二圓以上以下ハ共ニ二圓ヲ含ム	二圓以上以下………未滿
う	承クル	承ル
	賣拂フ	
	受クル	

	内	内チ
お	置ク	
	終リ（名詞ノトキハ終）	終ハリ
	惟フニ	
	及	及ヒ
	及ホサス	及サス
	各	各ニ（々）
	同ク	同シク
	運クトモ	運クモ
	於テ	
	（府縣ニ於テハ官吏ニ在リテハ）	
	、、、ノ場合ニ於テハ	……ニ在テハ
	｜、｜、及（又ハ）｜	｜｜｜及（竝及）
	（大體上ノ用例）	｜
	｜及｜竝｜及｜	｜竝｜及｜竝｜
か	關ル	
	係ル	
	被リ	
	掲クル	
	買入ル	
	且	且ツ

	き	け	こ
代ル 代フル 兼ネシム 拘ラス 限リ（名詞ハ限） 限ニ在ラス 箇	汽關 行政裁判所ニ出訴スルコトヲ得 訴訟及訴願ヲ提起シタル場合ニ於テハ	闕 檢	毎ニ 應ヘ 請ヒ 構ハ 此ノ 之ヲ 超エサル
代ハル 兼ネシム 兼シム 拘ハラス 關ハラス 限リニアラス……非ス ケ、介	汽關 行政訴訟ヲ提起ス 行政訴訟ヲ爲スコトヲ得	欠 檢	構 此 之レヲ 超ヘサル

	さ	し	す	せ	そ
異リタル コト （、、、スルコト）	定ムル 避クル 妨ケス 先チ 爲ササル 差出スヘシ 先ニスヘシ	出願（れノ部参照） 屢	据置ク 乃チ 少クトモ 凡テ 總テ	選擇	其ノ 具フル
異ナリタル ……スル事（フ）	先タチ 爲サヽル		少クモ 總テ、都テ	撰擇	其

	備置	
た	但シ	但
	直ニ	直チニ
	立會ハシム	
	爲ニ	爲メニ
	爲	爲メ
	……スル爲	……スルカ爲メ
	……補フ爲	……補フカ爲メ
つ	ツ、	宛
	付テハ	付キテハ
	付、、、スルニ付	
	就キ、、本人ニ就キ	
さ	閉ツル	
	停ムル	
	俱ニ	
	共ニ	
	トキ、トモ	𪜀、𪜈
	届出ツヘシ	届ヘシ
	届出テスシテ	届出スシテ
	ナリ	

な	ナシ	無シ
	爲ス	ナス
	仍	仍ホ
	尙	尙ホ
	竝	竝ニ、並ニ、幷ニ
れ	願出テサルトキハ	願出サルトキハ
	何年以上	滿何年以上
	（月ノ場合亦同シ）	何箇年以上
の	述フル	
	ノノ	ノ、
	延ハス	延ス
	、、スルノ權利	……スル權利
	、、スルノ必要	……スル必要
	、、ヲ除クノ外	……ヲ除ク外
は	初	初メ
	始ニ	始メニ
	始リ（名詞ノトキハ始）	始マリ
ひ	均シク	均ク、等シク
	久シキ	久キ
	引續キ	引續

ふ	再ヒ 何分ノ一 附 寄附 理由ヲ附ス 付 交付 議ニ付ス	再タヒ 何分一 寄付 理由ヲ付ス 交附 議ニ附ス
へ	ヘシ 「ヘシ」主トス	可シ スヘシ スルコトヲ要ス （要件タル場合）
ほ	本法、本令	此ノ法律 此ノ勅令
ま	儘 迄 亦 益 免ルル	マヽ マテ迄 モ亦、亦タ 益々 免ル
み	認メラレ 自ラ 看做ス	自カラ 見做ス
む	……セムトスルトキ	……セントスルトキ

も	以テ 戻入ルル 求ムル 求ニ モノ 者 申立ツル 最 用井 用ウ 基キ 基ケル 若、若ハ 「又ハ」ヲ以テ連續シタルモノノ内譯ヲ要スルトキハ 「若ハ」ヲ用ウ	最モ 用ユ 基ツキ 基ツケル 若シ、若クハ
や	已ム（ヤム、ステニ）	止ム、己ヲノレ 已ミ 己ハ又已トモ書ク
ゆ	譲渡シ 譲受ケ 譲渡スル	

よ	依リ 由リ 因リ 因リテ	因テ

ろ	入ルル	入ル、
わ	分チテ	分テ
數字	一、二、三、十 萬、圓	壹、貳、參、拾 方、円

法令制定及全部改正ノ場合

用例	備考
(1) 題名アルモノニシテ條ヲ置ク場合 何々法(何々令等) 第一條…………………… 第二條…………………… 第三條…………………… ………………	全部改正ノ場合ニハ上諭文ニ「何々法(何々令)改正」ト書ス
(2) 題名アルモノニシテ單行文ノ場合 何々法(何々令) ………………………	同前
(3) 題名ナキモノニシテ條ヲ置ク場合 (可成題名ヲ附ス) ………	

第一條……
第二條……
……
第三條……
(4) 題名ナキモノニシテ單行文ノ場合
……
……

同前

法令一部改正ノ場合

用　例

(1) 題名アルモノ
何々法(何々令)中左ノ通改正ス
(2) 題名ナキモノ
明治何年法律第　號(勅令第　號)中左ノ通改正ス
(3) 條文アルモ簡單ナルモノニ用ウ
何々法(何々令)中又ハ明治何年法律第　號勅令第號
中「……」ヲ「……」ニ改ム

備　考

何々法令及何々法令中「……」ヲ「……」ニ改トスルモ差支ナシ

條文ニ關スルモノ

用　例

(1) 全條改正ノ場合
第何條……

備　考

左ノ用例ヲ廢ス
「第何條ヲ左ノ如ク改ム」

…………（全條改正又ハ末尾ニ追加ノトキ）

第何條ノ二……………………………………

…………（全條ヲ條ト條トノ間ニ追加スルトキ）

第何條ノ三……………………………………

（以下倣之）

(2)　條中改正ノ場合

第何條中「…………」ヲ「…………」ニ改ム

第何條中「………」ノ（上）（下）（前）（次）ニ「………」ヲ加フ

第何條中「………」ヲ削ル

(3)　全條削除ノ場合

第何條　削除

第何條ヲ削ル　（兩用）

(4)　項改正ノ場合

第何條第何項ヲ左ノ如ク改ム

………………………………

第何條第何項ノ次ニ左ノ一項（何項）ヲ加フ

…………

○項中一部改正ノ場合

第何條第何項中「…………」ヲ「…………」ニ改ム

第何條第何項中「………」ノ（上）（下）（前）（次）ニ「……」ヲ加フ

第何條第何項ヲ削ル

○

「第何條ノ次ニ左ノ何條ヲ加フ」

○

「第何條ヲ第何條ノ二トシ其ノ前ニ左ノ一條ヲ加フ」

○

「第何條ヲ第何條ニ改メ第何條以下順次繰下ク等ノ類」

條名共ニ消滅ス

備　考

第何項ヲ言ハスシテ改正スル箇所明カナルトキハ單ニ第何條中ト書ス

號、但書、表ハ左ノ場合ノ外項ノ改正文例ニ準ス

第何條（第何項）中、但書ヲ削ル

第何條（第何項）中左ノ但書ヲ削ル

別表ノ如ク定ム

別表ノ如ク改ム

　條中改正ニ連續シテ言フ場合

第何條中「……」ヲ「……」ニ「……」ヲ「……
……」ニ改ム

○

「……」ノ次「……」ヲ「……」ニ、「……」
ノ次「……」ヲ「……」ニ改ム

　號ノ書キ方

第何條……………

一…………

二…………

法令廢止ノ場合

　用　例

(1) 題名アルモノ

　附　則

何々法（何々令等）ハ之ヲ廢止ス

本令ハ明治　年　月　日ヨリ之ヲ施行ス

(2) 題名ナキモノ

備　考

何々ハ本令施行ノ日ヨリ之ヲ廢止スト言フヲ要セズ

附　則

明治何年法律第　號（勅令第　號）ハ之ヲ廢止ス

(3)　條項廢止

第何條（第何項）ハ之ヲ廢止ス

文例追加（上段ノ如ク定ム）

何年以上（月ノ場合亦同シ）

在リタル者（在ル者ハ在リタル者ノ意味中ニ包含ス）

所長（長一人ノトキハ員數ヲ掲ケス）

何々法（令）ヲ準用ス

何々法（令）第何章ヲ準用ス

第何條ノ規定ヲ準用ス

本令ニ定ムルモノノ外必要ナル事項ハ……………ヲ以テ之ヲ定ム

判任ノ待遇トス

條項又ハ號ノ下ニ數文字ヲ加フルノ例

條・項・號ノ末尾ニ「………」ヲ加フ

文例ニ關スル諸則

滿何年以上

何箇年以上

在ル者又ハ在リタル者（二者連續ノ場合）

所　長　一　人

……………………………必要ナル

規定ハ…………　…………

判任官ヲ以テ待遇ス

判任ノ待遇トス

一、附則ハ各條項ノモノハ本文ノ條ヲ追フテ條ヲ附スルコト

一、一部改正ノ附則ニハ條ヲ設ケス

一、附則一箇條ノトキハ條ヲ揭ケス

一、特別ノ場合ノ外ハ法令中ニ左ノ條項ヲ揭ケス

本法(令)施行ニ關スル細則ハ命令ヲ以テ(主務大臣)之ヲ定ム

一、引用法令ノ年月番號ハ其ノ名稱ノミニテ明白ナル場合ニ於テハ之ヲ記セス

一、法(令)ノ一部ヲ改正追加スル場合ニ於テ舊文多キモノハ原法令ノ用字ヲ襲用ス

一、法律案理由書ハ左ノ形式ヲ用ウ

何々法案理由書(題名アルモノ)

…………………………………………

何々法律案理由書(題名ナキモノ)

…………………………………………

何々法(廢止／改正／中改正)法律案理由書(題名アルモノ)

…………………………………………

…………………………………………

明治何年法律第何號(廢止／改正／中改正)法律案理由書(題名ナキモノ)

…………………………………………

一、法律中既ニ改正セラレタル條項ヲ再ヒ改正スルニ際シ本文題名ノ上ニ年番號ヲ冠スル必要アルトキハ最初ノ年番號ヲ用ウルコト

三五　電信略符號ノ使用等ニ關スル件

大正三年二月
官通牒第四十四號

總務局長

本府各部長官、局課長、所屬官署長宛

電信略符號ノ使用方ニ關シテハ曩ニ屢々及通牒置候處未タ其ノ應用充分ナラス殊ニ本文ニハ略符號ヲ使用スヘキモノアルニ拘ラス之レカ使用ヲ怠ル者多ク又ハ電文冗長ニ流レ甚シキニ至リテハ不必要ノ電報ヲ發スル向モ有之右ハ事務簡捷經費節約ノ趣旨ニ反シ遺憾ノ次第ニ付爾今如此コト無之樣特ニ注意相成度及通牒候也

三六　公文書ニ學位ヲ記載セサルノ件

大正九年七月
秘第一七一〇號

政務總監

監獄典獄宛

今般學位令改正相成候ニ付テハ自今宣示署名書式中學位ヲ削除スルコトニ閣議決定ノ旨通牒有之候ニ付テハ自今文書ニハ學位ヲ記載セサルコトニ決定相成候條此段及通牒候也

三七　外國ニ歸化シタル朝鮮人ノ取扱ニ關スル件

大正四年一月
總內訓第二〇號

外國ニ歸化シタル朝鮮人ノ取扱ニ關シテハ目下朝鮮人ニ適用スヘキ國籍法又ハ之ニ類スル法令ノ制定ナキヲ以テ朝鮮人ニシテ外國ニ於テ歸化ノ手續ヲ爲シ其ノ國籍ヲ取得シタル者ト雖モ之カ爲帝國ノ國籍ヲ喪失スルコトナキカ故ニ依然帝國臣民トシテ取扱フヘキモノトス隨テ間島其他ノ滿蒙地方ニ居住スル朝鮮人ハ支那ニ歸化シタリト稱スル者ト雖モ該地方ニ於ケル他ノ朝鮮人ト均シク南滿洲及東部內蒙古ニ關スル條約ニ依リ帝國政府ノ管轄ニ屬スル儀ト心得ヘシ

三八　內勤職員ニ關スル件

大正十年六月
法務局長通牒

近來內勤事務ニ付比較的多數ノ職員ヲ配置スル向アリ蓋シ事務ノ繁劇ヲ加フルニ由ルモノナルヘシト雖爲ニ勢ノ趨ク所囚人ノ戒護力ヲ減殺スルコトアラハ其結果ハ實ニ憂フヘキモノアルヲ以テ宜シク事務ヲ簡捷ニシ內勤者ヲ減シテ戒護力ノ充實スルコトヲ圖ラレ度及通牒候也

三九　事務整理ニ關スル件

大正十一年八月
文第五二號

政務總監

本府各局部長、第一次所屬官署ノ長宛

今般事務整理ニ關シ別紙ノ通閣議決定相成候ニ付爾今右ニ依リ御取扱相成度此段及通牒候也

（別紙）

閣議第一五〇號

大正十一年七月十八日

内閣書記官長　宮田光雄

朝鮮總督　男爵　齋藤　實殿

通牒

今般事務整理ニ關シ左記ノ各項閣議決定相成候

記

一、任免、命免、陞等、親補、親任待遇等ノ場合ハ辭令書ヲ交付スルモ其ノ他特別ノ事情アル場合ヲ除クノ外官報登載ニ止メ若シ必要アル場合ニ於テハ本屬長官ヨリ本人ニ其ノ旨通達ス官報不登載ノモノ亦同シ

二、例示、括弧其ノ他便宜ノ方法ニ依リ法令其ノ他ノ公文ヲ可成通俗的ニス

(參照)

辭令書ヲ交付スヘキモノ左ノ如シ

一、任免ノ部(初任、再任、轉任、免官)
一、親任官
一、勅任官
一、奏任官
一、判任官
一、高等官三等ヨリ陞敍二等ニ

一、命免ノ部(初任、再任、轉任、免職)
一、勅任官待遇(有等ニ準シ取扱フモノ)
一、公立大學總長
一、公立大學長
一、公立大學教授
一、公立專門學校長
一、公立大學教授高等官三等待遇ヨリ同教授勅待ニ
一、公立專門學校長高等官三等待遇ヨリ同校長勅待ニ
一、公立實業專門學校長高等官三等待遇ヨリ同校長勅待ニ等

二、勅任官待遇(待遇官等ナキモノ)
一、諸學校ノ名譽教授(名稱ヲ授クル場合)
一、學士院會員(會員任命ノ場合)
一、優遇令ニ依ル勅任官待遇等

三、奏任官待遇(待遇官等ヲ附與スルモノ)
一、公立大學校職員
一、公立專門學校職員
一、公立實業專門學校職員
一、公立高等學校職員
一、公立實業學校職員
一、公立中學校職員
一、公立高等女學校職員
一、師範學校職員(校長ヲ除ク)
一、公立圖書館職員
一、測候技師
一、感化院職員
一、產業技師
一、同主事
一、土木技師

一、道路技師
一、同　主事
一、神宮神部署長
一、衛生技師
一、防疫醫
一、療養所職員
一、檢疫醫
一、臨時海港檢疫醫
一、優遇令ニ依ル奏任官待遇（待遇附與並待遇官等陞等ノ場合）等
四、奏任官待遇（待遇官等ヲ附與セサルモノ）
一、神宮神部署神部
一、同　主事
一、官國幣社ノ宮司（勅、奏）
一、同權宮司
一、府縣社以下神社ノ社司
一、同　社掌
一、名譽總領事
一、名譽領事
一、名譽副領事
一、靖國神社附屬遊就館長（勅、奏）
一、朝鮮總督府中樞院參議（勅、奏）
一、戰時又ハ事變ニ際シ官吏ニ非スシテ陸海軍ノ事務ニ從事スル者
（勅、奏）（待遇附與ノ場合）

一、陸軍通譯
一、廳府縣小學校長（待遇附與ノ場合）
一、臺灣小學校長（同）
一、同　公學校長（同）
一、臺灣總督府街長（同）等
五、親任官待遇命免ノ部
一、朝鮮總督府中樞院副議長
一、同　顧問　等
六、特種會社並各種委員會職員等命免ノ部
一、國勢院參與並事務官
一、臨時議院建築局顧問並常務顧問
一、特種會社職員
一、各種委員會職員等
七、貴衆兩院議長並副議長任命等
八、貴族院議員命免等
九、賞與又ハ手當等
十、除服出仕等
一、親補ノ部
一、補軍事參議官
一、補參謀總長
一、補師團長
一、補海軍軍令部長
一、補大審院長

一、補檢事總長等
一、陞等ノ部（從來官記ノ形式ニ據リシヲ廢シ辭令書ノ形式ニ據ル）
一、高等官二等ヨリ陞敍一等
一、奏任官ニ初任又ハ再任セラレ其ノ官等ノ陞敍シ得ル最高官等マテ　但シ高等官三等ヨリ陞敍二等ノ場合ヲ除ク
一、奏任待遇（待遇官等ヲ附與スルモノ）ノ官ニ初任又ハ再任セラレ其ノ陞等シ得ル最高待遇官等マテ等
但シ高等官三等待遇ヨリ勅任官ヲ以テ待遇セラルル場合ヲ除ク
特別ノ事情アル場合ヲ除クノ外官報登載ノミニ止メ辭令書ヲ交付セサルモノ左ノ如シ
一、文武官ノ職務竝俸給又ハ轉役、待命、休職、復職、停職、退職、豫備後備、退役
一、譴責、減俸
一、內地竝外國出張等
本屬長官ヨリ本人ニ通達スヘキ場合左ノ如シ
一、官報ニ登載スルモ特ニ緊急ヲ要スルトキ
一、官報不登載ノトキ
前各項以外ニシテ特ニ必要アリト認メタルトキ等
判任官以下ニ對シ辭令書ノ交付ヲ省略シ本屬長官ヨリ本人ニ其ノ旨通達若ハ口達等適宜ノ處置ヲ取ルヘキモノ左ノ如シ
一、內地竝外國出張
一、職務竝俸給又ハ轉役、待命、休職、復職、停職、退職、豫備、後備

退役
一、譴責、減俸等

閣第二九四號
大正十一年七月十八日
內閣書記官長　宮田光雄
朝鮮總督府政務總監有吉忠一殿

本日閣議第一五〇號ヲ以テ及通牒置候事務整理ニ關スル件ニ依リ從來官記ノ要式ニ據リシ官等陞敍竝待遇官等陞等ハ自今辭令ノ要式ニ據ルヘキコトニ決定相成候ニ付爲念右辭令要式及通知候
追テ高等官三等ヨリ陞敍二等高等官三等待遇ヨリ勅任官ヲ以テ待遇セラルル場合ハ從前ノ通ニ有之候

一、高等官官等陞敍辭令要式（九等ヨリ陞敍三等／二等ヨリ陞敍一等）
官　爵　氏　名
陞敍高等官何等

一、奏任官待遇官等陞等辭令要式（八等ヨリ陞シテ三等）
職　爵　氏　名
陞シテ高等官何等ヲ以テ待遇セラル

四〇　文書事務簡捷ノ件　（大正二年典會指示）

獄務ノ進捗ニ伴ヒ事務倍繁劇ニ趨クヲ以テ常例ノ文書ノ如キハ例文ヲ設ケテ起案ノ手數ヲ省キ或ハ帳簿ノ如キモ特ニ規定ナキモノニ付テハ成ルヘク廢合ヲ行ヒ其ノ活用ニ依リ重複ノ手數ヲ避ケ又本分監樣式ヲ一定シ

テ其ノ取扱方法ヲ簡便ナラシムル等一層事務ノ簡捷ヲ圖ルコトニ注意スヘシ

四一 帳簿事務ノ簡捷ヲ圖ル件

大正五年典會注意

二三 各監獄ニ於ケル帳簿ノ種類ハ概シテ多キニ過クルノミナラス往往重複ニ亙ルモノアリ又處務ノ手續ニシテ繁瑣ニ流ルルモノ多キカ如シ速ニ之カ調査ヲ遂ケ適當ニ加除廢合ヲ按排シ以テ事務ノ簡捷ヲ圖ラレタシ

四二 朝鮮ノ標準時改正ニ關スル件

明治四十四年十一月府告第三三八號

朝鮮ノ標準時ハ明治四十五年一月一日ヨリ中央標準時ニ依ル

明治四四年十二月官通第三七五號

來ル四十五年一月一日ヨリ施行相成ルヘキ中央標準時ニ關シ左記ノ通御承知相成度此段及通牒候也

記

中央標準時ハ現行朝鮮標準時ニ比シ三十分早マルニ付來三十一日現行朝鮮標準時ニ依レル夜半ノ十二時ヲ以テ新標準時ノ午前零三十分ニ移リタルモノトス

四三 文書誤記脱字注意ノ件

大正四年典會注意

提出文書特ニ假出獄具申書類ノ記載事項中ニ彼此齟齬シ或ハ誤記脱字アルモノ少カラサルヲ以テ將來十分ニ注意アリタシ

四四 宿直員ノ用紙取締ノ件

大正四年典會注意

宿直時間内臨時入監者アリタル場合ニ使用セシムル爲當該官吏ノ捺印アル諸種ノ領收證用紙ヲ準備シテ之ヲ宿直員ニ交付スルトキハ其濫用ヲ妨止スルニ付相當ノ取締方法ヲ設ケラレタシ

四五 改正例規ノ整理ニ關スル件

大正四年典會注意

典獄ノ發シタル達示命令中時勢ノ推移或ハ根本法規ノ改廢等ニ因リ變更ヲ要スルニ至リタルトキハ速ニ其改正ヲ行ヒ常ニ例規ノ整理ニ留意スヘシ

四六 收受ノ文書ノ査閲ニ關スル件

大正五年典會注意

收受ノ文書ハ之ヲ主任ニ配付スル前典獄必ス先ツ之ヲ査閲シテ處理ノ方法及期日ヲ指定シ尙時時其ノ濟否ヲ調査シテ處理ニ停滯ナキヲ期シ又終結ノ文書及帳簿ハ適當ニ編冊シテ一定ノ場所ニ順序ニ從ヒ藏置シ苟モ紛亂散佚ナカラシメラレタシ

四七　文書帳簿ノ整理保存ノ件

大正六年
典會注意

記錄帳簿其他文書ノ整理保存ニ付テハ其處理十分ナラサル向多シ速ニ之カ整理ニ著手セラレタシ

四八　監獄ノ沿革史編纂ノ件

大正四年
典會注意

監獄ノ沿革史ハ曩ニ明治四十四年ノ會議ニ於ケル指示ニ基キ各監獄ニ於テ一タヒ之ヲ編纂シタルモ其ノ後中絕シタル向アルカ如シ凡沿革ノ如キハ時ノ經過ニ依リ資料散逸シテ遂ニ蒐集スヘカラサルニ至ルノ虞アリ將來ハ歲次之カ編纂ヲ怠ラス脫稿ノ上ハ其ノ副本ヲ本府ニ進達セラレタシ

四九　簿冊ノ整理ノ件

大正十年
典會指示

文書簿冊殊ニ用度計理及作業ニ關スル簿冊ノ整理概シテ完全ナラサルヲ以テ係員ヲ督勵シテ速ニ整理ヲ遂ケラルヘク又往々補助簿ヲ設クルコト多キニ過キ却テ事務ノ處理ヲ複雜遲緩ナラシムルモノアリ宜シク其ノ數ヲ節減シ將來補助簿ヲ新設セムトスルニ際シテハ其ノ得失便否ニ付深ク攷究スル所アラムコトヲ望ム

五〇　新年用門松ニ關スル件

大正五年十二月
總第四三一號
總務局長

典獄宛

京畿道管內ニ於テハ森林保護ノ目的ヲ以テ自今一般ニ新年用門松ハ樹幹及根付松ノ使用ヲ禁止シ警務機關ト協力シテ取締ル筈ニ付御承知ノ上部下一般ニ周知方御取計相成度及通牒候也

五一　官印寸法

明治三十一年八月
閣令第五號

明治八年太政官第百十號達ヲ左ノ通改正ス

公務ニ關シ長官或ハ主任ノ名ヲ以テ上申下達及往復スル書類ニ用ヰル印章ハ勅任官ハ方九分(曲尺)奏任官ハ方七分(曲尺)判任官ハ方六分(曲尺)トシ官名ノミヲ彫刻スヘシ但シ現ニ使用ノ分ハ改刻スルニ及ハス

五二　公文書ニ用フル印章ニ關スル件

大正四年三月
官通牒第七三號
政務總監

各所屬官署長宛

公文書ニ用ヰル印章ニ付テハ明治三十一年閣令第五號ノ規定モ有之候處此ニ據ルノ外官署印ハ總督府ハ曲尺方一寸五分其ノ他ハ方一寸二分文字ハ官署名又ハ官職名ノミトシ書體ハ篆書ニシテ明白ナルモノヲ用ヰルコトニ定メラレ候條及通牒候也

追テ從來使用ノ印章ハ改刻ヲ要スル迄引續使用相成差支無之候

五三　公文書ニ用ヰル印鑑屆出ニ關スル件

大正十一年三月二十二日
法務局長通牒

各監獄典獄宛

明治四十二年十二月十日附文第二五號統監府司法廳庶務課長通牒監獄ニ於テ使用スル印章ニ關スル件中印章ノ樣式ニ關スル分ハ大正四年三月官通牒第七三號ヲ以テ自然消滅ニ歸シ使用印鑑ノ屆出方ニ關シテハ今尙該通牒ニ依ルヘキ筋合ニ候得共爾今ハ屆出ニ及ハサル儀ト御了知相成度此段及通牒候也

五四　典獄補ノ印章ニ關スル件

大正一〇年一〇月
法務局長通牒

各監獄典獄宛

首題ノ件ニ付伺出ノ處右寸法ニ付テハ明治三十一年閣令第五號ニ文字書體等ニ關シテハ大正四年官通牒第七十三號ニ依リ調製可相成儀ト御承知有之度此段及回答候也

（參照）　大正十年九月二十九日伺

西大門監獄典獄

法務局長宛

典獄補印章ニ關スル件

監獄ニ於テ使用スル印章ニ付テハ明治四十二年十二月文第二五號統監府司法廳庶務課長通牒ノ次第モ有之爾來右制限ニ依リ（監獄印ノ寸法大正四年改正セラル）取扱來候處曩ニ監獄官制改正セラレ新ニ典獄補ノ官ヲ設ケラレ候ニ付テハ職務執行ニ際シ官印ヲ必要トスル場合有之候ニ付典獄補印一顆調製差支無之候哉此段相伺候也

五五　元號　稱呼

大正元年七月
內閣告示第一號

元號ノ稱呼左ノ如シ

大（タイ）正（シヤウ）

第二章　統計　報告

一　朝鮮總督府統計事務取扱方

大正七年九月
總訓第四七號

改正　一一年一〇第五二號

第一條　朝鮮總督府官房庶務部調査課ニ統計臺帳ヲ備フ統計臺帳調製ニ關スル事項ハ別ニ之ヲ定ム

第二條　調査課長ハ統計臺帳ニ依リ毎年朝鮮總督府統計年報ヲ編纂スヘシ

第三條　調査課長ハ統計事務ニ關シ統計主任ト直接交渉ヲ爲スコトヲ得

第四條　朝鮮總督府各部局ヨリ統計事項ニ關シ外部ト往復ヲ要スル場合ニ於テハ之ヲ調査課長ニ合議スヘシ

第五條　朝鮮總督府所屬官署ニ統計主任ヲ置キ統計ノ檢査及整理ヲ擔任セシム

第六條　統計主任ハ所屬官署ノ長ニ於テ奏任官又ハ判任官ノ中ニ就キ之ヲ命シ其ノ官氏名ヲ調査課長ニ通知スヘシ之ヲ免シタルトキ亦同シ

第七條　主務課、係ニ於テ作成シタル統計ハ之ヲ統計主任ニ回付スヘシ統計主任ハ前項ノ統計ヲ檢査シ誤謬アリト認メタルトキハ再調ヲ請求スルコトヲ得

附　則

本令ハ發布ノ日ヨリ之ヲ施行ス

二　朝鮮總督府報告例

大正元年一一月
總訓第二〇號

改正　二年一二第六二號　三年九第五四號　四年一一第五九號　五年一二第四七號　六年一二第五四號　七年一二第六五號　八年一二第五五號　九年一二第七二號　一〇年一〇第五六號　一一年一〇第四九號

第一條　朝鮮總督府道知事ハ別冊甲號、其ノ他ノ所屬官署ノ長ハ別册乙號ニ定ムル處ニ依リ朝鮮總督ニ報告ヲ爲スヘシ

第二條　報告ハ別段ノ定アル場合ヲ除クノ外左ノ期間内ニ提出スヘシ

即報　即時

日報　即日

月報　翌月十五日

季報　四月、七月、十月及翌年一月ノ末日

半年報　十月及翌年四月ノ末日

年報　暦年調ハ翌年二月末日、年度調ハ翌年度五月末日

第三條　報告ニシテ重大且急ヲ要スルモノハ電信、電話其ノ他急速ノ方法ヲ以テ其ノ概略ヲ報シタル後詳細ノ報告ヲ爲スヘシ

裁判所、同檢事局ノ長及典獄ヨリ提出スヘキ統計報告ハ總テ監督上官ヲ經由スルニ及ハス

第四條　報告ニ掲記スヘキ道府郡島ハ別表ノ順序ニ依ルヘシ

第五條　統計表ニシテ二頁以上ニ亘ルトキハ各頁ノ一行目ニ項目ノ欄ヲ設クヘシ

第六條　統計表中數位ハ金額ニ在リテハ單位其他ニ在リテハ單位以下三位迄ヲ掲ケ單位ニ「●」ヲ附シ其ノ右傍ニ圓、斤、噸等單位ノ種類ヲ

記入シ千位、百萬位等三位毎ニ「、」ヲ附スヘシ 但シ特別ノ定アルモノハ此ノ限ニ在ラス

第七條 統計表中計數未詳ノ欄ニハ「?」計數ナキ欄ニハ「—」計數ノ單位ニ達セサル欄ニハ「○」比較減ノ場合ニハ「△」ヲ記入スヘシ

第八條 統計表中ノ數ニシテ前回ニ比シ著シキ增減アリタルトキハ其ノ理由ヲ備考欄ニ詳記スヘシ

第九條 報告期ニ至リ調查未濟等ノ爲報告ノ延期ヲ要スルモノハ其ノ都度其ノ理由及其ノ豫定期日ヲ稟申スヘシ

第十條 報告事項中報告スヘキ事實ナク又ハ調查シ難キ事故アルトキハ報告期ニ於テ其ノ旨ヲ報告スヘシ

第十一條 本令ニ定ムルモノノ外所屬官署ノ長ニ於テ特ニ重大ナリト認ムル事項ハ適宜之ヲ報告スヘシ

（別表）

抄朝鮮總督府報告例別冊目次（乙號）

日報

番號	報告提出者	報告事項
第一一號	各官署ノ長	職員身分異動報告表

月報

番號	報告提出者	報告事項
第二六號	刑務所長	監獄事務報告
第二七號	刑務所長、刑務支所長	在監人員表
第二八號	同	十八歳未滿囚ノ罪名刑名及刑期表
第二九號	同	在監受刑者ノ罪名表
第三〇號	同	刑事被告人勾留期間表

年報

番號	報告提出者	報告事項
一月		
第六〇號	各官署ノ長	保證擔保充用國債證券現在高表
二月		
第五九號	各官署ノ長	職員及俸給表
第一一一號	刑務所長	監獄職員懲戒表
四月		
第六一號	各官署ノ長	正貨國外拂實際仕拂額（直接拂）內容調表
五月		
第一一二號	刑務所長、刑務支所長	作業表
第一一三號	同	作業收支表

三　報告例ノ電報報告中略符號使用ノ件

大正二年一二月
官通第三九二號

總務局長

元山稅關長、木浦、淸津城津稅關支署長、咸鏡南北道長官咸興、海州、光州監獄典獄、木浦、晉州元山、淸津監獄分監長 宛

報告例ニ依ル報告ニシテ電報報告ヲ爲スヘキモノノ中左記各號ハ左記略符號ニ依リ御取扱相成度及通牒候也

記

其ノ一（税關）（大正二年十二月官通第四百十五號追書ニ依リ消滅）

其ノ二（道）

租税及驛屯土收入徵收狀況報告電信略符號

略符號	種目
チ	地税
コ	戸税
カ	家屋税
サ	酒税
タ	煙草税
ウ	鑛税
ソ	雜税
エ	驛屯土
テ	調定額累計
シ	徵收額累計

其ノ三（監獄）

月末現在在監人員報告電信略符號

略符號	種目
キ	既決人員
ミ	未決人員
タ	男
オ	女
ナ	內地人
チ	朝鮮人
シ	支那人
エ	英國人
メ	米國人
フ	佛國人
ト	獨逸人
ロ	露國人

四　監獄統計中央集査實施ニ關スル件

大正一一年五月
法務局長通牒

各監獄典獄、各分監長宛

大正元年朝鮮總督府訓令第二十號報告例中左記各表ハ大正十一年ヨリ中央集査ニ改メラレ候條大正十一年五月分ヨリ監獄統計小票取扱手續第一第十一項ニ依リ提出相成度尙小票番號及小票送付ノ際ハ別紙ニ依リ取扱相成度及通牒候也

追テ大正十一年一月ヨリ四月迄ノ監獄統計小票ハ來ル六月末日迄ニ提出相成度申添候

記

第五五號　受刑者其他ノ出入表

第五九號　在監者死亡人員表

右二表ハ大正十一年五月分ヨリ提出ニ及ハス

第一五六號　新受刑者表

第一五九號　釋放時ノ作業賞與金給與人員表

第一六〇號　癩病者表

第一六一號　病者ノ經過期間別表

第一六二號　懲罰人員表

第一六三號　受刑者ノ釋放時保護人員表

小票番號及包裝順序等

一　樣式中小票番號ハ一年毎ニ更新スルコト

二　小票番號簿ハ別ニ帳簿ヲ設クルコトナク可成左記帳簿上部欄外ニ追番號ヲ附シ代用スルコト

イ　樣式第一號乃至第六號ノ小票ノ番號ニ付テハ入監簿及出監簿

ロ　樣式第七號及第八號ノ小票ノ番號ニ付テハ携帶兒書留簿等ノ補助簿

ハ　樣式第九號ノ小票ノ番號ニ付テハ懲罰簿

ニ　樣式第十號ノ小票ノ番號ニ付テハ診斷簿又ハ其ノ他ノ補助簿

三　小票ヲ本府ニ送付スル場合ハ左ノ通取扱フコト

イ　小票ハ各種類毎ニ區別シ番號ノ順序ニ整ヘ編綴又ハ折ルコトナク帶紙ヲ以テ一括シ更ニボール紙ヲ以テ破損セサル樣包裝スルコト

ロ　小票ノ枚數及番號ヲ記載シタル左記樣式ノ送致目錄ヲ添付スルコト

監獄統計小票送致目錄（大正　年　月分）　何監獄

種類	番號	枚數	備考
（一）刑事被告人入監小票	自　號 至　號		
（二）刑事被告人出監小票	同　同 同　同		
（三）受刑者入監小票	同　同 同　同		
（四）受刑者出監小票	同　同 同　同		
（五）勞役場留置者入場小票	同　同 同　同		
（六）勞役場留置者出場小票	同　同 同　同		
（七）携帶兒入監（場）小票	同　同 同　同		
（八）携帶兒出監（場）小票	同　同 同　同		
（九）病者小票	同　同 同　同		
（一〇）懲罰小票	同　同 同　同		
計			

大正　年　月　日　何監獄

朝鮮總督府法務局長宛

注意

一　小票ニ同番號又ハ闕號アルトキハ其枚數及理由ヲ備考欄ニ記入スヘシ

二　各稱ノ小票中或ル種類ニ限リ送致スヘキ小票ナキトキハ其種類ノ枚數欄ニ斜線ヲ畫スヘシ

五　月報提出ニ關スル件

大正一一年五月
法務局長通牒

各監獄典獄、各分監長宛

朝鮮總督府報告例別册第五五號受刑者其ノ他ノ出入表、第五九號在監者死亡人員表及大正九年四月十七日監第七六九號通牒新受刑者ノ刑名刑期表ハ中央集査實施ノ結果大正十一年五月分ヨリ提出ニ及ハサル儀ト御了知相成度及通牒候也

六　監獄統計小票取扱手續及樣式ニ關スル件

大正一一年五月
法務局長通牒

各監獄典獄、各分監長宛

改正　一二年一二月　一三年二月　同年四月

監獄統計小票取扱手續及樣式別紙ノ通決定相成候條右ニ據リ取扱相成度及通牒候也

監獄統計小票取扱手續

第一　通則

一　監獄統計小票ハ左ノ十種トス

刑事被告人入監小票　（樣式第一號）
刑事被告人出監小票　（樣式第二號）
受刑者入監小票　（樣式第三號）
受刑者出監小票　（樣式第四號）
勞役場留置者入場小票　（樣式第五號）
勞役場留置者出場小票　（樣式第六號）
携帶兒入監（場）小票　（樣式第七號）
携帶兒出監（場）小票　（樣式第八號）
病者小票　（樣式第九號）
懲罰小票　（樣式第十號）

二　小票ハ一人每ニ一枚ヲ作成スヘシ

三　裁判所又ハ檢事ノ呼出等ノ爲一時出監又ハ出場シタルトキ護送中ノ在監者又ハ在場者ヲ一時收監シタルトキ又ハ逃走者ヲ直ニ追跡シテ逮捕シタルトキハ小票ヲ作成スルコトヲ要セス

四　移監ノ場合ニ於テ受送監獄ニ身柄ノ引渡ヲ了シタル日ノ前日迄ハ發送監獄ノ在監者又ハ在場者ト看做ス

五　小票ノ用紙ハ强靱ナル洋紙ヲ使用シ代赭色ニテ印刷スヘシ

六　小票ニ記入ヲ爲スニハ滲潤セサル「黑インキ」ヲ使用シ行草ノ字體ヲ避ケ字畫ヲ正シク記スヘシ

七　小票中不動文字ニ依リ指示シタル事項ハ其ノ相當文字ノ上部ニ徑一分大ノ朱色ノ圈點ヲ鮮明ニ附スヘシ

八　小票ニ數字ヲ記入スル場合ハ亞刺比亞數字ヲ用ウヘシ

九　在監者又ハ在場者半陰陽ナルトキハ小票氏名欄ノ男女不動文字ヲ消シ半陰陽ト記入スヘシ

十　逃走犯罪人引渡條例又ハ外國艦船乘組員ノ逮捕留置ニ關スル援助法

ニ依リ拘禁シタル者ハ刑事被告人ニ準シ小票ヲ作成シ其ノ欄外上部ニ「逃亡犯罪人」若ハ「外國艦船乘組員」ト記入スヘシ

十一　小票ハ監獄又ハ分監毎ニ一ケ月分ヲ取纏メ翌月十五日迄ニ本府ニ發送スヘシ

第二　刑事被告人入監小票

一　本票ハ刑事被告人カ様式第一號入監事由欄記載ノ事由ニ依リ入監シタル日ヨリ三日以內ニ之ヲ作成スヘシ

二　在監中ノ受刑者又ハ勞役場留置者カ出監ノ事由ヲ生シタルモ刑事被告人トシテ處遇ヲ爲ストキ又ハ入監後之ニ對シ死刑ノ判決確定シ若ハ死刑ノ確定判決ヲ受ケタル者ナルコト判明シ其ノ處遇ヲ變更シタルトキハ本票ヲ作成スヘシ

三　在監中ノ刑事被告人受刑者又ハ勞役場留置者ニ付テハ新ニ被告事件起リ若ハ他ニ被告事件アルコト判明スルモ本票ヲ作成スルコトヲ要セス

四　一旦本票ヲ作成シタル後ニ於テハ本人カ刑事被告人トシテ在監中逃走シタルコト若ハ保釋責付ノ取消アリタルコト判明シ又ハ新ニ保釋責付ノ取消アルモ更ニ本票ヲ作成スルコトヲ要セス

五　收監ノ際逃走中ノ受刑者若ハ勞役場留置者ナルコト又ハ刑ノ執行猶豫假出獄若ハ刑ノ執行停止ノ取消ヲ受ケタル者ナルコト判明シ直ニ受刑者又ハ勞役場留置者ノ處遇ヲ爲ス場合ニ於テハ刑事被告人トシテ送致セラレタルトキト雖本票ヲ作成スルコトヲ要セス

六　出生時欄

出生年月日ハ左記ノ例ニ依リ記入スヘシ

イ　年號ハ內地人及朝鮮人ニハ紀元暦外國人ニハ其ノ本國ノ年號ニ依ルヘシ

ロ　出生ノ年ヲ知ラサル者ハ推定ヲ以テ年ヲ定ムヘシ

ハ　出生ノ月ノ明ラカナラサル者ハ其年末日ニ出生ノ日ノ明カナラサル者ハ其ノ月末日ニ出生シタルモノト看做ス

七　入監事由欄

在監中ノ受刑者又ハ在場中ノ勞役場留置者カ出監ノ事由ヲ生シタルモ更ニ刑事被告人トシテ處遇ヲ變更シタルトキハ新入監トシテ取扱フヘシ　但シ逃走逮捕保釋責付ノ取消ニ因ルモノナルトキハ逃走逮捕又ハ保釋責付取消ノ入監トシテ取扱フヘシ

八　被告事件欄

本欄ニハ入監ノ際判明シタル總テノ事件ヲ記入スヘシ　但シ入監後發生シ若ハ判明シタル事件ハ之ヲ追記スルヲ要セス

第三　刑事被告人出監小票

一　本票ハ刑事被告人カ様式第二號出監事由欄記載ノ事由ニ依リ出監シタル日ヨリ三日以內ニ之ヲ作成スヘシ

二　在監中ノ刑事被告人カ受刑者若ハ勞役場留置者トナリ又ハ入監後受刑者若ハ勞役場留置者ナルコト判明シ其ノ處遇ヲ變更スヘキトキハ未確定ノ被告事件アルトキト雖本票ヲ作成スヘシ

三　在監中ノ刑事被告人一事件ニ付出監ノ事由ヲ生シタルモ他ノ事件ノ爲引續キ拘禁セラルルトキハ本票ヲ作成スルコトヲ要セス

四 在監中ノ刑事被告人ニ對シ死刑ノ判決確定スルモ本票ヲ作成スルコトヲ要セス

五 出監事由欄

イ 在監中ノ刑事被告人カ新ニ受刑者トナリタルトキ又ハ入監後受刑者ナルコト判明シ其ノ處遇ヲ變更スヘキトキハ懲役禁錮拘留刑執行ノ出監トシ若其ノ執行スヘキ刑カ假出獄ノ取消刑ノ執行停止ノ取消、逃走還捕ニ因ルモノナルトキハ其ノ他ノ出監トシテ取扱フヘシ

ロ 罰金又ハ科料ノ判決ヲ受ケタル者ニ對シ直ニ勞役場留置ヲ執行スヘキトキト雖罰金科料ニ因ル出監トシテ取扱フヘシ

六 勾留期間欄

本欄ニハ令狀ニヨリ勾留セラレタル日數ヲ記入シ代用監獄ニ勾留シタル者ノ身柄ヲ收監シタルトキハ其ノ前日迄ハ代用監獄ノ在監者ト看做シ日數ヲ計算スヘシ

第四 受刑者入監小票

一 本票ハ受刑者カ樣式第三號入監事由欄記載ノ事由ニヨリ入監シタル後成ルヘク速ニ之ヲ作成スヘシ

二 在監中ノ刑事被告人又ハ在場中ノ勞役場留置者カ新ニ受刑者トナリ又ハ入監後受刑者ナルコト判明シ其ノ處遇ヲ變更スルトキハ他ニ未確定ノ被告事件アルトキト雖本票ヲ作成スヘシ

三 在監中ノ受刑者ニ付テハ左ノ場合ニ於テモ本票ヲ作成スルコトヲ要セス

イ 新ニ刑ノ言渡ヲ受ケ又ハ刑ヲ加重セラレタルトキ

ロ 他ニ未執行ノ確定判決ヲ有スルコト判明シタルトキ

ハ 逃走中ノ受刑者ナルコト又ハ刑ノ執行猶豫、假出獄若ハ刑ノ執行停止ヲ取消サレタル者ナルコト判明シタルトキ

四 復監又ハ移監ニ因ル本票ニハ樣式(一)乃至(八)以外ノ事項ヲ記入スルコトヲ要セス

五 本票ニ犯罪時ト稱スルハ犯罪行爲ヲ完了シタル時犯罪地ト稱スルハ犯罪行爲ノ完了シタル最終ノ地ヲ謂フ

六 本籍地及出生地欄

本籍地ハ道府縣郡市面町村ヲ出産地ハ道府縣ヲ記入シ外國人及外國ニ於テ出生シタルモノハ之ニ準シ記入スヘシ

七 年齢欄

イ 本欄ニハ犯罪時ノ年齢ト入監時ノ年齢トヲ各左記區別ニヨリ記入スヘシ

十六歳未滿　十八歳未滿　二十歳未滿　二十三歳未滿　二十五歳未滿　三十歳未滿　四十歳未滿　五十歳未滿　六十歳未滿　六十歳以上

ロ 年齢ハ刑事被告人入監小票出生欄ノ項ニ定メタル例ニヨリ算定スヘシ

八 入監事由欄

在監中ノ刑事被告人又ハ勞役場留置者カ出監ノ事由ヲ生シタルモ更ニ受刑者トシテ處遇ヲ變更シタルトキハ新入監トシテ取扱フヘシ　但シ執行スヘキ刑カ復監ニ因ルモノナルトキハ各復監事由ノ入監トシテ取

扱フヘシ

九　罪名欄及刑名刑期欄

イ　本欄ニハ入監ノ際判明シタル總テノ罪名及刑名刑期ヲ順次ニ記入スヘシ　但シ刑法第五十四條第一項ヲ適用シテ處斷アリタル場合ニ於テハ判決中最重キ刑ニ該ル罪ノミヲ記入スヘシ

ロ　罪名ハ左ノ例ニヨリ記入スヘシ

刑法犯ノ罪名ハ刑法第二編ニ列記スル題名ニ依ルヘシ但シ放火罪ト失火罪及窃盗罪ト强盗罪トハ各之ヲ區別スヘシ

特別法犯ノ罪名ハ其ノ法令ノ名稱ニ依ルヘシ道令警務部令ニハ特ニ發布ノ年月及番號ヲ記入スヘシ

ハ　刑名刑期欄ニハ數刑アルトキハ各罪名ノ記載順序ニ應シ其ノ刑名刑期ヲ記入スヘシ　但シ一罪名ニテ數刑ヲ科セラレタル場合ニ於テハ之ヲ併記スヘシ

ニ　舊法ノ刑名ハ新舊法比照ニ關スル條項ニ因リ之ヲ新法ノ刑名ニ變更記入スヘシ

ホ　在監中ノ受刑者カ更ニ他ノ罪ニ因リ刑ノ言渡ヲ受ケ若ハ刑ヲ加重セラレ又ハ他ノ罪ニ因リ執行ヲ爲スヘキ者ナルコト判明スルモ其ノ罪名及刑名刑期ヲ追記スルコトヲ要セス

ヘ　未決勾留日數算入ノ言渡アル場合ニ於テハ言渡刑ノミヲ記入スヘシ

十　犯數欄

イ　犯數ハ刑法累犯例ニ依リ記入スヘシ

ロ　入監度數ハ左ノ例ニ依リ記入スヘシ

拘留刑以外ノ自由刑執行ノ度數ニ依ル二刑以上引續執行シタルトキハ一度ノ入監トス

假出獄若ハ刑ノ執行停止ノ取消又ハ逃走逮捕ニ因ル復監ハ前後ヲ通シ一度ノ入監トス

十一　犯罪時欄

本欄ニハ犯罪時ノ月ヲ記入スヘシ

十二　犯罪地欄

本欄ニハ犯罪地ノ府縣又ハ道ヲ記入スヘシ

十三　犯由欄

イ　本欄ニハ左記ノ區別ニ從ヒ犯罪原因ヲ記入スヘシ

憤怒、怨恨、痴妬、痴情、色慾、飮酒、遊蕩、娯樂、利慾、奢侈虛榮、射倖、懶惰、不用意、疎虞、出來心、習癖、迷信、誘惑、貪慾、貧困、病苦、家庭不和、親族不和、友誼、非行隱蔽、惡戯模倣、刑餘不信用、其ノ他、不詳

ロ　犯罪ノ原因ニシテ數種ノモノ競合スル場合ハ其ノ內主ナルモノニ依リ記入スヘシ

十四　職業欄

イ　本欄ニハ犯罪時ノ職業ニ付キ別表職業分類番號ヲ記入スヘシ

ロ　二種以上ノ職業ヲ有スル者ハ主タル職業ヲ記入シ其ノ區別ヲ爲シ難キトキハ收入ノ最多キモノヲ記入スヘシ

ハ　戸主家族又ハ同居人カ自己ノ職業ヲ有セスシテ一方ノ職業ノ手助ヲ爲ス場合ハ其ノ職業分類番號ノ下ニ戸主家族又ハ同居人ノ文字ヲ記入スヘシ

ニ　雇主ノ職務ニ使用セラルルモノハ使用者ノ職業分類番號ノ下ニ使用人ト記入スヘシ

十五　生育欄

イ　本欄ニハ滿十八歳迄ノ養育者ヲ實父母、養父母、繼父母、實繼父母、養繼父母、實養父母、祖父母、實父、實母、養父、養母、繼父、繼母、祖父、祖母、其ノ他ノ親族、他人、感化院、養育院、不詳ニ別チ記入シ若養育者ニ變動アリタルトキハ其ノ養育期間ノ最長キ者ニ付記入スヘシ

十六　個性欄

本欄ニハ個性ヲ遺傳、習慣、偶發、不詳ニ分チ記入シ競合スル場合ハ其内主ナルモノノ一ノミヲ記入スヘシ

十七　財産欄

イ　本欄ニハ犯罪時ニ於ケル資産ノ狀況ヲ記入スヘシ
中等以上ノ生活ヲ爲シ得ルニ足ルヘキ動産、不動産又ハ收入ヲ有スル者ヲ有資産トシ之ニ亞ク生活ヲ爲シ得ルニ足ルヘキ動産、不動産又ハ收入ヲ有スル者ハ稍有資産トシ動産、不動産又ハ收入ヲ有スルモ生計ノ資十分ナラサル者ヲ無資産トシ動産、不動産又ハ收入絶無ナルカ若ハ僅少ニシテ生活困難ナルモノヲ赤貧トス

ロ　財産又ハ收入ヲ有セス父兄等ノ財産ニ依リテ生活スル者ハ其ノ父兄等ノ生活程度ニ從ヒ記入スヘシ

十八　婚姻欄

本欄ニハ犯罪時ノ婚姻關係ヲ記入シ內地人ノ內縁ノ夫又ハ妻若ハ朝鮮人及支那人ノ妾ハ配偶者ト看做シ婚姻關係ヲ定ムヘシ

十九　教育欄

本欄ニハ犯罪時ノ教育程度ヲ記入スヘシ
高等トハ高等學校卒業若ハ之ト同等以上ノ教育アル者中等トハ中學校卒業又ハ高等普通學校卒業若ハ之ト同等以上ノ教育アル者普通トハ小學校卒業又ハ普通學校卒業若ハ之ト同等以上ノ教育アル者簡易ナル文書ヲ讀ミ得トハ小學校卒業程度以下ニシテ簡易ナル文書ヲ讀ミ得ル者無教育トハ教育ナキ者無筆トハ自己ノ姓名ヲモ記シ得サル者ヲ謂フ

二十　信教欄

本欄ニハ犯罪時ノ信教ニ付別表宗教分類番號ヲ記入スヘシ

二十一　嗜好欄

本欄ニハ酒以外ノ特種嗜好物ノ種類ヲ記入スヘシ

二十二　前科出獄後ノ保護者欄

本欄ニハ直前ノ前科刑ノ執行ヲ受ケ出獄シタル後ニ於ケル保護者ヲ記入シ數人ノ手ニテ保護セラレタル者ハ其ノ保護期間ノ長キ者ニ付記入スヘシ

二十三　出監後再犯ニ至ル期間欄

本欄ニハ直前ノ前科刑ノ執行ヲ受ケ出獄シタル日ヨリ再犯ニ至ル迄ノ期間ヲ記入スヘシ

第五　受刑者出監小票

一　本票ハ受刑者カ樣式第四號出監事由欄記載ノ事由ニ依リ出監シタル日ヨリ三日以内ニ之ヲ作成スヘシ

二　在監中ノ受刑者カ刑期滿了其ノ他ノ出監事由ヲ生シタルモ刑事被告人又ハ勞役場留置者トシテ引續キ拘禁スル場合若ハ受刑者ニ對スル死

刑ノ判決確定シ又ハ死刑ノ確定判決ヲ受ケタル者ナルコト判明シタル場合ニ於テモ本票ヲ作成スヘシ

三　在監中ノ受刑者ニ付テハ新ニ被告事件起リ又ハ他ニ被告事件アルコト判明シ刑事被告人ノ身分ヲ併有スル場合ニ於テモ本票ヲ作成スルコトヲ要セス

四　一ノ刑ニ付出監ノ事由ヲ生スルモ引續キ他ノ刑ヲ執行スヘキ場合ニ於テハ他ノ刑カ入監小票ニ記入ナキトキト雖本票ヲ作成スルコトヲ要セス

五　一ノ刑ノ執行中ノ者ニ對シ他ノ刑ヲ執行スル爲刑ノ執行ヲ停止スルモ本票ヲ作成スルコトヲ要セス

六　年齡欄

受刑者入監小票年齡欄ノ項ニ定メタル例ニ依リ出監時ノ年齡ヲ記入スヘシ

七　出監事由欄

イ　在監中ノ受刑者カ刑事被告人又ハ勞役場留置者トナリ其ノ處遇ヲ變更スヘキトキハ各相當出監事由ニ因ル出監トシテ取扱フヘシ

ロ　刑ノ變更又ハ減輕ニ因リ即日釋放スヘキ場合ニ限リ減刑非常上告再審ニ因ル出監トシテ取扱フヘシ

八　在監期間欄

本欄ニハ受刑者トシテ在監シタル期間ヲ記入スヘシ

九　釋放時ノ保護方法欄

別表保護方法ノ分類番號ヲ記入スヘシ

十　體重欄

本欄ニハ禁錮以上ノ受刑者ニシテ死亡、刑ノ執行停止及逃走以外ノ事由ニ因リ出監シタル者ノミニ付記入スヘシ

第六　勞役場留置者入場小票

一　本票ハ勞役場留置者カ樣式第五號入場事由欄記載ノ事由ニヨリ入場シタル日ヨリ三日以内ニ之ヲ作成スヘシ

二　在監中ノ刑事被告人若ハ受刑者カ勞役場留置者トナリ又ハ入監後勞役場留置者ナルコト判明シ其ノ處遇ヲ變更スルトキハ他ニ未確定ノ被告事件アルトキト雖本票ヲ作成スヘシ

三　在場中ノ勞役場留置者ニ付テハ左ノ場合ニ於テモ本票ヲ作成スルコトヲ要セス

イ　新ニ勞役場留置ノ言渡ヲ受ケタルトキ

ロ　他ニ未執行ノ勞役場留置ノ言渡ヲ有スルコト判明シタルトキ

ハ　逃走中ノ勞役場留置者ナルコト判明シタルトキ

四　年齡欄

受刑者入監小票年齡欄ノ項ニ定メタル例ニ依リ入場時ノ年齡ヲ記入スヘシ

五　入場事由欄

在監中ノ刑事被告人又ハ受刑者カ出監ノ事由ヲ生シタルモ更ニ勞役場留置者トシテ其ノ處遇ヲ變更スヘキトキハ新入場トシ若其ノ勞役場留置者逃走者ナルトキハ逃走逮捕トシテ取扱フヘシ

六　罪名及罰金科料欄

本欄ノ記入ニ付テハ受刑者入監小票中罪名欄及刑名刑期欄ノ記載例ニ準シ取扱フヘシ

七　留置期間欄

本欄ニハ留置執行指揮書又ハ執行囑託書ニ記載シタル留置期間ヲ記入スヘシ

第七　勞役場留置者出場小票

一　本票ハ勞役場留置者カ樣式第六號出場事由欄記載ノ事由ニ因リ出場シタル日ヨリ三日以内ニ之ヲ作成スヘシ

二　在場中ノ勞役場留置者カ出場ノ事由ヲ生シタルモ刑事被告人又ハ受刑者トシテ引續キ拘禁スル場合若ハ勞役場留置者ニ對スル死刑ノ判決確定シ又ハ死刑ノ確定判決ヲ受ケタル者ナルコト判明シタル場合ニ於テモ本票ヲ作成スヘシ

三　在場中ノ勞役場留置者ニ付テハ被告事件起リ又ハ他ニ被告事件アルコト判明シ刑事被告人ト身分ヲ併有スルトキニ於テモ本票ヲ作成スルヲ要セス

四　一ノ勞役場留置ニ付キ出場事由ヲ生スルモ引續キ他ノ勞役場留置ヲ執行スヘキ場合ニ於テハ他ノ勞役場留置カ入場小票ニ記入ナキトキト雖本票ヲ作成スルコトヲ要セス

五　出場事由欄

イ　在場中ノ勞役場留置者カ刑事被告人又ハ受刑者トナリ其ノ處遇ヲ變更スヘキトキハ各相當出場事由ニ因ル出場トシテ取扱フヘシ

ロ　罰金科料ヲ減刑セラレ直ニ釋放スヘキ場合ニ限リ恩赦ニ因ル出場トシテ取扱フヘシ

六　在場期間欄

本欄ニハ勞役場留置者トシテ在場シタル期間ヲ記入スヘシ

第八　携帶兒ノ入監（場）小票

一　本票ハ乳兒カ樣式第七號入監（場）事由欄記載ノ事由ニ因リ入監（場）シタル日ヨリ三日以内ニ之ヲ作成スヘシ

二　死胎分娩ノ場合ニ於テハ本票ヲ作成スルコトヲ要セス

三　氏名欄

乳兒ノ氏名ノ下括弧内ニハ母囚ノ稱呼番號及氏名ヲ記入スヘシ

第九　携帶兒ノ出監（場）小票

一　本票ハ乳兒カ樣式第八號出監（場）事由欄記載ノ事由ニ因リ出監（場）シタル日ヨリ三日以内ニ之ヲ作成スヘシ

二　氏名欄

乳兒ノ氏名ノ下括弧内ニハ母囚ノ稱呼番號及氏名ヲ記入スヘシ

第十　病者小票

一　本票ハ左ニ掲クル者ニ付轉歸ノ日ニ於テ之ヲ作成スヘシ

イ　醫療ヲ受ケテ二日以上ノ休養ヲ爲シタル者

ロ　休養セサルモ醫療ヲ受ケ三日以上治癒スルニ至ラサルモノ

ハ　前二號ニ該當セサル者ト雖病死又ハ變死シタル者

二　病者ニ非サル者變死シタル場合ニ於テモ本票ヲ作成シ氏名欄種族欄種別年齡欄轉歸欄ニ記入スヘシ

三　每年十二月三十一日現在ノ病者ニ付テハ未タ治療ニ至ラサルモ後遺トシテ本票ヲ作成スヘシ

四　病者ヲ移監スル場合ニ於テハ未治出監ニ因ル本票ヲ作成スルコトヲ要セス但シ代用監獄又ハ朝鮮外ノ監獄ニ移監スル場合ニ於テハ本票ヲ作成スヘシ

五　刑事被告人、受刑者、勞役場留置者カ其ノ資格ヲ變更シタル場合ニ於テモ本票ヲ作成スルコトヲ要セス

六　年齡欄

刑事被告人入監小票出生時欄ノ項ニ記載シタル例ニ依リ計算シ滿年ヲ記入シ乳兒ニ付テハ滿月ヲ記入スヘシ

七　發病欄

イ　入監時欄

本欄ニハ收監ノ當日ヨリ病者トシテ取扱タル者又ハ收監後三週間以内ニ於テ入監前ノ發病ナルコト判明スルニ至リタル者ノミノ入監年月日ヲ記入スヘシ　但シ黴毒ノ如キ特殊ノ疾患ニシテ入監ノ日ヨリ三週間後ニ發見シタルトキハ監獄醫ノ意見ニ依リ入監前ノ發病者ナルヤ否ヤヲ決定スヘシ

移監ヲ受ケタル者ニ付テハ最初收監シタル時ニ遡リ入監前ノ發病者ナルヤ否ヤヲ定ムヘシ　但シ代用監獄又ハ朝鮮外ノ監獄ヨリ移監ヲ受ケタル病者ニ付テハ入監前ノ發病者トシテ取扱フヘシ

ロ　入監後欄

本欄ニハ入監後發病シタル年月日ヲ記入スヘシ

移監ヲ受ケタル者ニ付テハ發病ノ時ニ遡リ記入スヘシ　但シ代用監獄又ハ朝鮮外ノ監獄ヨリ移監ヲ受ケタル病者ニ付テハ入監前ノ發病者トシテ取扱フヘシ

八　病名欄

イ　本欄ニハ別表病名及死因類別表ニ依リ分類番號ヲ記入スヘシ

ロ　同時ニ二種以上ノ疾病ニ罹リタル者ニ付テハ其ノ主症ノ番號ヲ記入スヘシ

ハ　病者カ原症ヨリ重キ併發症又ハ繼續症ニ罹リタルトキハ其ノ併發症又ハ繼續症ノ名稱ヲ記入シ其ノ下部ニ原症ノ名稱ニ印ヲ附シ記入スヘシ

九　轉歸欄

事由欄ノ未治出監ハ治療中左ニ掲クル事由ニヨリ出監シタル者ニ付記入スヘシ

イ　釋放又ハ逃走シタル者

ロ　代用監獄又ハ朝鮮外ノ監獄ニ移監シタル者

十　作業欄

本欄ニハ入監後發病シタルモノノ發病時ニ於ケル作業種目ヲ記入スヘシ

十一　延日數欄

延日數ハ左ノ例ニ依リ同一年内ニ於テ病者トシテ取扱タル日數ヲ計算シテ之ヲ定ムヘシ

イ　入監前ノ病者ニ付テハ收監ノ日ヨリ、入監後ノ病者ニ付テハ發病ノ日ヨリ何レモ轉歸ノ日ノ前日迄ノ日數　但シ收監若ハ發病ノ後ニ至リ病者トシテ取扱タル場合ニ於テハ其ノ日ヨリ轉歸ノ日ノ前日迄ノ日數

ロ　越患者ニ付テハ一月一日ヨリ轉歸ノ日ノ前日迄ノ日數

ハ　移監ヲ受ケタル者ニ付テハ最初病者トシテ取扱タル日ニ遡リ計算シタル延日數　但シ代用監獄又ハ朝鮮外ノ監獄ヨリ移監ヲ受ケタル者ニ付テハ收監ノ日ヨリ轉歸ノ日ノ前日迄ノ日數

ニ 病者カ原症ヨリ重キ併發症又ハ繼續症ニ罹リタルトキニ於ケル原症ノ延日數ハ重キ併發症又ハ繼續症ノ日數ニ合算シ更ニ原症ノ延日數ヲ本欄ニ╳印ヲ附シ再揭スヘシ

ホ 變死者ノ場合ハ前各號ニ準シ計算シタル延日數

十二 病者變死シタルトキト雖轉歸ハ變死トシ其ノ他ノ記入ハ一般ノ例ニ依ルヘシ

十三 入監ヨリ發病迄欄

本欄ニハ入監後發病セシ者ノ入監ヨリ發病ニ至ル迄ノ期間ヲ記入シ入監前ノ病者前年ノ越患者及再度發病ノ者ニ付テハ記入スヘカラス

十四 發病ヨリ死亡迄欄

本欄ニハ死亡原因タル疾病ノ發生ヨリ死亡迄ノ期間ヲ記入スヘシ

第十一 懲罰小票

一 本票ハ懲罰ニ處セラレタル者ニ付其ノ執行終了又ハ執行免除ノ當日之ヲ作成シ懲罰言渡後其ノ年內ニ執行ヲ終ラスシテ翌年ニ繰越ストキハ其ノ年ノ末日ニ於テ本票ヲ作成スヘシ

二 二箇以上ノ懲罰ヲ併科シタル場合ハ全部執行ヲ終了シタルトキニ於テ本票ヲ作成スヘシ

三 懲罰執行未了ノ者ヲ移監シタル場合ハ受送監獄ニ於テ本票ヲ作成スヘシ　但シ朝鮮外ノ監獄又ハ代用監獄ニ移監スル場合ニ於テハ原監獄ニ於テ本票ヲ作成スヘシ

四 違犯事項欄

イ 違犯事項ハ左記ニ依リ記入スヘシ

抗命、暴行、爭論、毆打、窃食、物品藏匿、物品棄壞、物品交換座臥不正、通聲談話、猥褻、賭博類似、怠役、素品濫用、製品粗惡、科程瞞著、逃走ヲ計ラムトセシ者、其ノ他

ロ 懲罰執行中ノ犯則ナルトキハ事項ノ上ニ╳印ヲ附スヘシ

五 懲罰ノ種類欄

イ 懲罰ノ種類ハ左記ニ依リ記入スヘシ

叱責、賞遇停止、賞遇廢止、文書圖畫閱讀禁止、請願作業停止、自辨衣類臥具著用停止、自辨食停止、運動停止、作業賞與金計算高減削、減食、輕屏禁、重屏禁

ロ 懲罰併科ノ場合ハ主タルモノノ外△印ヲ附スヘシ

ハ 屏禁懲罰執行中就業セシメタルトキハ懲罰種類ノ上部ニ╳印ヲ附スヘシ

六 懲罰度數欄

イ 懲罰度數ハ入監後懲罰言渡ヲ受ケタル度數ニ依リ之ヲ定ムヘシ

ロ 刑事被告人、受刑者、勞役場留置者カ其ノ資格ニ變更アルモ引續キ在監シ又ハ復監シ若ハ移監シタル場合ニ於テハ前後ヲ通シ一回ノ入監トシテ懲罰度數ヲ定ムヘシ

ハ 一旦出獄シタル後新ナル事由ニ依リ入監シタル者ハ同一年內ト雖各別ニ懲罰度數ヲ定ムヘシ

七 違犯行爲ニ因ル刑事處分欄

本欄ニハ在監中ノ違犯行爲ニ因リ刑ノ言渡ヲ受ケタル者ハ其ノ罪名刑名刑期ヲ記入スヘシ

八 前項ノ罪名刑名刑期ハ本票發送前ニ刑ノ言渡確定シタル者ノミニ付記入シ本票發送後ニ於テ刑ノ言渡確定シタル者ハ確定ト同時ニ別ニ報

告スヘシ

職業分類

大分類	中分類	小分類
一 農業	一 農耕、畜産、蠶業	一 農作
		二 園藝、造園
		三 牧畜、搾乳、養禽
		四 養蠶、蠶種製造
		五 其ノ他ノ農業
	二 林業	六 森林業
		七 林産物業
		八 狩獵
二 水産業	三 漁業製鹽業	九 漁撈、採藻
		一〇 魚介藻養殖
		一一 製鹽
		一二 其ノ他ノ水産業
三 鑛業	四 採鑛冶金業	一三 金屬鑛業
		一四 石炭鑛業
		一五 石油鑛業
		一六 其ノ他ノ鑛業
四 工業	五 土石採取業	一七 土石採取業
		一八 セメント石膏及石灰類製造
	六 窯業	一九 瓦土管製造
		二〇 煉瓦製造
		二一 陶磁器土器製造、土燒煙管鉢匠
		二二 七寶燒、琺瑯質品製造
		二三 硝子、硝子品製造
		二四 其ノ他ノ窯業
	七 金屬工業	二五 精錬業
		二六 金屬壓延業
		二七 針、鋲、釘類製造
		二八 鐵葉職、鐵葉品製造
		二九 鋼索、鐵鎖等製造、針金細工
		三〇 鍛冶業
		三一 鑄物業
		三二 銅器、眞鍮品、青銅器類製造
		三三 其ノ他ノ金屬工業

八　機械器具製造業	三四　度量衡器、計測器、科學的機械器具類製造
	三五　時計製造
	三六　電動器、電氣機械器具製造
	三七　原動器製造（汽罐瓦斯發生機等ヲ含ム）
	三八　銃砲彈丸、水雷製造
	三九　紡織機械器具製造
	四〇　農具土工具製造
	四一　機關車、車輛製造
	四二　造船業
	四三　金屬工用、木工用機械器具製造
	四四　航空機製造
	四五　其ノ他ノ機械器具製造
九　化學工業	四六　工業藥品醫療藥品製造
	四七　賣藥、賣藥類似品製造
	四八　染料、顔料及其ノ原料類製造
	四九　石鹼製造
	五〇　化粧品類製造
	五一　燐寸、附木製造
	五二　火藥其ノ他ノ爆發物製造
	五三　油脂類製造
	五四　蠟、蠟燭製造
	五五　護謨、セルロイド、防水品製造
	五六　漆、其ノ他ノ塗料製造
	五七　肥料製造
	五八　化學分析、檢查ニ關スル業
	五九　其ノ他ノ化學工業
一〇　纖維工業	六〇　生絲製造
	六一　人造絹絲製造
	六二　撚絲製造
	六三　眞綿、ペニー製造
	六四　綿製造
	六五　綿絲紡績業
	六六　其ノ他ノ紡績業
	六七　織物業
	六八　毛織物業
	六九　莫大小品製造

七〇 編物、組物製造
七一 綱、鞭、網類製造（藁製品ヲ除ク）
七二 麻絲縫絲返業
七三 染色捺染漂白及絲布加工業
七四 湯熨斗浸抜洗張洗濯業
七五 西洋洗濯業

一一 紙工業

七六 紙製造
七七 板紙壁紙張板紙斑子紙製造
七八 パルプ及其ノ他ノ紙料製造
七九 紙品製造
八〇 表具師、塗褙匠

一二 皮革、骨、角甲、羽毛品類製造

八一 皮革製造
八二 皮革品、擬革、擬革品製造毛物匠
八三 骨、角甲、牙具類ノ細工
八四 刷毛類其ノ他ノ羽毛品製造

一三 木竹類ニ關スル製造

八五 製材業
八六 木挽、屋根板製造
八七 剞物、木地曲物製造
八八 樽、桶類製造
八九 建具、指物、木型、寄木合板、砧棒製造
九〇 漆器製造
九一 笊籠行李類製造
九二 疊表、莚蓙類製造
九三 疊職
九四 藁、麥稈、棕梠、經木細工
九五 其ノ他ノ竹木草蔓品製造

一四 飲食料品嗜好品製造業

九六 精穀、製粉業
九七 麵類、麩、湯葉、蒟蒻製造
九八 豆腐製造
九九 菓子麵麭製造
一〇〇 砂糖類製造
一〇一 麹製造
一〇二 清酒、濁酒、藥酒製造
一〇三 麥酒製造
一〇四 其ノ他酒類製造
一〇五 味噌醬油製造

	一〇六	屠獸、肉類品製造
	一〇七	罐詰、壜詰製造
	一〇八	鹽乾魚介節類製造
	一〇九	海藻其ノ他ノ水産飲食料品製造
	一一〇	清涼飲料製造
	一一一	製茶業
	一一二	煙草製造
	一一三	製氷及冷藏業
	一一四	其ノ他ノ飲食料品製造
一五 被服身ノ廻品製造	一一五	和服朝鮮服裁縫
	一一六	洋服裁縫
	一一七	帽子、氈帽、喪笠、平涼笠、雨笠、網巾、宕巾、衣冠、冠匣、紗帽、冠帶及簇頸利製造
	一一八	シャツ、手套股引脚胖藤吐手、藤背子及𦆭頸卷足袋類製造
	一一九	袋物、佩物製造
	一二〇	扇子、團扇、提燈、傘笠、煙草匣合羽類製造
	一二一	洋傘杖類製造
	一二二	履物類製造
	一二三	靴乾鞋油靴製造
	一二四	其ノ他ノ身廻品製造
一六 土木建築業	一二五	土木建築請負業
	一二六	土木建築ノ設計測量等ニ關スル業
	一二七	大工
	一二八	左官、泥工、セメント工、煉瓦職
	一二九	石工
	一三〇	屋根職
	一三一	ペンキ、溢其ノ他塗料塗職
	一三二	土方、鳶職
	一三三	潛水業
	一三四	其ノ他ノ土木建築ニ關スル業
一七 製版印刷製本業	一三五	木版、金屬版、石版其ノ他ノ製版印刷業
	一三六	活字製造、活版印刷業
	一三七	製本職
一八 學藝、娛樂、裝飾品製造業	一三八	筆、墨製造
	一三九	ペン、鉛筆、インキ類製造

大分類	中分類	小分類
	一九　瓦斯煙氣及天然力利用ニ關スル業	一四〇　其ノ他ノ文房具製造
		一四一　樂器製造
		一四二　博物標本、模型、運動用具、遊戲品、玩具製造
		一四三　造花、押繪、刺繡其ノ他ノ裝飾品製造
		一四四　貴金屬、寶石、飾石細工
		一四五　瓦斯發生、供給、其ノ裝置業
		一四六　電力發生、供給、其ノ裝置業
		一四七　其ノ他ノ天然力利用ニ關スル業
	二〇　其ノ他ノ工業	一四八　其ノ他ノ工業
五　商業	二一　物品販賣業	一四九　穀類、粉類販賣
		一五〇　蔬菜、果物類販賣
		一五一　魚介、藻類販賣
		一五二　鳥獸肉、牛乳類販賣
		一五三　酒類、調味料、淸涼飲料販賣
		一五四　菓子、麵麭類販賣
		一五五　茶、煙草販賣
		一五六　其ノ他ノ飲食料品販賣
		一五七　肥料販賣
		一五八　燃料販賣
		一五九　木材、竹材販賣
		一六〇　石材其ノ他ノ建築材料販賣
		一六一　建具、家具、指物類販賣
		一六二　疊、莚、荒物類販賣
		一六三　陶磁器、硝子、硝子品類販賣
		一六四　地金、金屬器具販賣
		一六五　機械、車輛、農具類販賣
		一六六　皮革、擬革、其ノ製品販賣
		一六七　織物、被服類販賣
		一六八　綿、絲類、編物、組物類販賣
		一六九　紙、紙製品、文房具、玩具、遊戲品販賣
		一七〇　圖書、新聞、雜誌其ノ他ノ出版物ノ發行、販賣
		一七一　小間物、唐物、履物、雨具、雜貨販賣
		一七二　藥品、染料、顏料、香料等販賣
		一七三　度量衡、科學的機械、器具、時計、貴金屬、寶石類販賣
		一七四　外國貿易商

一七五 古物商
一七六 葬具商
一七七 其ノ他ノ物品販賣

二二 媒介周旋業
一七八 賣買媒介業
一七九 周旋業
一八〇 興信業

二三 金融保險業
一八一 銀行業
一八二 質屋業
一八三 貸金業
一八四 其ノ他ノ金融業
一八五 生命保險業
一八六 其ノ他ノ保險業

二四 物品賃貸業、物品預リ業
一八七 物品賃貸、貰物業
一八八 倉庫業其ノ他ノ物品預リ業

二五 旅宿飲食店浴湯業等
一八九 旅人宿、下宿業
一九〇 料理店、飲食店、席貸業
一九一 遊戲興行ニ關スル業
一九二 理髮業、理容業
一九三 浴湯業

二六 其ノ他ノ商業
一九四 其ノ他ノ商業

六 交通業

二七 通信業
一九五 郵便電信、電話業

二八 運輸業
一九六 鐵道業
一九七 軌道業
一九八 人力車業
一九九 乘用ノ自働車、馬車業
二〇〇 其ノ他ノ車馬運輸業
二〇一 船舶運輸業
二〇二 運輸取扱業、擔軍、水擔軍、轎軍業
二〇三 其ノ他ノ運輸ニ關スル業

七 公務自由業

二九 陸海軍人
二〇四 陸軍現役軍人
二〇五 海軍現役軍人

三〇 官吏公吏雇傭
二〇六 神宮、神職、雇傭
二〇七 宮內官吏、雇傭
二〇八 官吏、雇傭
二〇九 公吏、雇傭

三一 宗教ニ關スル業
二一〇 神道ニ關スル業

		二一一　佛教ニ關スル業
		二一二　基督教ニ關スル業
		二一三　其ノ他ノ宗教ニ關スル業
	三二　教育ニ關スル業	二一四　學校ニ勤務スル者
		二一五　圖書館、博物館、動物園等ニ勤務スル者
		二一六　其ノ他ノ教育ニ關スル業
	三三　醫務ニ關スル業	二一七　醫業
		二一八　齒科醫業
		二一九　調劑業
		二二〇　產婆業
		二二一　看護業
		二二二　按摩鍼灸業
		二二三　其ノ他ノ醫療ニ關スル業
		二二四　獸醫業
		二二五　蹄鐵業
	三四　法務ニ關スル業	二二六　裁判所ニ勤務スル者
		二二七　辯護士業特許辯理士業
		二二八　執達吏業

		二二九　公證人業
	三五　記者、著述者	二三〇　新聞、雜誌、通信記者
		二三一　著述者
	三六　藝術家	二三二　文藝家
		二三三　畫家、彫刻家
		二三四　音樂家
		二三五　蒔繪家
		二三六　寫眞家
		二三七　其ノ他ノ藝術ニ關スル業
	三七　其ノ他ノ自由業	二三八　技藝、娛樂ニ關スル業
		二三九　學術、慈善、政治、社交其ノ他ノ團體ノ事務ニ從事スル者
		二四〇　代書業
		二四一　其ノ他ノ自由業
		二四二　日傭業
八　其ノ他ノ有業者	三八　其ノ他ノ有業	二四三　其ノ他ノ有業者
九　家事使用人	三九　有家事使用人	二四四　家事使用人
一〇　無職業	四〇　收入ニ依ルモノ	二四五　小作料ニ依ル者
		二四六　地代、家賃、有價證券ノ收入ニ依ル者

四二	無職業	二四七　恩給、年金其ノ他ノ収入ニ依ル者
		二四八　學生、生徒
		二四九　精神病院、感化院、慈善病院等ニアル者
		二五〇　官公吏又ハ慈善團體等ノ救助ヲ受クル者
		二五一　其ノ他ノ無職者

保護分類

一　監獄ヨリ歸住旅費又ハ衣類ヲ給與シルタル者
二　監獄官吏ヲシテ停車場又ハ乗船所迄同行セシメタル者
三　保護會社養育院等此ノ種ノ事業ヲ爲ス者ニ於テ引取リタル者
四　父兄其ノ他ニ於テ直接引取リタル者
五　篤志家ニ於テ引取リタル者
六　養育院又ハ保護團體等ニ保護ヲ依頼シ又ハ引渡シタル者
七　辨當履物雨具等ヲ給與シタル者
八　警察官署府面寺院等ニ保護ヲ依頼シ又ハ引渡シタル者
九　保護團體等ニテ衣類又ハ旅費ヲ給與若ハ貸與シタル者
一〇　途上保護ヲ與ヘタル者
一一　旅費又ハ衣類ヲ取寄セタル者
一二　父兄等ニ引取ヲ説諭シ又ハ歸住地マテ送リタル者
一三　所持金又ハ賞與金ヲ送付シタル者
一四　其ノ他

宗教分類（訂）

大分類	中分類	小分類
一　神道	一　神道	一　神道
	二　黒住教	二　黒住教
	三　修成教	三　修成教
	四　大社教	四　大社教
	五　扶桑教	五　扶桑教
	六　實行教	六　實行教
	七　大成教	七　大成教
	八　神習教	八　神習教
	九　御嶽教	九　御嶽教
	一〇　神理教	一〇　神理教
	一一　禊教	一一　禊教
	一二　金光教	一二　金光教
	一三　天理教	一三　天理教
二　佛教	一四　天台宗	一四　天台宗
		一五　寺門派
		一六　眞盛派

一五　眞言宗

一七　眞言宗
一八　高野派
一九　御室派
二〇　大覺寺派
二一　醍醐派
二二　東寺派
二三　泉涌寺派
二四　山階派
二五　小野派
二六　新義眞言宗　智山派　豊山派
二七　眞言律宗

二八　律宗

一六　淨土宗

二九　淨土宗
三〇　西山派

一七　臨濟宗

三一　天龍寺派
三二　相國寺派
三三　建仁寺派
三四　南禪寺派
三五　妙心寺派
三六　建長寺派
三七　東福寺派
三八　大德寺派
三九　圓覺寺派
四〇　永源寺派
四一　方廣寺派
四二　佛通寺派
四三　國泰寺派
四四　向嶽寺派

一八　曹洞宗

四五　曹洞宗

一九　黃檗宗

四六　黃檗宗

二〇　眞宗

四七　本願寺宗
四八　大谷派
四九　高田派
五〇　興正派
五一　佛光寺派
五二　木邊派

	五三 出雲寺派
	五四 山元派
	五五 誠照寺派
	五六 三門徒派
二一 日蓮宗	五七 日蓮派
	五八 富士派
	五九 顯本法華宗
	六〇 本門宗
	六一 本門法華宗
	六二 法華宗
	六三 本妙法華宗
	六四 不受不施派
	六五 不受不施講門派
二二 時宗	六六 時宗
二三 融通念佛宗	六七 融通念佛宗
二四 法相宗	六八 法相宗
二五 華嚴宗	六九 華嚴宗

		七〇 朝鮮寺剎
三 耶蘇教	二六 朝鮮寺剎	
	二七 天主公教	七一 天主公教
	二八 同朝鮮聖芬會	七二 同朝鮮聖芬道會
	二九 ハリスト正教	七三 ハリスト正教
	三〇 日本基督教會	七四 日本基督教會
	三一 日本組合基督教會	七五 日本組合基督教會
	三二 日本メソヂスト教會	七六 日本メソヂスト教會
	三三 聖公會	七七 聖公會
	三四 朝鮮耶蘇長老會	七八 朝鮮耶蘇長老會
	三五 浸禮教會	七九 浸禮教會
	三六 露國正教會	八〇 露國正教會
	三七 南監理教會	八一 南監理教會
	三八 美監理教會	八二 美監理教會
	三九 第七日安息日耶蘇再臨教	八三 第七日安息日耶蘇再臨教
	四〇 東洋宣教會	八四 東洋宣教會
	四一 救世軍	八五 救世軍
	四二 福音教會	八六 福音教會
	四三 福音路帖	八七 福音路帖

四四 スカンヂナビアンジヤパンアライアンス	八八 スカンヂナビアンジヤパンアライアンス
四五 クリスチヤンエントミツシヨナリーアライアンス	八九 クリスチヤンエントミツシヨナリーアライアンス
四六 普及福音教會	九〇 普及福音教會
四七 日本同仁基督教會	九一 日本同仁基督教會
四八 友會	九二 友會
四九 クリスチヤン	九三 クリスチヤン
五〇 ヘプチバ教會	九四 ヘプチバ教會
五一 セブンスデアードウエンテスト	九五 セブンスデアードウエンテスト
五二 其ノ他ノ教派	九六 其ノ他ノ教派
四 雜教	
五三 無所屬	九七 無所屬
五四 天道教	九八 天道教
五五 侍天教	九九 侍天教
五六 大倧教	一〇〇 大倧教
五七 稻荷教	一〇一 稻荷教
五八 不動教	一〇二 不動教
五九 囘々教	一〇三 囘々教
六〇 儒教	一〇四 儒教
五 無宗	
六一 其他公認教ニアラサル宗教（教名ヲ記載スヘシ）	一〇五 其他公認教ニアラサル宗教（教名ヲ記載スヘシ）
六二 無宗教	一〇六 無宗教
六 不詳	
六三 不詳	一〇七 不詳

病名及死因類別表

病名 中分類	小分類
一 腸チフス	一 腸チフス
二 發疹チフス	二 發疹チフス
三 パラチフス	三 パラチフス
四 流行性腦脊髓膜炎	四 流行性腦脊髓膜炎
五 痘瘡	五 痘瘡
六 猩紅熱	六 猩紅熱
七 ヂフテリア及格魯布	七 ヂフテリア及格魯布
八 コレラ	八 コレラ
九 赤痢	九 赤痢
一〇 ペスト	一〇 ペスト
一一 マラリア	一一 マラリア
一二 痲疹	一二 痲疹

一 傳染性病及全

一三 流行性感冒	一三 流行性感冒
一四 再歸熱	一四 再歸熱
一五 癩	一五 癩
一六 丹毒	一六 丹毒
一七 其ノ他ノ傳染性病	一七 ワイル氏病
	一八 百日咳
	一九 流行性耳下腺炎
	二〇 疫痢（颶風病）
	二一 破傷風
	二二 膿毒症敗血病（産褥熱ヲ除ク）
	二三 狂犬病
	二四 ミコーゼ
	二五 其他ノ傳染性病
一八 肺結核	二六 肺結核
一九 腸結核	二七 腸結核
二〇 腹膜結核	二八 腹膜結核
二一 腺結核	二九 腺結核
二二 其ノ他ノ結核病	三〇 結核性腦腺炎
	三一 脊髓骨結核

身病

	三二 骨結核
	三三 其ノ他臟器ノ結核
	三四 全身結核
二三 黴毒	三五 黴毒、遺傳黴毒（腦黴毒、全身黴毒、腦護膜腫、肺黴毒、第三期黴毒）
二四 淋疾	三六 淋毒（淋毒性睾丸炎、淋毒性關節炎、淋毒性蜂窠織炎病）
二五 軟性下疳	三七 軟性下疳
二六 二口蟲病	三八 二口蟲病
二七 癌	三九 癌
二八 癌以外ノ惡性新生物	四〇 癌以外ノ惡性新生物
二九 良性新生物	四一 良性新生物（婦人生殖器ノ新生物）
三〇 ロイマチス性疾患	四二 急性關節ロイマチス
	四三 慢性ロイマチス及筋肉ロイマチス
	四四 痛風
三一 脚氣	四五 脚氣
三二 スコルブート	四六 スコルブート

	舊	新
	三三 貧血及萎黃病	四七 貧血及萎黃病
	三四 糖尿病	四八 糖尿病
	三五 其他ノ全身病	四九 日射病
		五〇 アジソン氏病
		五一 白血及假性白血病
		五二 蟲病
		五三 日本住血吸蟲病
		五四 其ノ他營養變調ノ疾患

二 神經系ノ疾患	舊	新
	三六 腦膜炎（結核性ヲ除ク）	五五 腦充血及貧血
		五六 腦炎
		五七 單純腦膜炎
	三七 腦出血及腦軟化	五八 腦出血及腦卒中
		五九 腦軟化
	三八 其ノ他ノ腦病	六〇 其ノ他ノ腦病
	三九 脊髓病	六一 脊髓病
		六二 其ノ他ノ脊髓及延髓ノ疾患
	四〇 精神病	六三 精神病
	四一 癲癇	六四 癲癇
	四二 神經炎	六五 神經炎
	四三 神經痛	六六 神經痛
	四四 神經衰弱	六七 神經衰弱
	四五 ヒステリー	六八 ヒステリー
	四六 其ノ他ノ神經系ノ疾病	六九 バセドウ氏病
		七〇 原因ヲ示サザル麻痺及全身麻痺
		七一 其ノ他ノ神經系ノ疾患
	四七 トラホーム	七二 トラホーム
	四八 夜盲病	七三 夜盲病
	四九 結膜炎	七四 結膜炎
		七五 角膜炎
	五〇 其ノ他ノ眼疾	七六 其ノ他ノ眼疾
	五一 耳疾	七七 耳ノ疾患

三 血行器ノ疾患	舊	新
	五二 心臟ノ疾患	七八 心嚢炎
		七九 急性心臟內膜炎
		八〇 心臟ノ器質的疾患
		八一 心臟ノ神經官能異常
	五三 其ノ他血行器ノ疾患	八二 動脈ノ疾患（アテローム及動脈瘤等）

分類	中分類	細分類
疾患		八三 栓塞及血栓
		八四 靜脈ノ疾患
		八五 淋巴系統ノ疾患
		八六 其ノ他ノ血行器ノ疾患
四 呼吸器ノ疾患	五四 鼻腔及喉頭ノ疾患	八七 鼻腔ノ疾患
		八八 喉頭ノ疾患
		八九 甲狀線ノ疾患
	五五 氣管支炎	九〇 急性氣管支炎
		九一 慢性氣管支炎
	五六 肺炎	九二 氣管支肺炎
		九三 肺炎
	五七 肋膜炎	九四 肋膜炎
	五八 喘息	九五 喘息
	五九 其ノ他ノ呼吸器疾患	九六 肺臟出血性梗塞症
		九七 肺壞疽
		九八 肺氣腫
		九九 其ノ他ノ呼吸器疾患

分類	中分類	細分類
五 消化器ノ	六〇 齒ノ疾患	一〇〇 齒ノ疾患
	六一 口腔咽頭及食道ノ疾患	一〇一 口腔及附屬器ノ疾患
		一〇二 咽頭ノ疾患
		一〇三 食道ノ疾患
	六二 胃加答兒	一〇四 胃加答兒
	六三 其ノ他ノ胃疾患	一〇五 胃潰瘍
		一〇六 其ノ他ノ胃疾患
	六四 腸加答兒	一〇七 腸加答兒
	六五 霍亂	一〇八 霍亂
	六六 腸寄生蟲病	一〇九 十二指腸蟲病
		一一〇 其他ノ腸寄生蟲病
	六七 痔疾	一一一 痔疾
	六八 腹膜炎	一一二 腹膜炎（産ニ因スルモノヲ除ク）
	六九 其ノ他ノ腸疾患	一一三 蟲樣垂炎及腹骨窩蜂窠織炎
		一一四 脫腸及腸管壅塞
		一一五 其ノ他ノ腸疾患
	七〇 肝臟病	一一六 肝臟硬化
		一一七 膽石

大分類	中分類	小分類
疾患	七一　其ノ他ノ消化器ノ疾患	一一八　其ノ他ノ肝臓疾患
		一一九　脾臓ノ疾患
		一二〇　肛門ノ疾患
		一二一　其ノ他ノ消化器ノ疾患
六　泌尿器及生殖器ノ	七二　腎臓病	一二二　急性腎臓炎
		一二三　慢性腎臓炎
		一二四　其ノ他ノ腎臓及附屬器ノ疾患
	七三　膀胱ノ疾患	一二五　膀胱ノ疾患
	七四　其ノ他ノ泌尿器疾患	一二六　排尿道ノ結石
		一二七　尿道ノ疾患
		一二八　其ノ他ノ泌尿器疾患
	七五　生殖器ノ疾患	一二九　攝護腺ノ疾患
		一三〇　其ノ他男子生殖器疾患
		一三一　子宮内膜炎
		一三二　子宮實疾炎
		一三三　産ニ因セサル子宮出血
		一三四　子宮ノ新生物（癌ヲ除ク）
		一三五　其ノ他ノ子宮疾患

大分類	中分類	小分類
疾患		一三六　卵巣膿腫及其ノ他ノ卵巣新生物
		一三七　喇叭管炎
		一三八　其ノ他女子生殖器疾患
七　妊娠及産褥ノ疾患	七六　妊娠及産褥ノ疾患	一三九　妊娠中不慮ノ出來事
		一四〇　産ニ因スル出血
		一四一　其ノ他産ニ因スル不慮ノ出來事
		一四二　産褥熱
		一四三　産ニ因スル蛋白尿及子癇
		一四四　産ニ因スル白肢腫及栓塞等
		一四五　産ニ因スル乳房ノ疾患
八　皮膚及運動器	七七　疔癰	一四六　疔癰
	七八　皮下蜂窠織炎	一四七　皮下蜂窠織炎
	七九　濕疹	一四八　濕疹
	八〇　疥癬	一四九　疥癬
	八一　頑癬	一五〇　頑癬
	八二　其ノ他ノ皮膚及附屬器ノ疾患	一五一　其ノ他ノ皮膚及附屬器ノ疾炎
	八三　骨及骨膜ノ疾患（結核性ノ疾患ヲ除ク）	一五二　骨及骨膜ノ疾患

大分類	中分類	小分類
ノ疾患	八四　筋及腱鞘ノ疾患	一五三　筋及腱鞘ノ疾患
		一五四　關節ノ疾患
	八五　其ノ他ノ運動器ノ疾患	一五五　其ノ他運動器ノ疾患
九　老年	八六　老衰	一五六　老衰
一〇　外因ニ依ル疾患	八七　中毒	一五七　急性慢性アルコール中毒
		一五八　藥品類ノ中毒
		一五九　腐敗動植物ノ中毒
		一六〇　職業ニ因スル中毒
		一六一　其他ノ中毒
	八八　凍傷	一六二　凍傷
	八九　火傷	一六三　火傷
	九〇　其ノ他外因ニ依ル疾患	一六四　腐蝕傷
		一六五　骨折及脫臼
		一六六　挫折刺創及捻挫
		一六七　打撲

大分類	中分類	小分類
		一六八　壓迫
		一六九　窒息
一一　其ノ他	九一　自殺	一七〇　自殺
	九二　變死	一七一　變死
	九三　不明ノ診斷	一七二　水腫
		一七三　感冒
		一七四　心臟麻痺
		一七五　傳染性疾患ト推定スヘキモノ
		一七六　神經系疾患ト推定スヘキモノ
		一七七　血行器疾患ト推定スヘキモノ
		一七八　呼吸器疾患ト推定スヘキモノ
		一七九　消化器疾患ト推定スヘキモノ
		一八〇　泌尿器疾患ト推定スヘキモノ
		一八一　不明ノ診斷
	九四　原因不詳	一八二　原因不詳

死亡區別表

- 死亡
  - 正死……
    - 病死
    - 自然死(老死)自然死トハ一定年齢ニ達シ顯著ナル疾患ナクシテ死亡スルヲ云フ
  - 變死……
    - 自殺……自己ノ意思ニ因リ自己ノ生命ヲ絶チタルモノ
    - 他殺……他人ノ意思ニ因リ生命ヲ絶チタルモノ
    - 過失死……自己ノ過失ニ因リ自己ノ生命ヲ絶チタルモノ
    - 過失殺……他人ノ過失ニ因リ生命ヲ絶チタルモノ
    - 其ノ他……以上ニ屬セサルモノ例震死餓死凍死等

變死普通手段表

一 自殺

イ 縊レテ自殺
ロ 入水シテ自殺
ハ 刃物ニテ自殺
ニ 毒ヲ仰キテ自殺
ホ 轢レテ自殺
ヘ 銃撃シテ自殺
ト 爾他ノ手段ヲ用ヒタル自殺
チ 手段不明ノ自殺

一 其ノ他ノ變死

イ 燒死(火災)
ロ 火傷及湯傷(燒死ニアラサルモノ)
ハ 腐蝕傷
ニ 不慮ノ溺死
ホ 不慮ノ銃創
ヘ 不慮ノ刃傷
ト 不慮ノ墜落
チ 不慮ノ轢傷
リ 不慮ノ機械傷
ヌ 打撲
ル 鑛山及採石傷
ヲ 壓迫
ワ 窒息
カ 獸害
ヨ 冱寒
タ 暑熱
レ 震死
ソ 電氣撃
ツ 銃殺
ネ 斬殺
ナ 毒殺
ラ 絞殺
ム 其ノ他ノ殺害
ウ 刑死
井 原因不明ノ外傷
ノ 餓死

ホ 其ノ他ノ外因死

併發症、繼續症、轉症ノ定義

併發症 一病症經過中之レト原因的關係ヲ有スル他ノ重キ一又ハ二以上ノ病症ヲ發生シタル場合ニ於テ先ノ病症ニ對シ後ノ重キモノヲ順次併發症ト謂フ

普通ノ例

イ 肺結核ト關節結核、腹膜結核、腸結核
ロ 格魯布性肺炎ト肋膜炎
ハ 痲疹ト肺炎
ニ 急性ロイマチスト急性心臟內膜炎
ホ 創傷ト丹毒

繼續症 一病症ノ終息ニ際シ之レト原因的關係ヲ有スル他ノ重キ一又ハ二以上ノ病症ヲ發生シタル場合ニ於テ先ノ病症ニ對シ後ノ重キモノヲ順次繼續症ト謂フ

普通ノ例

イ 痲疹後百日咳、肺炎
ロ 扁桃腺炎後腎臟炎
ハ 急性ロイマチス後心臟瓣膜障碍
ニ 疥癬後ノ濕疹

轉症 一病症ノ經過中又ハ其ノ終息ニ際シ之レト原因的關係ヲ有セサル他ノ重キ一又ハ二以上ノ病症ヲ發生シタル場合及互ニ原因的關係ヲ有セサル二以上ノ病症經過中最初ノ重キ病症カ後ニ輕減シ却テ他ノ輕キ病症カ重クナリタル場合ニ於テ先ノ又ハ最初重キ病症ニ對シ後ノ重キ又ハ重クナリタル病症ヲ轉症ト謂フ

様式第一號

刑事被告人入監小票

小票番號第　　　號

刑務所　　　支所

(一)入監時	大正　年　月　日
(二)本籍地	道/縣　郡　面/村
(三)氏　名	男/女
(四)出生時	年　月　日生
(五)種　族	內地人　朝鮮人　支那人　國人
(六)入監事由	新入監　復監 { 逃走逮捕 / 保釋責付取消 } 所ヨリ護送
(七)被告事件	(1)　(2) (3)　(4)

樣式第二號

被出　　**刑事被告人出監小票**　　被出

小票番號第　　　　號

刑務所　　　　支所

(一)出監時	大正　　年　　月　　日
(二)氏　名	男 女
(三)種　族	內地人　　朝鮮人　　支那人　　國人
(四)出監事由	釋放{不起訴　保釋責付　勾留取消 　　　免訴　無罪　其ノ他 刑執行猶豫　死刑執行　罰金科料　懲役錮禁 拘留刑執行 逃走　死亡　所へ護送　其ノ他
(五)被告事件	
(六)勾留期間	代用監獄　　日 監獄　　日　}計　　日
(七)作業賞與金	圓　　錢

表第三號様式

受入　　　　**受刑者入監小票**　　　　受入

小票番號第　　　　號

刑務所　　　　支所

(一)入監時	大正　　年	月	日	
(二)本籍地及出生地	本籍地 道縣 / 出生地 同同	郡	面村	
(三)氏名	男女			
(四)年齢	入監時 / 犯罪時	歳未滿	歳以上	
(五)種族	內地人	朝鮮人	支那人	國人
(六)入監事由	新受刑 { 新入監 / 即決官署 / 執行囑託	復監 { 假出獄取消 / 刑執行停止取消 / 逃走逮捕	所ヨリ護送	其ノ他
(七)罪名	(1)　(4)	(2)　(5)	(3)	
(八)刑名 刑期	(1)　(4)	(2)　(5)	(3)	
(九)犯數	犯數 初犯 累犯 / 入監度數　度	(一〇)犯罪時　　月		
(一一)犯罪地	道	(一二)犯由		
(一三)職業	(大)第　類	(中)第　類	(小)第　類	

裏第三號様式

受刑者入監小票

受入　　受入

(一四)出生	嫡出　庶子　私生　不詳	
(一五)生育		(一六)個性
(一七)財産	有資産　稍有資産　無資産　赤貧　不詳	
(一八)婚姻	有配偶者　未婚者　鰥寡　離婚者　不詳	
(一九)父母ノ前科	父母共ニ有　父母ノ一方有　父母共ニ無　不詳	
(二〇)教育	高等　中等　普通　簡易ナル文書ヲ讀ミ得 無教育　無筆　不詳	
(二一)信教	(大)　(中)	(二二)嗜好
(二三)飲酒	好酒(有酒癖／無酒癖)　稍好酒　不好酒　不詳	
(二四)最近ノ前科　罪名		
刑名刑期	年　月　日	
執行刑務所	刑務所　支所	
出監事由		
出監年月日	年　月　日	
(二五)前科出獄後ノ保護者	父母妻子　兄弟姉妹　其ノ他親族 保護會　其ノ他ノ公共團體　不詳　其ノ他	
(二六)出監後再犯ニ至ル期間	年　月	

樣式第四號

受刑者出監小票

小票番號第　　　　號

刑務所　　　　支所

(一)出監時	大正　　年　　月　　日
(二)氏　名	男 女
(三)年　齢	歳未滿　　歳以上
(四)種　族	內地人　朝鮮人　支那人　國人
(五)出監事由	滿期　假出獄　假出場　大赦　特赦　減刑 非常上告　再審　刑執行停止　逃走　死亡 死刑ノ判決確定　所ヘ護送　其ノ他
(六)罪　名	
(七)刑名 刑期	(　　　)
(八)在監期間	年　　月　　日
(九)作業賞與金	圓　　錢
(一〇)釋放時保護方法	
(一一)體　重	入監時　貫　匁　增　貫　匁 出監時　貫　匁　減　貫　匁
(一二)釋放審査査定	行狀　　改悛ノ狀

樣式第五號

勞入　　　　　　　　　　　　　　　　勞入

勞役場留置者入場小票

小票番號第　　　　號

刑務所　　　　支所

(一)入場時	大正　　年　　月　　日
(二)氏　名	男 女
(三)本籍地	道 縣　　郡　　面 村
(四)年　齡	歲未滿　　歲以上
(五)種　族	內地人　朝鮮人　支那人　國人
(六)入場事由	新入{新入場 卽決官署 執行囑託　　復監{逃走逮捕 所ヨリ護送
(七)罪　名	(1)　　(2) (3)　　(4)
(八)罰金科料	(1)　　(2) (3)　　(4)
(九)留置期間	(1)　　(2) (3)　　(4)

樣式第六號

(勞出)

勞役場留置者出場小票

(勞出)

小票番號第　　號

刑務所　　支所

(一)出場時	大正　　年　　月　　日
(二)氏　名	男 女
(三)種　族	內地人　朝鮮人　支那人　國人
(四)出場事由	滿期　假出場　逃走　罰金科料納付 死亡　恩赦　所ヘ護送 死刑ノ判決確定　其ノ他
(五)罪　名	
(六)在場期間	日
(七)作業賞與金	圓　錢

様式第七號

携入　　携帯兒入監（場）小票　　携入

小票番號第　　號

刑務所　　支所

(一)入監(場)時	大正　年　月　日
(二)氏名	男 女　（　　）
(三)種族	内地人　朝鮮人　支那人　國人
(四)入監(場)事由	携帯新入　分娩　所ヨリ移送

様式第八號

携出　　携帯兒出監（場）小票　　携出

小票番號第　　號

刑務所　　支所

(一)出監(場)時	大正　年　月　日
(二)氏名	男 女　（　　）
(三)種族	内地人　朝鮮人　支那人　國人
(四)出監(場)事由	引取 死亡　引渡　所へ移送　携帯出監

樣式第九號

(病)　**病　者　小　票**　(病)

小票番號第　　　　號

刑務所　　　支所

(一)氏　名	男 女					
(二)種　族	內地人	朝鮮人	支那人	國人		
(三)種　別	刑事被告人	受刑者	勞役場留置者	乳兒		
(四)年　齡	發病時	滿	年	(滿	月)	
	轉歸時	滿	年	(滿	月)	
(五)發　病	入監時	大正	年	月	日	
	入監後	大正	年	月	日	(　　)
	越	患	者			
(六)病　名	(大)　第	類(中)第	類(小)第	類		
(七)轉　歸	日　時	年	月			
	事　由	治癒	死亡	未治出監	後遺	
(八)作　業						
(九)延日數	日					
(一〇)入監ヨリ發病マテ	一月未滿	六月未滿	一年未滿	二年未滿	二年以上	
(一一)發病ヨリ死亡マテ	一月未滿	六月未滿	一年未滿	二年未滿	二年以上	

樣式第十號

㊞（懲）　懲罰小票　㊞（懲）

小票番號第　　　號

刑務所　　　支所

(一)氏名	男 女			
(二)年齡	十八歲未滿		十八歲以上	
(三)種族	內地人	朝鮮人	支那人	國人
(四)種別	受刑者	刑事被告人	勞役場留置者	
(五)違反事項				
(六)懲罰種類				
(七)懲罰言渡日時	年		月	日
(八)執行著手及終結ノ日時	著手　年		月	日
	終結　年		月	日
(九)懲罰度數	入監ヨリ　度			
	本年中　度			
(一〇)體重	執行前　貫　匁		增　貫　匁	
	執行後　貫　匁		減　貫　匁	
(一一)終結	執行終了	執行停止	執行免除	翌年越
(一二)違反行爲ニ因ル刑事處分　罪名				
刑名刑期	年		月	日

七　被疑者名籍其ノ他ノ取扱ニ關スル件

大正一二年一二月
官通第一四〇號
法務局長

各刑務所長宛

被疑者ノ名籍其ノ他ノ事項左記ノ通取扱相成度此段及通牒候也

記

一　被疑者ノ統計小票ハ當分ノ内刑事被告人ノ小票中「刑事被告人」欄中央ニ［被疑者］ノ朱印ヲ押捺シテ使用スルコト

一　被告人、被疑者ヲ留置シタルトキハ各入監小票ノ欄外上部中央ニ（留置）ノ朱印ヲ押捺シ第二欄及第四欄ノ記入ヲ省略シ第六欄ニ留置ヲ要セル事由及留置日數ヲ記載シ出監小票ヲ作成スルニ及ハス

八　統計小票取扱ニ關スル件

大正一二年一二月
法務局長通牒

各刑務所長
各刑務支所長 宛

本月十七日附官通牒第百四十號ヲ以テ被疑者名籍其ノ他ノ取扱ニ付通牒致置候處右ノ内被疑者ノ入出監小票及被告人又ハ被疑者ノ留置小票ニ押捺スヘキ印ハ左記ノ寸法ニ據リ御調製相成候樣致度此段及通牒候也

記

一　被告人又ハ被疑者ノ留置小票ニ押捺スヘキ印ハ直徑四分

二　被疑者ノ入出監小票ニ用ウヘキモノハ横五分縦二分五厘

九　被疑者ノ統計ニ關スル件

大正一三年一月
法務局長通牒

各刑務所長
各刑務支所長 宛

客年十二月十七日附官通牒第百四十號ヲ以テ被疑者ノ名籍其ノ他ノ取扱ニ付及通牒置候處被疑者ノ統計ニ關シテハ尙左記ニ依リ御取扱相成度此段及通牒候也

記

一　被疑者入監（新入監、復監、移監）出監（釋放、起訴、逃走、死亡、移監等）シタルトキ其ノ入出監小票ハ刑事被告人ノ入出監小票ノ取扱ニ準シ取扱フコト　但シ被疑者カ起訴ニ依リ刑事被告人トシテ引續キ勾留セラルル場合ニ於ケル被疑者ノ出監小票ノ取扱ニ付テハ刑事被告人出監小票ノ取扱ニ依ルノ外左ノ取扱ヲ爲スコト

(1) 出監小票出監時欄出監年月日ノ下ニ起訴ノ年月日ヲ記入スルコト　但シ出監年月日ト起訴年月日ト同日ナルトキハ此ノ限ニアラス

(2) 出監事由ハ其ノ事由欄刑執行猶豫ノ上部ニ「起訴」ト記入シ尙

之ニ圏点ヲ附スルコト

(3)

小票右側欄外ニ本籍地ヲ記入スルコト

本籍地ノ記入ハ刑事被告人入監小票ノ例ニ依ルコト

一　刑事被告人カ被疑者ヨリ引續キ勾留セラレタル者ナルトキハ其ノ入監小票ノ作成ヲ要セス

一　刑事被告人出監小票ノ勾留期間ハ當該刑事被告人カ被疑者ヨリ引續キ勾留セラレタル者ナルトキト雖小票取扱手續ニ依リ掲記シ小票欄外ニ「引續勾留」ト記入スルコト

一　刑事被告人勾留期間表ニハ被疑者ヲモ合算掲記シ備考欄ニ被疑者ノ總數ヲ再掲スルコト

一〇　騒擾事件ニ關スル統計表ノ件

大正一三年二月
法務局長通牒

各刑務所長
刑務支所長 宛

從來毎月提出相成ルヘキ騒擾事件ニ關スル統計表ハ大正十三年以降毎年末調トシ別紙様式ニ依リ御調製ノ上翌年一月十五日迄ニ御提出相成度此段及通牒候也

追テ左記通牒ハ自然消滅スヘキモノト御了知相成度爲念申添候

記

一　大正八年十一月監第一七七九號法務局長通牒
騒擾事件等ノ受刑者被告ニ關スル件

一　大正九年一月監第二七號法務局長通牒
騒擾事件ニ關スル者ノ出入ニ關スル件

別表

騒擾事件ニ關スル在所人員表　大正　年末日現在　何 刑務所／刑務支所

罪名		無期	有期 十五年未満	有期 十年未満	有期 五年未満	有期 三年未満	有期 一年未満	有期 六月未満	有期 三月未満	拘留	合計
刑法 何	男 女										
何	男 女										

犯	計	男 女										
特別法犯	何	男 女										
	何	男 女										
	計	男 女										
總計		男 女										
備考												

取扱例

一 本表ニハ政治犯罪、政治上ノ目的ニ出テタル犯罪及政治上ノ目的ニ出テタルコトヲ藉口シテ犯シタル罪ニ付テノミ掲記スルコト

但シ罪名ハ左記ノ通制限ス

刑法犯ニ在リテハ公務執行妨害、犯人藏匿、證憑湮滅、騷擾、放火、殺人、傷害、脅迫、强盗、詐欺、恐喝、毀棄、損壞、誣告、其ノ他

特別法犯ニ付テハ保安法違反、出版法違反、大正八年制令第七號違反、銃砲火藥類取締令違反、爆發物取締罰則違反、警察犯處罰規則違反、其ノ他

以　上

二 政治上ノ目的ニ出テタルコトヲ藉口シテ犯シタル罪ニ付テハ朱書再掲スルコト

三 本表ハ毎年十二月三十一日現在在所人員ニ付調査製表スルコト

四 併合罪ニ付テハ處斷罪名ノミヲ記入スルコト

一　監獄統計小票取扱ニ關スル件

大正一一年一〇月
法務局長通牒

各監獄典獄
各監獄分監長　宛

從來在監者ノ移監ニ依ル入出監小票作成ノ場合入出監事由欄ハ他監又ハ本監分監ト記載スルコトニ相成居候處右ハ調査上不便有之候條本年九月分ヨリ必ス監獄名（何監獄又ハ何分監ノ如シ）記載相成度尚毎月小票ニ依リ作成スル在監者出入表ノ月末現在人員ト各監獄ヨリ提出ニ係ル在監人員表ト符合セス又ハ移監ニ依ル在監者ノ發受ノ數符合セサル向アリ調査上煩冗甚シキモノアルヲ以テ將來ハ小票發送前小票總數ト其ノ月末人員ト對照ノ上御送付相成度此段及通牒候也

二　統計ノ進歩改善

大正五年五月
内閣訓第一號

統計ハ國家社會各般ノ現象ヲ觀察シ其ノ發達消長ノ跡ヲ表顯スルモノニシテ將來施設ノ指針トナスヘキモノナルノミナラス又學術研究ノ基礎タルヘキモノトス單ニ計數ヲ列ネ體裁ヲ整フルヲ以テ能事ト爲スヘキニアラス其ノ調査ハ迅速精確ニシテ實用ニ適スルモノタルヲ要ス官廳各種ノ統計報告年報等ヲ調製スルニ當リテハ特ニ此ノ點ニ留意スヘシ

歐米諸强國ノ狀態ヲ視ルニ皆能ク各般ノ統計ヲ整備シ恒ニ畫策ノ周到ヲ期セサルナシ願フニ歐洲今次ノ戰亂終熄ノ期ニ至ラハ必ラスヤ各國相競テ戰後ノ經營ヲ策シ自他ノ情勢ヲ探討シテ民力ノ恢復ト國運ノ發展トヲ圖ルヘシ我邦亦各般ノ統計調査ヲ的確ニシテ以テ列國駢進ノ大勢ニ適應スルノ方途ヲ講スルニ於テ遺算ナカラムコトヲ要ス

局ニ當ルモノ益々力ヲ統計ノ事ニ致シ堪能ノ吏員ヲシテ之ヲ掌ラシメ調査ノ杜撰ヲ革メ報告ノ精確ヲ期シ務メテ統計ノ進歩改善ヲ圖リ以テ國務ノ實用ニ資セムコトヲ望ム

三　監獄統計報告ノ調製及提出

大正四年
典會注意

監獄統計報告ノ調製及提出ニ關シテハ左記各號ニ注意セラレタシ

一　提出期ニ付テハ從來屢注意シタル所ナルモ今尚別表ノ如ク提出ヲ遲延シ甚シキハ一ケ月以上ニ及フモノアリ處理上差支勘カラサルヲ以テ將來ハ必ス期限内ニ本府ニ到着スル樣提出スルコト

二　統計表中不備又ハ不符合ノ爲返戻整理ヲ要シ甚シキハ同一表記ニ關シ服覆再三ニ及フモノアルヲ以テ關係各表トノ對照及檢算ヲ行ヒ正確ヲ認メタル上提出スルコト

三　統計表中記載スヘキ事項ナキ場合ト雖一表毎ニ別紙トシテ其旨報告スルコト

四　月報及年報樣式中罪名欄ノ刑法犯ノ項其他ノ欄ニ掲記シタルモノニ付テハ其ノ罪名ヲ備考欄ニ記載スルコト

五　月報在監人員表ノ受刑者ノ總計及前年ノ現員欄ニハ總テ朱記ヲ要セス合算シテ墨書スルコト

六　月報及年報用紙中罫線ノ單一ナルカ爲國籍男女其他ノ種別ニ付テノ區劃ノ明カナラサルモノアリ調査上ノ不便少カラサルヲ以テ適宜

大小線ヲ用ヰテ區別チ明瞭ナラシムルコト

七　年報第二一八號乃至第二二一號出入表中ノ本年間延人員ハ同年中ノ月報チ集計シタル人員同第二二八號罹病者表中患者數ノ越人員ハ前年表記ノ年末現員ト各符合スヘキモノナルニ往々相違スルモノアルチ以テ提出前必ス精密ナル調査チナスコト

八　同第二一九號受刑者ノ出入表中入監其他ノ項ニ掲記シタル人員ニ付テハ其入監ノ事由チ備考欄ニ記載スルコト

九　同第二三〇號懲罰表中懲罰ノ併科アリタルモノニ付テハ違犯事項欄ニモ朱書再掲スル向アルモ右ハ懲罰種類ノ項ニ限リ朱書スヘキモノニシテ違犯事項欄ニハ朱書チ要セサルコト

一〇　月末在監人員報告ハ必ス翌月一日ニ之チ提出スヘク又臨時所要ノ統計及調査書類モ其照會又ハ通牒到着後速ニ調製提出スルコト

一四　監獄統計ノ緊切

大正六年
典會注意

各般ノ事務ニ付統計ノ重要ナルハ勿論ナリ然ルニ監獄ニ於ケル統計事務ハ未大ニ完カラス各位ハ深ク事務ノ關渉スル所チ考究シテ緊切ナル統計チ作製シ以テ獄務ノ改善ニ資スル所アルチ要ス

一五　書類ノ淨書、校合、的確

大正三年
典會注意

統計表其他ノ書類中不明ノ文字又ハ誤記脱漏等多キチ以テ書體チ正シクシ淨書校合チ的確ニナスコト

一六　監獄統計從事者ノ養成ニ關スル件

大正一一年五月
監第二一號
法務局長

朝鮮總督宛

各監獄ニ於ケル統計事務ニ從事スルモノニシテ相當ノ統計的智識チ有スル者少ナク爲ニ其調査觀察ノ結果ニ付誤謬脱漏等多ク加フルニ提出期間チ遲延スルモノ多キチ以テ其ノ事務ニ從事スルモノチ督勵シ時時注意チ與ヘ又ハ隨時ノ打合チ爲シ以テ統計ノ正確チ完全ニ努メツツアリシモ最近此等ノ事務ニ從事スル者ノ退職者相踵キ經驗ナキ新任者之ニ代フルカ爲ニ動モスレハ統一チ缺キ不完全ニ陷リ易キチ以テ統計ノ正確完全ト統チ迅速チ圖ル爲其事務ニ從事スル者ノ養成ハ刻下ノ急務トスルトコロナリ

各監獄ニ於ケル指紋技術者ノ養成ニ關シテハ曩ニ御決裁チ經テ監獄課ニ於テ五名乃至十名ノ講習員チ置キ養成ニ努メタル結果、已ニ修業シタル者十五名ニ及ヒ其成績良好ニシテ殆ト各本監ニ配置セラレタルチ以テ常置講習員ノ人員チ減シ二名乃至五名トシ其殘餘ノ人員ハ監獄課ニ於テ統計ニ從事スル者チ養成スルコトニ致可然哉仰高裁

一七　統計主任ニ關スル件

大正五年三月
官通第三八號
政務總監

各所屬官署長（鐵道局、遞信局、警務總監部臨時土地調査局チ除ク）宛

明治四十四年本府訓令第十六號第二項ニ依ル統計主任者異動通知ノ件ニ付テハ大正三年官通牒第百六十二號通牒ノ次第モ有之候處尙未タ右手續ヲ缺クモノ尠カラス整理上支障ヲ生シ候ニ付將來努メテ實行ヲ期セラレ度此段爲念及通牒候也

追而府郡島及慈惠醫院ハ道ニ於テ地方法院以下ノ裁判所ハ覆審法院ニ於テ稅關支署出張所（國境稅關ヲ除ク）ハ稅關ニ於テ取纒メノ上此際通知可相成申添候

一八　統計主任ニ關スル件

大正七年九月
官通第一四九號
政務總監

各所屬官署長宛

今般訓示第四十七號ヲ以テ統計事務取扱方改正相成候ニ付テハ統計主任及其ノ事務取扱ニ關シ左記ノ通承知可相成及通牒候也

記

一　統計主任ノ任命異動ハ從來ノ規程ニ依リ通知アリタル者ハ此ノ際殊ニ通知ヲ省略シ得ルモ通知ナキモノニ付テハ速ニ通知スヘキハ勿論今後ニ於ケル異動ノ場合ハ必通知ノ勵行ヲ期スルコト

一　從來統計主任ノ職務ハ主トシテ統計材料ノ蒐集ニ在リタルモ改正規程ニ於テハ統計主任ハ專統計ノ檢査及整理ヲ擔任シ統計ノ正確及統一ヲ期スルニ在ルヲ以テ自今主務課ニ於テ作成シタル統計ハ必統計主任ニ回付スルコトトシ統計主任ハ統計ノ文字ノ正確脫漏違算單位及位符其ノ他比較對照上ニ於ケル增減理由等ノ精密ナル檢査及報告期限ノ勵行甲乙統計表ノ一致ヲ要スル數字ノ符合區區ニ涉ル統計表ノ整理統計表新設改廢ノ場合ノ統一年報類ノ編纂等專統計ノ整理統一ヲ掌ラシメ同規程改正ノ趣旨ニ副フルコトニ充分注意ヲ拂フコト

一九　統計主任ニ關スル件

大正一〇年七月
庶務部長照會

所屬官署長宛（道、府、郡、島ヲ除ク）

統計主任ニ異動ヲ生セシ際ハ其ノ都度報告可相成筈ノ處往往右手續洩ノ向アリ且此際主任名簿整理上ノ都合モ有之候條報告濟ナルト否トニ不拘全部左記樣式ニ依リ御回報相煩度及照會候也

記

勤務官署名	統計主任任命年月日	本務	兼務	官職等級	氏名

統計主任以外ニ當務者アルトキハ凡テ左記樣式ニ依リ掲記スルコト

勤務官署名	本務	兼務	官職（等級）（雇員共）	氏名

二〇　統計ニ關スル件

大正七年四月
監第三五三號
司法部長官

海州監獄典獄宛

本年四月十五日附海収第四〇三號ヲ以テ首題ノ件御照會相成候處右ハ左記ノ通御承知相成度此段及回答候也

記

一 第一號乃至第三號ハ之ヲ包含ス
　但シ前科刑ノ笞刑ハ之ヲ朱書トシ各相當欄ニ印ヲ附シ外記スルコト
二 第四號ハ之ヲ包含セス

（參照）

大正七年四月十五日照會

海州監獄典獄

司法部長官宛

本年三月十五日附監第三五三號ヲ以テ御照會ニ相成候統計ニ關スル諸表中受刑者再入調ハ左記ノ者ヲ包含スル義ニ有之候哉疑義相生シ候條御回示相成度此段及照會候也

最近ノ前科	再入刑
一 笞刑	笞刑
一 笞刑	懲役刑
一 懲役刑	笞刑

一 他監ヨリ移監セシモノハ計表セサル儀ナリヤ

大正七年三月
監第三五三號

司法部長官

二 統計ニ關スル件

典獄宛

調査上必要有之候條左記各表別紙様式ニ依リ作成ノ上本月三十日迄ニ御提出相成度此段及照會候也

追テ本表ハ暦年調トシ爾後毎年御差出相成度申添候

記

一 看守皆勤休暇調
一 看守缺勤延日數調
一 看守非番勤務及特勤延日數調
一 受刑者再入調
一 看守年齢及勤續年數調
一 看守任免調

看守皆勤休暇調

大正　年　何監獄

區別		本監	何分監	何分監	合計
定員					
休暇證下付	半年				
	一年				
	延日數				
賜暇	人員				
	日數				
定員一人ニ對スル下付日數					

		本監	何分監	何分監	計
定員一人ニ對スル賜暇日數					
休暇證下付ニ對スル賜暇日數百分比例					

看守缺勤延日數調　大正　年　何監獄

		本監	何分監	何分監	計
病氣	內地人				
	朝鮮人				
轉地療養	內地人				
	朝鮮人				
墓參	內地人				
	朝鮮人				
看護	內地人				
	朝鮮人				
家事整理	內地人				
	朝鮮人				
受驗	內地人				
	朝鮮人				
私事旅行	內地人				
	朝鮮人				
其ノ他	內地人				
	朝鮮人				
計	內地人				
	朝鮮人				
	計				
定員一人ニ對スル同上日數					

附表

		本監	何分監	何分監	計
看守及女監取締勤務規程第五條ニ依ル延日數	內地人				
	朝鮮人				
同第六條ニ依ル延日數	內地人				
	朝鮮人				
賜暇（休暇證以外ノ者）延日數	內地人				
	朝鮮人				

遠慮延日數		忌引延日數		交通遮斷延日數		公病延日數		晝夜勤者ノ非番延日數		計	
內地人	朝鮮人	內地人	朝鮮人	內地人	朝鮮人	內地人	朝鮮人	內地人	朝鮮人	內地人	朝鮮人

備考

一　本表ハ看守ノミヲ記載スヘシ

二　看守ノ缺員延日數ヲ本分監及內鮮人ニ區別シテ備考欄ニ揭載スヘシ

看守非番勤務及特勤延日數調　　大正　年　何監獄

區別 種別	非番勤務		特勤		計			定員一人ニ對スル同上日數
	內地人	朝鮮人	內地人	朝鮮人	內地人	朝鮮人	計	
本監								
何分監								
何分監								
計								

受刑者再入調　　大正　年　何監獄

出監時ヨリ犯罪時ニ至ル期間		五年以上 男	五年以上 女	三年以上 男	三年以上 女
本監					
何分監					
計					
前刑出獄後ノ保護者	父母妻子兄弟姉妹				
	其ノ他ノ親族				
	保護會其ノ他ノ公共團體				
	不詳				
	其ノ他				
計					

二年以上		一年以上		六月以上		三月以上		三月未滿		計	
男	女	男	女	男	女	男	女	男	女	男	女

備考

恩赦ヲ受ケタル再入者ハ當該欄ニ朱書再記スルコト

看守年齢及勤續年數調

年齢	種別／勤續年數	十年以上 本監	十年以上 分監	十年以上 計	七年以上 本監	七年以上 分監	七年以上 計	五年以上 本監	五年以上 分監	五年以上 計	三年以上 本監	三年以上 分監	三年以上 計	二年以上 本監	二年以上 分監	二年以上 計	一年以上 本監	一年以上 分監	一年以上 計	一年未滿 本監	一年未滿 分監	一年未滿 計	計
五十五歳以上	內地人																						
	朝鮮人																						
五十歳以上	內地人																						
	朝鮮人																						
四十五歳以上	內地人																						
	朝鮮人																						
四十歳以上	內地人																						
	朝鮮人																						
三十五歳以上	內地人																						
	朝鮮人																						
三十歳以上	內地人																						
	朝鮮人																						

二十五歳以上		二十五歳未満		計		
內地人	朝鮮人	內地人	朝鮮人	內地人	朝鮮人	計

看守任免調

大正　年　何監獄

			本監	何分監	何分監	何分監	計
任用		內地人					
		朝鮮人					
		計					
免官及轉出ノ事由	懲戒	內地人					
		朝鮮人					
	事務ノ都合	內地人					
		朝鮮人					
	疾病職ニ堪エス	內地人					
		朝鮮人					
	轉任	內地人					
		朝鮮人					
	死亡	內地人					
		朝鮮人					
	其ノ他	內地人					
		朝鮮人					
計		內地人					
		朝鮮人					
		計					

備考　一　他監ヨリ轉任シ來リタル者ハ任用ノ欄ニ朱書外記スヘシ

三二　監獄統計ニ關スル件

大正九年一月
第一四七號
法務局長

各監獄典獄
分監長　宛

大正七年三月十三日附監第三五三號照會統計ニ關スル件中看守皆勤休暇調ノ定員ハ外勤看守ノ定員ヲ記載スル事ニ取扱相成度此段及通牒候也

追テ月末現在在監人員報告表廢止ノ結果月末現在在監人員ハ今回新設ノ受刑者ノ他ノ出入表ニ記入スル事ト相成候ニ付テハ該表ハ提出期日(翌月十日迄)ニハ必ス提出セラルル様特ニ御留意相成度爲念申添候

三三　統計ニ關スル件

大正一〇年五月
法務局長通牒

大正七年三月十三日付監第三五三號通牒首題ノ件中看守任免調表備考ヲ左記ノ通改正候條右ニ依リ作成相成度及通牒候也

追テ大正九年分ニシテ既ニ提出濟ノ向ハ右ニ依リ更ニ作製ノ上折返提

出相成度申添候

記

看守教習所又ハ他ノ監獄並本監若ハ分監ヨリ轉勤シ來リタル者アリタル時ハ左ノ區別ニ依リ任用欄ニ掲記スヘシ

一　看守教習所ヨリ赴任シ來リタル者ハ朱書別記スヘシ

二　他ノ監獄又ハ本監若ハ分監ヨリ轉勤シ來リタル者ハ×印ヲ朱書別記スヘシ

三　內地ノ監獄ヨリ轉勤シ來リタルトキハ其人員ヲ備考欄ニ掲クヘシ

二四　看守轉勤ノ報告方ニ關スル件

大正一一年一〇月
法務局長通牒

監獄典獄宛

各監獄間ニ於テ看守ヲ轉勤セシメタル場合ハ其ノ都度速ニ報告可相成筋合ニ有之候處往往忘却スル向アル爲補缺其ノ他ノ事項ニ關シ支障ヲ來シタル事例少ナカラス候條將來遲滯ナク報告相成度此段及通牒候也

追テ本件ハ看守教習所ニ於ケル教習終了ノ場合等ニ於テハ轉勤發表前ト雖豫メ報告スルカ又ハ補缺中止ノ申出ヲ爲スヘク又本分監間ノ轉勤ニ付テモ同樣漏ナク報告可相成爲念申添候

二五　職員死亡報告ニ關スル件

大正九年一月
官通第四號
政務總監

各所屬官署ノ長宛

大正八年十二月訓令第五十五號ヲ以テ本府報告例別冊改正職員死亡報告表廢止セラレ候ニ付テハ自今左記ノ通御取計相成度及通牒候也

記

一　高等官及高等官待遇職員死亡ノ場合ハ朝鮮總督府官報編纂規程第五條ニ依リ官報登載方ヲ取計フコト

二　進退ヲ專行スル職員ヲ除クノ外判任官及判任官待遇職員死亡ノ場合ハ適宜ノ方法ニ依リ遲滯ナク秘書課長ヘ報告スルコト

二六　職員死亡報告ニ關スル件

大正一〇年四月
法務局長通牒

職員ノ死亡其ノ他身分異動等ニ關スル報告書ハ總テ本官ヲ經由セラレ度樣客年一月二十九日附ヲ以テ及通牒置候處危篤ニ依リ進級等ノ內申セラレタルモノニシテ其ノ死亡報告書當局ニ到達セサルモノ往往有之整理上支障不尠候條爾今無遺漏本官ヲ經由スヘキ樣御取計相成度爲念此段及通牒候也

二七　職員勤務指定報告ニ關スル件

大正九年一月
法第三四號
法務局長

各覆審法院院長檢事長
各地方法院院長檢事正
各監獄典獄
宛

大正八年十二月訓令第五十五號ヲ以テ本府報告例改正相成大正九年一月

二十一日官通牒第二號ヲ以テ其ノ内容ヲ發表セラレ候處右廢止事項中職員勤務指定報告ハ當局ニ於テ必要有之候條自今本官宛即報相成度及通牒候也

追テ死亡其ノ他身分異動等ニ關スル報告書提出ノ際ハ總テ本官經由ノコトニ御取計相成度申添候

二八　監獄事務報告ニ關スル件

大正一〇年一月
法務局長通牒

各監獄典獄宛

監獄事務報告ハ事務ノ簡捷ヲ圖リ職員ノ能率ヲ增進セムカ爲曩ニ之ヲ改正シ諸般ノ事務中事ノ異例ニ渉ルモノ又ハ重要ト認ムヘキモノノミニ對シ報告相成筋合ニ有之候處近時再ヒ輕微ナル事項及些細ノ注意的訓授ヲモ掲載セラルル向アリ斯ノ如キハ啻ニ右改正ノ趣旨ニ副ハサルノミナラス監督上ノ必要モ尠ナキ次第ニ付爾今右報告ニ對シテハ事案ノ輕重大小ヲ査察シ處理相成度此段及通牒候也

二九　月報提出ニ關スル件

大正一一年五月
法務局長通牒

各監獄典獄
各分監長　宛
（開城ヲ除ク）

朝鮮總督府報告例別冊第五五號受刑者其他ノ出入表第九五號在監者死亡人員表及大正九年四月十七日監第七六九號通牒新受刑者ノ刑名刑期表ハ中央集査ノ結果大正十一年五月分ヨリ提出ニ及ハサル儀ト御了知相成度及通牒候也

三〇　死刑ノ執行ニ依リ出監シタル者ノ小票記入方ニ關スル件

大正一一年五月
法務局長通牒

各監獄典獄
各分監長　宛

死刑ノ執行ニ依リ出監シタル者ニ付テハ監獄統計小票取扱手續第三ノ一ニ據リ作成セル刑事被告人出監小票ノ裏面ニ受刑者入監小票（九）以下各欄ニ相當セル事項ノミ左記ノ例ニ依リ記入相成度此段及通牒候也

記

（九）	犯數	犯數二犯　入監度數二度
（一八）	婚姻	未婚者
（二二）	嗜好	無

三一　死刑ノ執行ニ依リ出監シタル者ノ小票記入方ニ關スル件

大正一二年四月
法務局長通牒

西大門、平壤、大邱各監獄典獄宛

首題ノ件ニ關シ大正十一年五月十六日附通牒致置候處右刑事被告人出監

小票裏面ニハ自今受刑者入監小票(九)以下ヲ記入スル外(一)本籍地、(二)出生地、(三)死刑執行時及犯罪時ノ年齢ヲモ併記相成度此段及通牒候也

三二　期限内ニ事務報告提出ノ事

大正三年
典會注意

事務報告ノ提出遲延スルモノ多シ期限内ニハ必ス提出シ尚左記各項ヲ注意スルコト

イ　在監人一般健康診斷成績表ニハ體重ノ最高最低及平均量ヲ登載スルコト

ロ　入監又ハ發病當日若ハ其數日内ニ死亡シタルモノアルトキハ發病ノ模樣及死亡ニ至ル迄ノ經過ヲ當該事項欄ニ記載スルコト

ハ　特ニ注意ヲ要スル病者アリタルトキ又ハ多數續發ノ患者アリタル時ハ患者月表備考欄ニ病名人員及之ニ對スル措置等ヲ記入スルコト

ニ　菜品獻立表ニ單ニ野菜ト記載シタルモノアリ自今其ノ品名ヲ登載スルコト

ホ　食糧月表中給與人員ノ合計數ハ必ス記載スルヲ要ス一日一人當食費ニハ增菜代ヲモ合算平均シタル額ヲ記載スルコト

ヘ　信書及接見ニ關シテハ殆ト其ノ記事ナキモノアルヲ以テ平素此ノ點ニ對スル注意ヲ怠ラス報告例ニ示ス所ノ事項アルトキハ必ス之ヲ記載スルコト

ト　記述ノ事項ト添附表トノ符合ニ注意スルコト

三三　統計事務ノ整備ニ關スル件

(訂)　四三一ノ二

大正五年五月
官通第七五號
政務總監

各所屬官署長宛

統計事務取扱方ニ付テハ本年四月道長官會議ノ際總督ヨリ指示ノ次第モ有之候處五月十日内閣訓令第一號ヲ以テ統計事務ニ關スル訓令發令相成候ニ付テハ此際右訓令ノ趣旨徹底候樣留意可相成及通牒候也

三四　監獄統計報告ノ調製

大正五年
典會注意

監獄統計報告ノ調製ニ關シテハ左記各號ニ注意セラレタシ

一　月報及年報用紙ニハ大小罫線ヲ用ヒ國籍男女別等ノ區劃ヲ明ニスヘキコトハ從來屢注意セル所ナルニ拘ラス今尚罫線ノ單一ナルモノアリ調査上ノ不便少カラサルヲ以テ區劃ヲ明瞭ナラシムルコト

二　監獄職員懲戒表ノ懲戒事由ヲ數項ニ制限セスシテ違反行爲ノ種類ニ依リ項ヲ細別シテ具體的ニ記載スルコト

三　月報在監人員表中刑事被告人欄ニ朱書セル死刑確定者ノ數ハ墨書ノ外書トナスコト

四　賞遇表中入ノ合計ハ前年ヨリノ越員ヲ合算セス「附與」「他監及管内ヨリ收容」ノ數ノミヲ揭記スルコト

三五　職員定員及現員配置對照表提出ノ件

大正一〇年二月
秘書課長照會

拓殖局ヘ報告ノ爲必要ニ付貴廳及所管官署職員定員及現員配置對照表（大正十年一月末現在ニ依リ調査シ傭人ヲ除キタル全部ノ職員ヲ記載ス囑託及雇員ハ豫算定員ヲ以テ定員トス）別紙書式ニ準シ調製ノ上本月二十日迄ニ到着ノ見込ヲ以テ提出相成度及照會候也

追テ將來ハ毎年一月末日現在ヲ以テ二月十五日迄ニ到着ノ見込ヲ以テ提出相成候樣致度併セテ照會候也

（樣式省略）

三六　監獄醫以下現員現給ノ件

大正一〇年四月
法務局長通牒

各監獄典獄宛

調査上必要有之候條爾今監獄醫以下ノ現員現給ヲ別紙樣式ニ依リ毎年一月、四月、七月、十一月ノ各一日現在ヲ調査シ其月十日迄ニ提出相成度及通牒候也

追テ大正十年四月一日現在ハ四月二十五日迄ニ提出相成度申添候

（樣式省略）

三七　資格者ノ履歷書提出ノ件

大正三年
典會注意

新任ノ監獄醫及教誨師（囑託共）竝看守長トナル資格ヲ有スル看守ノ履歷書又ハ本部直營ノ營繕工事進捗程度及土地建物ノ增減異動報告ノ如ク不定期ニ提出スルモノハ脫漏多キヲ以テ將來充分ニ注意スルコト

三八　朝鮮語奬勵手當ヲ受クル者ニ關スル件

大正一一年五月
鮮語試第一〇七號
秘書課長

本府各局部長
第一次所屬官署ノ長　宛

朝鮮總督府及所屬官署職員朝鮮語奬勵規程ニ依リ手當ヲ受クル者ニ就キ其ノ退官退職休職轉任轉職死亡等身分ニ異動ヲ生シタル場合ハ其ノ都度左記事項御通知相成度及通牒候也

記

一　官署氏名
二　手當ノ區分（甲種何等、乙種何等等）
三　事實ノ起リタル年月日
四　轉任轉職ノ場合ハ其ノ轉任轉職先　以上

三九　監獄事務報告書ノ調製

大年二年
典會指示

監獄事務報告書ノ調製ニ付テハ左ノ各號ニ注意スヘシ

イ　分監ニ對シ典獄ヨリ指示若ハ注意ヲ與ヘタル事項アルトキハ其概要ヲ記載スルコト

ロ　試行又ハ創始ニ係ル事項ノ成績及結果ハ必ス具體的ニ記載スルコト

ハ　報告書ノ記載ハ本監ト分監トニ因リ著シク詳略ノ別アリ或程度迄ハ成ルヘク同一ナラシムルコト

四〇　作業科程工錢ノ増減ノ報告

大正六年
典會注意

報告例第一號ニ依リ報告セラルヘキ命令例規ノ内作業科程ノ變更工事ノ増減ニ就テハ其理由ヲ簡明ニ記述セラレタシ

四一　事變報告ノ件

明治四三年一二月
刑第八九九號

監獄ニ於ケル事變（逃走及反獄ノ已遂未遂ハ勿論其ノ豫謀ノ發覺、獄死及其他ノ變死等）ハ迅速ニ報告相成ルヘキ筈ノ處往往遲延スル向モ有之候ニ付今後ハ必ス直ニ電報ヲ以テ司法部長官宛不取敢報告相成度爲念此段及通牒候也

追テ分監ニ於ケル事變ニ付テハ直接分監長ヲシテ右ニ依リ即報セシメラレ度申添候

四二　在監人ニ關スル電報報告ニ日鮮人等ノ區別記載ノ件

明治四四年一〇月
司刑第八五四號
刑事課長

在監人ノ逃走及變死等ニ係ル電報報告ニハ鮮人及外國人（國籍別）ノ區別ヲ記載相成度爲念此段及通牒候也

四三　在監者ニ關スル報告文書ノ件

明治四三年一一月
檢發第一四〇八號

在監者ニ關スル報告文書ニシテ當廳經由總督ヘ差出スヘキモノハ自今正副二通ヲ御進達相成度此段及通牒候也

追テ所管分監ヘモ此旨通牒方取計相成度候

四四　施政上ノ參考ニ資スヘキ事項報告ノ件

大正五年
典會注意

犯罪及行刑上ニ現ハレタル教育慈善其ノ他諸般施設ノ反響ニシテ施政上ノ參考ニ資スヘキモノアルトキハ適當ノ機會ニ於テ之ヲ報告スルコトヲ注意セラレタシ

四五　本府定期報告期日勵行

大正五年
典會注意

本府ニ定期報告スヘキモノニ付テハ豫メ各主管ノ課所ニ於テ適當ニ調査シツツアルヤ否ヤヲ監視シ期日ヲ愆ラサルコトニ注意アリタシ

四六　例規ノ設定改廢報告ノ件

大正五年
典會注意

例規ノ設定改廢ノ報告ハ嚴ニ勵行セラレタシ

四七 監獄ニ關連スル事項ニ付テノ報告ノ件

大正六年
典會注意

監獄ニ干スル重要事項又ハ職員ノ體面ニ干スル事項ニ付往往報告ヲ怠ル向アリ將來漏ナク即時報告アリタシ又新聞記事ニ顯ハレタル同上ノ事項ノ如キハ其事實ノ無根ナルモノト雖速ニ詳報セラレタシ

四八 事務報告ノ調製ニ關スル件

大正六年
典會注意

事務報告ノ調製ニ付テハ左ノ各項ニ注意セラレタシ

一 監獄法第五十三條第二項ニ依リ沒入シタル物ハ其品目數量及沒入事由ヲ第十項ニ掲載スルコト
二 職員會決議ノ項ニ掲載シタル事項ニ付テハ訓授其他ノ項ニ再記セサルコト
三 提出期遲延ノ向多シ報告期ヲ愆ラサルコト
四 必スシモ本分監一括スルヲ要セサルヲ以テ作成次第順次進達スルコト

四九 復命書ノ寫ヲ提出スヘキ件

大正六年
典會注意

內地監獄ノ視察ヲ命セラレタルトキハ歸任後成ルヘク速ニ復命書ヲ提出シ部下職員ヲシテ出張セシメタルトキハ其復命書ノ寫ヲ提出セラレタシ

五〇 朝鮮總督府月報材料報告ニ關スル件

明治四四年五月
司庶發第四五一號
司法部庶務課長

朝鮮總督府月報材料報告方ニ關シ往往問合セノ向有之候處右ハ左記事項ニ關シテ御報告相成度此段及通牒候也

記

一 監獄 監獄行政ニ關シ調査研究シタル事項
一 同 監獄行政事務ニ關スル諸般狀況ニシテ報告ノ必要アリト認メタル事項 但報告例及其ノ他例規ニ依リ報告スヘキモノハ報告スルニ及ハス

五一 朝鮮彙報ニ關スル規程

大正六年九月
總訓第三九號

第一條 朝鮮ニ於ケル施政及諸般ノ狀況ヲ周知セシムル爲朝鮮彙報ヲ發行ス別ニ朝鮮彙報地方號ヲ發行シ主トシテ面行政ニ關スル事項ヲ蒐錄ス

朝鮮彙報地方號ニハ諺文ヲ附スルコトアルヘシ

第二條 朝鮮彙報ハ毎月一日、朝鮮彙報地方號ハ毎月十五日之ヲ發行ス但シ必要アルトキハ臨時增刊スルコトアルヘシ

第三條　朝鮮彙報ニ掲載スヘキ事項ノ概目左ノ如シ

一　記事
二　調査及研究
三　地方事情
四　雜錄
五　統計
六　法令及通牒
七　判決例

朝鮮彙報地方號ニ掲載スヘキ事項ノ概目左ノ如シ

一　記事
二　研究資料
三　地方通信
四　雜錄
五　例規

第四條　朝鮮彙報編纂ノ爲編纂委員長及委員ヲ置ク

委員長ハ（總務局長）ヲ以テ之ニ充ツ

委員ハ朝鮮總督府及所屬官署高等官中ヨリ之ヲ命ス

第五條　委員長ハ毎月一回委員ヲ會シ編纂ニ關スル打合ヲ爲スヘシ

第六條　朝鮮彙報原稿ハ毎月五日迄ニ（官房總務局總務課長）ニ送付スヘシ

第七條　朝鮮彙報ニハ依賴ニ應シ廣告ヲ掲載スルコトヲ得其ノ料金ハ別ニ之ヲ定ム

五二　諸統計報告濟否一覽簿備付ニ關スル件

大正一二年五月
官通第四一號
調　査　課　長

所屬官署各統計主任宛

諸統計報告ノ期限恪守ニ就テハ夫々相當御留意相成居候儀トハ思料候モ統計主任ニ於テ別紙樣式ノ一覽簿ヲ調製ノ上常ニ其ノ手元ニ保管シ報告ノ濟否ニ注意スルコトトセハ期限勵行ノ一助トモ相成樣被認候條爲御參考及通知候也

（別紙）

大正　何　年
統計報告濟否一覽簿
官　署　名

注　意

一　本簿ハ統計主任ノ手元ニ保管シ常ニ報告ノ濟否ニ留意スルコト
一　本簿ニ登載スヘキ「報告事項」ハ報告期間ニ依リ月別（日順）ニ記入シ置クコト
一　統計主任ハ統計報告書發送ノ際提出濟月日ヲ記入ノ上認印スルコト

統計報告濟否一覧簿

何月

主務課名	本府報告例番號又ハ適用例規日附番號	報告事項	報告指定期限	督促ヲ受ケシ月日	提出濟月日	統計主任提出濟認印	備考

何月

主務課名	本府報告例番號又ハ適用例規日附番號	報告事項	報告指定期限	督促ヲ受ケシ月日	提出濟月日	統計主任提出濟認印	備考

五三　朝鮮總督府所屬官署統計事務檢閲ニ關スル件

大正一二年七月
官通第七一號

政務總監

各所屬官署長宛

本府所屬官署ニ於ケル統計事務ノ現況ニ徴スルニ近時漸ク改善進歩ノ跡ヲ見ルニ至リタリト雖單位調査ノ方法ノ製表及内容ノ整理統一、報告期間ノ勵行等ニ關シ尙遺憾ノ点尠カラスシテ之カ改善刷新ニ付テハ夫夫御配慮相成居候儀トハ思料候モ統計主任若ハ其ノ他ノ統計事務擔任者ヲシテ各其ノ所轄官署ニ於ケル取扱ノ實況ヲ檢閲シ指導セシムルコトハ統計ノ迅速正確ヲ促進スルニ最モ效果アルモノト認候條自今毎年左記ニ依リ之ヲ實施シ遺漏ナキヲ期セラレ度尙施行ニ際シテハ周到綿密ナル注意ヲ要スルハ勿論誤謬又ハ不備等ノ事項ニ對シテハ懇切ニ指示矯正セシメ苟モ形式ニ流ルルカ如キコト無之樣特ニ御留意相成度及通牒候也

追テ第一次所屬官署長ハ毎年各其ノ管内ノ實施狀況ヲ摘錄シ翌年一月末日迄ニ御報告相成度

記

一　道知事ハ毎年其ノ所轄官署ノ三分ノ一以上ニ亘リ郡守及島司ハ管内總面數ノ二分ノ一以上ニ亘リ各其ノ統計主任若ハ其ノ他ノ統計事務擔任者ヲシテ統計事務ノ檢閲ヲ爲サシムヘシ地方廳以外ノ官署長ハ前項ニ準シ各其ノ所轄官署ノ統計事務ヲ檢閲スヘシ

前二項ノ檢閲ハ單獨ニ之ヲ行フモ又ハ他ノ地方事務視察等ト併セテ行

フモ可ナリ

一　統計事務檢閲事項ノ細目左ノ如シ但シ本項ノ概目ハ地方廳ニ於ケルモノヲ示シタルモノニシテ右以外ノ官署ニ在リテモ此ノ例ニ依ルヘシ

（一）統計主任又ハ其ノ他ノ統計事務擔任者執務ノ狀況

（イ）諸統計事務檢査整理ノ狀況

（ロ）他ニ兼掌事務ヲ有スレハ之カ統計事務ニ及ホス影響

（二）統計材料調査蒐集方法ノ適否

（イ）單位調査ニ關スル施設事項竝其ノ適否

（ロ）單位調査又ハ材料蒐集ニ付下級官署ヘ調査ノ方法ヲ指示セシコトアリヤ否ヤ指示セシトセハ其ノ方法竝之カ適否

（ハ）調査ノ爲區長其ノ他ヲ煩ハササルヘカラサル事項アリヤ若アラハ其ノ事由

（ニ）單獨調査ニ關シ机上達觀ニ依ルノ止ヲ得サルモノアリヤ否ヤ若アリトセハ其ノ事由

（ホ）材料蒐集上最モ困難ヲ感スル事項竝其ノ事由

（ヘ）面ヨリ郡島ヘ報告セル計數ト郡島ヨリ道ヘ報告セル計數トノ差異竝之カ差異ヲ生セシ事由

（ト）小票式ニ依リ調査セルモノハ其ノ方法竝適否

（三）報告期限ノ勵行ニ關スル注意狀況竝之ニ關スル施設事項

（イ）指定報告期限ノ適否

（ロ）報告期間勵行ニ關スル施設及注意狀況

（ハ）下級官署ニ對スル督促方法

（ニ）期限勵行ニ關シ擔任者ニ對スル上司ノ注意狀況

（ホ）期限勵行ニ付各課係ノ統計事務ニ對スル統計主任ノ注意　況

（四）製表内容ノ完否及報告遲速ノ原因

（イ）計數ニ脱漏重複其ノ他ノ誤謬ナキヤ

（ロ）備考理由ノ適否

（ハ）報告ノ遲速竝其ノ原因特ニ報告遲延ノ事由カ事實調査困難ニ因ルモノナルヤ又ハ事務繁忙若ハ怠慢ニ因ルモノナルヤ

（五）統計事務ニ關スル指導監督ノ狀況

（イ）指導監督ノ爲特ニ施設セシ事項竝其ノ適否

（ロ）將來施設セムトスル計畫事項

（ハ）統計講習會又ハ講演會開催ノ狀況

（ニ）統計事務監督ノ爲出張度數及日數

（ホ）統計ノ事務檢閲ノ結果下級官署ニ對シ注意ヲ與ヘタル事項

（六）統計ノ活用及統計思想普及ニ關スル施設狀況

（イ）統計諸表ノ利用狀況竝其ノ效果

（ロ）統計思想普及ニ關スル施設事項竝其ノ適否

（ハ）統計年報其ノ他統計ニ關スル刊行物ノ種類及其ノ配付數及配付先

（七）統計ニ關スル書類ノ整理編纂及保存ノ狀況

（イ）統計ニ關スル法規竝例規類ノ整理保存ノ狀況

（ロ）前號以外ノ統計書類ノ整理保存ノ狀況

（ハ）諸統計刊行物ノ整理狀況

（ニ）單位調査材料ハ保存シアリヤ否（凡ソ二箇年保存セシムルコト）

（八）其ノ他必要ト認ムル事項

（イ）統計事務從事人員

（ロ）統計事務ニ關シ官廳內部課相互間竝上下官署間ニ於ケル連絡ノ狀況等

一　各所屬官署長ハ別紙樣式ノ統計事務檢閱簿ヲ備ヘ置クヘシ

檢閱員ハ其ノ檢閱ノ結果錯誤又ハ不備事項ノアルコトヲ發見シタルトキハ輕微ナルモノハ直ニ指示訂正セシメ然ラサルモノハ檢閱簿ニ記入ノ上期限ヲ定メ相當處理方ヲ指示スヘシ

前號以外特ニ將來注意ヲ要スト認ムル事項ハ檢閱簿ニ記入スヘシ

檢閱簿ニ依リ指示又ハ注意ヲ受ケタル事項ハ速ニ之ヲ整理シ其ノ整理ノ顚末ヲ檢閱簿ニ記入スヘシ

一　檢閱員ハ所轄官署ノ檢閱ニ際シ統計事務ノ指導竝統計思想ノ啓發ニ付特ニ留意スヘシ

一　檢閱員檢閱ヲ了シタルトキハ其ノ狀況ノ要点ヲ摘錄シ意見ヲ附シ直ニ復命スヘシ

統計事務檢閱簿樣式

指示又ハ注意事項

一、……………

一、……………

一、……………

大正　　年　　月　　日

檢閱員　官職　氏　名　㊞

同上整理ノ顚末

第三章　指　紋

一　指紋取扱規程

大正一〇年一二月
訓令第七一號

第一條　懲役又ハ禁錮ニ處セラレタル受刑者ニ付テハ其ノ指紋ヲ押捺セシメ指紋原紙ヲ作成スヘシ

第二條　指紋原紙ハ刑ノ執行ニ著手シタル後三日内ニ之ヲ作成スヘシ

疾病其ノ他ノ事故ニ因リ指紋ヲ押捺セシムルコト能ハサル者ニ付テハ其ノ事故ノ止ミタル後直ニ前項ノ手續ヲ爲スヘシ

第三條　指紋原紙ハ樣式第一號ニ依リ二通ヲ作成スヘシ　但シ左ノ各號ノ一ニ該當スル場合ニ於テハ指紋原紙ニ代ヘ樣式第三號ノ指紋原紙受刑追加小票一通ヲ作成スヘシ

一　受刑中他ノ懲役又ハ禁錮ノ刑ノ執行指揮アリタルトキ

二　朝鮮總督府監獄ニ於テ懲役又ハ禁錮ノ刑ノ執行ヲ受ケ再ヒ入監シタルトキ

第四條　疾病其ノ他ノ事故ニ因リ釋放前ニ指紋ヲ押捺セシムルコト能ハサル場合ニ於テハ指紋原紙及指紋原紙受刑追加小票各欄ノ記入ヲ爲シ表面備考欄ニ其ノ事由ヲ朱記スヘシ

第五條　樣式第一號ノ指紋原紙ハ一通ヲ本人ノ身分帳簿ニ編綴シ他ノ一通及指紋原紙受刑追加小票ハ一月毎ニ取纒メ樣式第四號ノ送付書ヲ添附シ翌月十日迄ニ本府ニ發送スヘシ但シ刑期二月以下ニ係ルモノニ付テハ作成ノ都度之ヲ送付スヘシ

第六條　前條ノ手續ヲ爲シタル後左ノ事項アリタルトキハ各所定ノ樣式ニ依リ一月毎ニ取纒メ翌月十日迄ニ之ヲ報告スヘシ

一　懲役又ハ禁錮ノ前科アルコトヲ發見シタルトキ（樣式第五號）

二　刑期ニ異動アリタルトキ（樣式第六號）

三　刑期終了前出監シタルトキ（假出獄ノ場合ヲ除ク）（樣式第七號）

四　假出獄ノ取消刑執行停止ノ取消又ハ逃走後ノ逮捕ニ依リ復監シタルトキ（樣式第八號）

五　死亡シタルトキ又ハ出監後死亡シタルコトヲ知リタルトキ（樣式第九號）

六　氏名ニ異動アリタルトキ（樣式第十號）

七　身柄ノ移監ヲ受ケタルトキ（樣式第十一號）

第七條　在監中指頭損傷シタルトキハ更ニ指紋原紙ヲ作成シ表面備考欄ニ其ノ事由ヲ朱記シ第五條ノ手續ヲ爲スヘシ

第三條第二號ニ該當スル場合ニ於テ指頭ノ損傷アリタルトキハ指紋原紙ヲ作成シ表面備考欄ニ[再入]ノ記號ヲ押捺シ第五條ノ手續ヲ爲スヘシ

第八條　第二條乃至第四條及前條ノ場合ニ於テ內地人ナルトキハ樣式第一號ノ指紋原紙又ハ指紋原紙受刑追加小票ノ外樣式第二號ノ指紋原紙二通ヲ作成シ共ニ送付スヘシ

第九條　在監者ヲ移監スル場合ニ於テ前各條ノ手續ヲ終ラサルトキハ其ノ旨ヲ通報シ移監ヲ受ケタル官署ニ於テ所定ノ手續ヲ爲スヘシ

第十條　指紋ノ對照ヲ求メムトスルトキハ指紋原紙ノ表面備考欄ニ[要對照]ノ記號ヲ押捺シ本府ニ之ヲ送付スヘシ

第十一條　懲役又ハ禁錮刑ノ前科アルコトヲ發見シ又ハ其ノ通知ヲ受ケタルトキハ直ニ之ヲ關係裁判所ノ檢事ニ通報スヘシ

第十二條　監獄又ハ分監ニ指紋擔當者ヲ置キ指紋ノ事務ニ從事セシムヘシ

附　則

本令ハ大正十一年一月一日ヨリ之ヲ施行ス

樣式第一號（表）

男女	氏　名	異名	備考
原籍		紀元　年生	
住所		年　月　日生	指紋番號
出生地		身分　職業	

左手				
示指	中指	環指	小指	拇指
（折）				

右手				
示指	中指	環指	小指	拇指
（折）				

左手	右手
大正　年　月　日　作成	大正年　月　日法務局檢査

從前ノ規定ニ依リ作成シタル指紋原紙ハ本規程施行ノ際在監スル者ニ付テハ速ニ身分帳簿ニ編綴シ其ノ他ノ者ニ付テハ他ノ監獄ヨリ終結身分帳簿取寄ノ照會アリタルトキ又ハ再ヒ入監シ若ハ復監シタルトキニ於テ身分帳簿ニ編綴シテ整理スヘシ

（裏）

判決ヲ受ケタル氏名	判決言渡年月日 刑ノ始期	言渡官署	罪名	刑名刑期	執行官署	出獄年月日	摘要

右手拇指	自署		身長	尺　寸　分	備考	
			特徴			

樣式第二號（表）

氏	名	身分	職業	綽名其他ノ稱呼	男女ノ別	分類番號	├─┼─┼─┼─┼─┤

原籍		生出地	
住所		生年月日	年　月　日

（折）　左手

1. 示指	2. 中指	3. 環指	4. 小指	5. 拇指

（折）

右手

6. 示指	7. 中指	8. 環指	9. 小指	10. 拇指

（折）

左手	右手

	備考
大正　年　月　日ニ於テ檢査	
（折）大正　年　月　日ニ於テ分類	
大正　年　月　日ニ於テ作成	

（裏）

判決ヲ受ケタル氏名	罪名	刑名刑期（金額）	言渡年月日	刑ノ始期	言渡裁判所	執行監獄	出獄ノ事由及其年月日

左手示指
囚人氏名自署
特徴
備考

様式第三號

小票番號　第　　號

原紙記入 ——

監獄分監

指紋原紙受刑追加小票

名	氏			
刑名刑期	懲役　　年　　月			
最近前科	執行監獄			
	出獄年月日	年　　月　　日		

判決ヲ受ケタル氏名	罪名	刑名刑期（金額）	言渡年月日	刑ノ始期	言渡裁判所	執行監獄	出獄年月日
		年　月	大正　年　月　日	大正　年　月　日			大正　年　月　日

分類番號	No.
左手示指	

備考

様式第四號（用紙半紙形）

大正　年　月　日

監獄又ハ分監

朝鮮總督府御中

指紋原紙送付書

月分

第一號指紋原紙	第二號指紋原紙	指紋原紙受刑追加小票	指紋押捺未濟者數
初入　枚 再入　枚	名分	枚	名

様式第五號（用紙半紙形）

大正　年　月　日

監獄又ハ分監

朝鮮總督府御中

何某前科發見報告　指紋番號（左右）

年　月　日　監獄作成

區分	判決ヲ受ケタル氏名	罪名	刑名刑期	言渡年月日	刑ノ始期
最終ノ刑					
發見シタル前科					

言渡官署	執行官署	出獄事由其ノ年月日	備考

樣式第六號(用紙半紙形)

大正 年 月 日

監獄又ハ分監

朝鮮總督府御中

指紋押捺者受刑事項異動報告

指紋原紙 指紋番號	指紋原紙 氏名	指紋原紙 作成年月日	指紋原紙 作成監獄	原刑言渡年月日	刑 原刑	刑 變更事由及其ノ刑期	變更刑出獄年月日	備考

樣式第七號(用紙半紙形)

大正 年 月 日

監獄又ハ分監

朝鮮總督府御中

指紋押捺者刑期終了前出監報告

指紋原紙 指紋番號	指紋原紙 氏名	指紋原紙 作成年月日	指紋原紙 作成監獄	罪名	刑名 刑期	刑ノ終了ニ依リ出獄スヘキ年月日	出獄事由	出獄年月日

樣式第八號(用紙半紙形)

大正 年 月 日

監獄又ハ分監

朝鮮總督府御中

指紋押捺者復監報告

指紋原紙 指紋番號	指紋原紙 氏名	指紋原紙 作成年月日	指紋原紙 作成監獄	罪名	刑名刑期	出獄事由及其ノ年月日	復監ノ刑 復監事由	復監ノ刑 復監年月日	復監ノ刑 殘刑期	復監ノ刑 殘刑ノ始期	復監ノ刑 執行官署	復監ノ刑 出獄年月日

樣式第九號(用紙半紙形)

大正 年 月 日

監獄又ハ分監

朝鮮總督府御中

指紋押捺者死亡報告

指紋原紙 指紋番號	氏名	作成年月日	作成監獄	罪名	刑名	刑期	死亡年月日	死亡又ハ死亡ノ確證ヲ得タル事實

様式第十號（用紙半紙形）

大正　年　月　日　　監獄又ハ分監

朝鮮總督府御中

指紋原紙氏名訂正報告

指紋原紙 指紋番號	氏名	作成年月日	作成監獄	罪名	刑名	刑期	言渡年月日	訂正氏名	訂正事由

様式第十一號（用紙半紙形）

大正　年　月　日　　監獄又ハ分監

朝鮮總督府御中

指紋押捺者移監收容報告

指紋原紙 指紋番號	氏名	作成年月日	作成監獄	罪名	刑名	刑期	移送シタル年月日及其ノ官署	備考

二　指紋原紙取扱心得及記載例ノ件

大正十一年一月十六日
法務局長通牒

各監獄典獄
各分監長宛

今般訓令第七十一號ヲ以テ指紋取扱規程改正相成候ニ付テハ大正十一年一月以後作成スル指紋原紙及受刑追加小票其ノ他報告ニ付テハ別紙指紋原紙取扱心得及記載例ニ依リ處理相成度此段及通牒候也

追テ從來ノ指紋原紙ニシテ殘存ノ分ハ引續キ使用差支無之候ニ付其ノ取扱方ハ別紙記載例ニ準シ處理相成度申添候

（別紙）

指紋原紙取扱心得及記載例

一　指紋ハ左ノ順序ニ依リ押捺セシムヘシ

指紋原紙表面上欄左手及中欄右手ノ部ニ各指紋ヲ押捺セシムルニハ指頭第一關節ノ屈（折）線ヲ原紙ノ折ノ記號アル線上ニ持チ來タ

リ指爪面ノ一側ヲ紙上ニ置キ其ノ反對側ニ達スル迄充分廻轉セシムヘシ若押捺セシメタル印象不鮮明ナルトキハ更ニ上部ノ餘白ニ押捺セシムヘシ

2 指紋原紙表面下欄左手及右手ノ部ニハ拇指ヲ除キ他ノ四指ノ指頭ヲ同時ニ平面ニ押捺セシムヘシ

二、指紋原紙ノ表面ハ左ノ例ニ依リ記載スヘシ（別紙式樣第一號及第二號參照）

1 指紋ノ番號ハ廻轉押捺セシメタル指紋印象ノ下部ノ區内畫左部ニ亞剌比亞數字ヲ以テ明瞭ニ記入スヘシ

2 氏名欄ニハ身分帳簿ニ記載セル氏名ヲ記入シ若自署欄ノ氏名ト相違スルトキハ其ノ理由ヲ氏名欄ニ記入スヘシ

難解又ハ讀方數箇ニ分カルル氏名ニハ片假名ヲ附スヘシ

男女ノ區別ハ樣式第一號ノ指紋原紙ニハ男ナルトキハ女ヲ女ナルトキハ男ヲ抹消シ樣式第二號ノ指紋原紙ニハ男女ノ別欄ニ男女ノ區別ヲ記入スヘシ

3 原籍欄ニハ府縣郡町村大字道府郡面町洞里番地ヲ記入スヘシ

4 出生地欄ニハ出生地ヲ詳記シ航海中又ハ旅行中出生シタルモノナルトキハ其ノ旨及其ノ屆出地ヲ記入スヘシ

5 住所欄ニハ入監前ノ住所又ハ居所ヲ詳記スヘシ

6 異名欄ニハ本名以外ノ通稱俗稱綽名藝名等ヲ全部記入スヘシ

7 出生年月日欄ニハ亞剌比亞數字ヲ以テ記入スヘシ

8 紀元ニ依ル生年欄ニハ記入スルヲ要セス

9 身分欄ニハ華族、士族、平民、貴族、兩班、常民等ノ區別ヲ記入スヘシ

10 職業欄ニハ逮捕時ノ職業ヲ記入シ數種アルトキハ主ナルモノヨリ順次記入スヘシ

11 備考欄ニハ指頭損傷ノ程度時期又ハ贅指ノ數等指紋ニ關スル參考事項ヲ記入スヘシ

12 指紋番號欄ニハ廻轉印象ニ對シ附シタル番號ヲ亞剌比亞數字ヲ以テ明瞭ニ記入スヘシ　但シ本府ニ送付スル指紋原紙ニ付テハ之ヲ記入スルヲ要セス

13 作成欄ニハ指紋原紙ヲ作成シタル年月日及官署ヲ記入シ作成者ハ認印ヲ爲スヘシ

三 指紋原紙ノ裏面ハ左ノ例ニ依リ記載スヘシ（別紙樣式第一號第二號參照）

1 受刑事項ハ懲役禁錮及之ト同質ノ舊刑法及刑法大全ノ刑ニ該ルモノヲ刑執行ノ順序ニ依ト記入シ受刑事項六箇以上アルトキハ最近五箇ヲ記入シ其ノ他ハ備考欄ニ判決年月日罪名及刑名刑期ヲ順次ニ記入スヘシ

累犯加重ノ原因ト爲ラサル刑ト雖記入スヘシ

併科シタル罰金又ハ引續キ執行スル勞役場留置日數ハ之ヲ記入スルヲ要セス

2 受刑事項中二箇以上引續キ執行スヘキ刑ヲ有スルモノニ付テハ一刑ニ付一欄ヲ用ヰ刑執行ノ順序ニ依リ記入シ刑名刑期ノ肩ニ１２ノ番號ヲ朱書シ且第一刑ノ摘要欄又ハ出獄事由欄ニ下欄ノ刑ヲ引續キ執行スル旨ヲ朱記スヘシ

判決確定年月日ハ刑ノ始期ト一致セサルトキニ限リ摘要欄ニ記入

スヘシ

3 判決ヲ受ケタル氏名欄ニハ判決書ニ記載セル氏名ヲ記入スヘシ

4 言渡官署欄ニハ確定シタル判決ヲ言渡シタル官署ヲ記入スヘシ

5 罪名欄ニハ併合罪ナルトキハ併合サレタル各罪名ヲ記入スヘシ

6 刑名刑期欄ニハ加重又ハ減刑ニ因リ變更サレタルモノ又ハ未決勾留日數ノ記入サレタルモノナルトキハ原刑ノ傍ニ變更刑期又ハ未決勾留算入日數ヲ朱記シ加重又ハ減刑ニ因ルモノニ付テハ倘其ノ事由及年月日ヲ摘要欄ニ朱記スヘシ

7 執行官署欄ニハ一箇ヲ刑ヲ數箇ノ官署ニ於テ執行シタルモノナルトキハ其ノ最後ニ執行シタル官署ヲ記入スヘシ

8 出獄年月日欄ニハ現ニ執行中ノ刑ニ付テハ刑ノ終了ニ因リ出獄スヘキ年月日ヲ記入スヘシ

9 摘要欄及出獄事由欄ニハ恩赦、假出獄、刑ノ終了、刑ノ執行停止、逃走等ヲ簡單ニ記入スヘシ現ニ執行中ノ刑ニ付テハ刑ノ終了ト記入スヘシ

10 身分欄ニハ正確ニ測定シタル身長ヲ亞刺比亞數字ヲ以テ記入スヘシ

11 特徵欄ニハ痘痕、文身、天鯨、創痕、不具其ノ他指紋ニ關セサル著シキ特點ヲ記入スヘシ

12 自署欄ニハ本人ヲシテ自己ノ氏名ヲ縱ニ毛筆ニテ自書セシメ自書不能ノトキハ其ノ旨ヲ記入スヘシ

四、指紋原紙ハ特ニ指定シタルモノヲ除クノ外總テ黑インキヲ使用シ明瞭ニ記入スヘシ

五、指紋原紙ハ之ヲ取纏メテ發送スルトキハ編綴スルコトナク平面ニ展ヘボール紙ヲ以テ包裝スヘシ

對照又ハ改捺等ノ爲若干枚ヲ發送スルトキハ（折）記號アル線ヲ折リ封筒ニ入ルルモ妨ケナシ

六、指紋原紙受刑追加小票ハ左ノ例ニ依リ記載スヘシ（別紙樣式第三號參照）

1 小票番號ハ曆年ニ依リ更改スヘシ

2 原紙記入ノ欄ニハ監獄ニ於テハ記入スルヲ要セス

3 本人ノ氏名カ最近前科ノ氏名ト異ルトキハ前科何々事何某ト記入スヘシ

4 指紋番號欄ニハ必ス番號ヲ記入スヘシ

5 左手示指欄ニハ左手示指ヲ鮮明ニ廻轉押捺セシムヘシ

6 假出獄ノ取消刑執行停止ノ取消等ニ因リ復監シタル場合ニ於テ其ノ復監シタル原刑ノ前後ニ於テ新ナル刑ヲ執行スルトキハ原刑ト新ニ執行スル刑トヲ併記シ兩者ノ關係ヲ小票ノ裏面ニ明記スヘシ

7 二刑以上引續キ執行スルモノニ付テハ同一小票相當欄ニ(1)(2)ノ番號ヲ附スヘシ

8 參考ト爲ルヘキ事項ハ小票ノ裏面ニ記入スヘシ

9 小票ノ裏面ニ事項ヲ記入シタルトキハ表面備考欄ニ裏面參照ト朱記スヘシ

10 小票ヲ發送スルトキハ同幅ノ表紙ヲ添ヘ小穴ヲ通シテ括ルヘシ

七、樣式第五號前科發見報告ハ既ニ報告濟ノ前科アルトキハ其ノ罪名及刑名刑期ヲ備考欄ニ記載スヘシ（別紙樣式參照）

八、樣式第六號指紋押捺者受刑事項異動報告ハ變更事由別ニ記載スヘシ
（別紙樣式參照）
九、樣式第七號指紋押捺者刑期終了前出監報告ハ出獄事由別ニ記載スヘシ（別紙樣式參照）
十、樣式第八號指紋押捺者復監報告ハ復監事由別ニ記載スヘシ（別紙樣式參照）
十一、樣式第十一號指紋押捺者移監收容報告ハ移送監獄別ニ記載スヘシ
（別紙樣式參照）
（別紙樣式省略ス）

三　指紋押捺ニ關スル件

大正十一年一月十七日
法務局長通牒

各監獄典獄宛

今回指紋取扱規程改正相成候處拘禁區分ニ依ル受刑者ニシテ指紋ヲ押捺セシムヘキ者ニ付テハ直ニ移監スルコト能ハサル者ノ外ハ可成移監ヲ受ケタル監獄ニ於テ指紋原紙ヲ作成スルヲ便利ト認候ニ付テハ右受授監獄相互間ニ於テ其ノ邊適當ニ協定相成度此段及通牒候也

追テ協定ヲ遂ケタル上ハ其ノ要點ヲ報告相成度候

四　指紋原紙編綴ニ關スル件

大正十一年一月二十七日
法務局長通牒

各監獄典獄
各分監長宛

今回改正ニ係ル指紋取扱規程第五條ニ依リ身分帳簿ニ編綴スヘキ指紋原紙ハ別紙ノ通裏打シテ示指ト中指トノ中間ノ線ヲ折リ身分帳簿中書信表ノ次ニ編綴スルコトニ一定致候條此段及通牒候也

（別紙省略ス）

五　指紋取扱ニ關スル件

大正十一年五月一九日
法務局長通牒

各監獄典獄各分監長宛

刑ノ執行中刑ノ執行猶豫ノ取消ヲ受ケタルモノニ付往往指紋取扱規程第六條第二號（樣式第六號）ニ依リ報告セラルル向有之候處右ハ同規程第三條第一號ニ依リ處理スヘキモノニ候條爲念及通牒候也

六　受刑者指紋對照ノ件

大正七年十月
監一二九三號
司法部長官

司法次官宛

十月七日附監丙第一、二七四號ヲ以テ首題ノ件御申越ノ趣了承就テハ左記ノ通實行致度候條御了知相成度候也

記

一　當部ヨリ送付スヘキ内地人受刑者ノ指紋原紙ハ貴省制定ノ樣試ニ依リ印刷中ニ付出來次第實行致シ度コト

二　前項ノ指紋原紙ノ記載其ノ他ハ貴省訓令監甲第三六〇號ニ準シ取扱可致ニ付朝鮮人受刑者ノ指紋原紙ニ付テモ右規程ニ依リ取扱ハレタキ

コト

三　當部制定ノ指紋原紙ハ別途小包郵便ヲ以テ壹萬千枚送付可致ニ付各監獄ヘ可然配付セラレタキコト

四　指紋原紙ニ附スル分類ノ價ハ双方之ヲ附セスシテ送付致シタキコト

受刑者指紋對照ノ件

大正七年十月　司法省監獄局監丙第一、二七四號（監一、二九三號）

司法次官

朝鮮總督部司法府長部宛

客月二十五日監第一二九三號ヲ以テ御照會相成候表題ノ件ハ左記事項御實行有之ニ於テハ承知可仕候此段回答旁々及御協議候也

一、貴府ヨリ送付セラルヘキ内地人受刑者ノ指紋原紙ハ對照及ヒ保管上統一ヲ期スル必要アルニ依リ別紙様式ニ據リ正副二通作成送付セラレタキコト

二、前項ニ依リ送付セラルヘキ原紙ノ記載方、原紙ノ作成ヲ要スヘキ受刑者ノ種類、其他之ニ關聯シタル報告等ハ本省ニ於テ定メタル別册指紋原紙取扱規程ヲ準用セラレタキコト

三、内地ニ於ケル朝鮮人受刑者ノ指紋原紙ハ刑ヲ執行スヘキ監獄ニ於テ之ヲ作成シ直接貴部ヘ送付セシムヘキニヨリ之ニ依リ前科包藏ノ事實發見シタルトキハ其旨當該監獄ヘ通知セラレタキコト

四、前項ニ依リ送付スヘキ指紋原紙ハ貴部制定ノ様式ニ據ルヲ便利ナリト認ムルニ依リ該用紙ヲ豫メ當省ヘ回付セラレタキコト、但シ貴部取扱ノ指紋分類ノ價ニ於テ當方ノ分ト相違アラハ原紙ニハ番號ヲ付セスシテ送付シタキコト　以上

七　内地受刑者ノ指紋對照ノ件

大正七年九月　監一二九三號

司法部長官

司法次官宛

共通法施行ノ結果内地及朝鮮ニ於ケル犯罪人相互ニ累犯加重ノ原因ト相成候ニ付大正七年十一月一日現在内地人受刑者約八百名及同日以後ノ新受刑者毎月約百名ニ對シ當府ニ於テ別紙様式ノ指紋原紙ヲ作成シ送付可致ニ付貴省保管ノ指紋原紙ニ對照シ前科ヲ發見セラレタキトキ其ノ旨御通知相成候様致度此ノ段及照會候也

追テ内地ニ於ケル朝鮮人受刑者ノ指紋ニ付テモ之ヲ徴收シ御送付相成候様致度併セテ御回答相成度候

内地人受刑者調

	大正六年	同五年	同四年	以上三ヶ年平均	備考
新受刑者	一、〇三三	一、〇八二	一、一二六	一、〇六九	大正七年八月末日現在八百二十八人アリ
右一ヶ月平均	八四	九〇	九三	八九	
各年末在監現員	八二七	八〇三	七五一	七九三	

附記

一、臺灣ニ於ケル内地人受刑者ハ六月末日現在二百七十三人アリ

二、内地ニ於ケル朝鮮人受刑者ハ六月末日現在六十四人アリ

八　受刑者指紋原紙作成ノ件通知

大正七年十一月　司法省監獄局　監丙第六七二號
監補二九九五號

司法省監獄局長

朝鮮總督府司法部長官宛

朝鮮人及臺灣人ニシテ内地監獄ニテ受刑スル場合ニ於ケル指紋原紙作成方ニ關シ別紙ノ通各監獄典獄ニ通牒致置候間御了知相成度候

（別紙）

朝鮮人及臺灣人受刑者指紋原紙作成ノ件通牒

大正七年十一月　司法省監獄局　監甲六六八號

司法省監獄局長

典獄宛

共通法施行ノ結果朝鮮及臺灣ニ於ケル内地人受刑者ノ指紋原紙ヲ當省ニ蒐集スルト同時ニ内地ニ於ケル朝鮮人及ヒ臺灣人受刑者ノ指紋ヲ徴シ朝鮮總督府又ハ臺灣總督府ニ送付スルコトニ協議致シ候ニ付今後朝鮮人又ハ臺灣人ニシテ受刑スル者アルトキハ之ニ對スル指紋原紙及指紋ニ關スル報告ハ指紋原紙取扱規程ニ依リ本省ヘ送付スル外左ノ通御取扱相成度

一　朝鮮人又ハ臺灣人ニシテ新ニ入監受刑スルモノアルトキハ其指紋ヲ押捺セシメ朝鮮人ハ別紙第一號樣式臺灣人ハ別紙第二號樣式ノ指紋原紙ヲ正副二通作成シ朝鮮人ノ分ハ朝鮮總督府司法部ニ臺灣人ノ分ハ臺灣總督府法務部ニ送付スヘキコト

二　朝鮮人又ハ臺灣人ニシテ現ニ刑執行中ノモノアルトキハ前項ノ例ニ據リ此際指紋原紙ヲ作成送付スヘキコト

三　指紋ノ押捺ヲ要スヘキ受刑者ノ種類、原紙記載例、原紙及報告ノ發送方法等ハ指紋原紙取扱規程ヲ準用スヘキコト

四　朝鮮人受刑者ノ指紋原紙ニハ正本副本共分類ノ價ヲ附セサルコト

五　朝鮮總督府又ハ臺灣總督府ニ於テ指紋ニ依リ前科包藏ノ事實ヲ發見シタルトキハ直接監獄ニ通知スヘキ筈ナルニヨリ之カ通知ニ接シタルトキハ當該檢事ニ通知スルカ其他相當ノ措置ヲ爲スヘキコト

六　指紋ヲ押捺セシメタル朝鮮人又ハ臺灣人ニシテ再ヒ受刑入監シタルトキノ受刑追加報告其他指紋ニ關スル報告事項ハ指紋原紙取扱規程第八條ニ準シ取扱ヒ朝鮮人ノ分ハ朝鮮總督府司法部ニ臺灣人ノ分ハ臺灣總督府法務部ニ通知スヘキコト

七　原紙及受刑追加小票ヲ發送スルトキハ原紙作成表ヲ添付セス只其ノ員數ヲ明記スヘキコト

八　指紋原紙用紙ハ別途小包ヲ以テ送付ス爾後不足ヲ生シタルトキハ朝鮮總督府司法部又ハ臺灣總督府法務部ニ請求スルコト

九　指紋利用ニ關スル件

大正八年二月　監第二六六號

司法部長官

各覆審法院檢事長
各地方法院檢事正　宛
各法院檢事

大正六年十月司法官會議ノ際指紋利用上ニ付及注意置候次第モ有之候處仍其利用普及セサルモノノ如ク遺憾少カラス將來一層是カ勵行方ニ努メ所期ノ目的ヲ貫徹スル樣特ニ留意相成度此段及通牒候也

追テ大正七年中ノ前科發見成績表別紙參考ニ及送付候

一〇　指紋原紙記載事項異動報告ニ關スル件

大正六年三月
監第四一〇號

司法部長官

監獄典獄宛

三月十五日付西監第九八七號ヲ以テ客年七月以降ノ死亡者三十二名ノ氏名取纏報告相成候處右ハ指紋事務整理上支障不尠候ニ付今後ハ事故發生ノ都度通報相成度此段及通牒候也

一一　指紋原紙記載事項異動報告ニ關スル件

大正五年三月
監第三〇四號

司法部長官

典獄宛

爾今假出獄及假出場ニ關スル取扱手續【第六條】ニ依リ提出セラルル報告書ニハ出獄者ノ指紋番號ヲ記入相成度從テ右ニ對スル指紋取扱規程【第八條】ニ依ル異動報告ハ要セサル儀ニ有之候條了知相成度此段及通牒候也

一二　指紋分類番號ニ關スル件

大正十年三月十一日

法務局長

監獄典獄
分監長　宛

指紋分類番號ニシテ當局ニ於テ檢査ノ際疑義ヲ免カレサルモノニ付テハ監獄ニ返戻スル氏名表相當欄ニ其ノ番號ニ〇ヲ附シテ通知シ斯ル指紋ニ對スル見方ヲ一定スルコトトシ同時ニ之ヲ誤謬トシテ取扱ハサルコトニ致候（例ハ七ト八トノ疑ヲ生スル指紋ニシテ當局ハ一般ニ之ヲ七トシテ取扱フコトニ決定スルモノヲ監獄ニ於テ八ト附セルトキハ㊆ト記ス）從テ將來押捺ハ一層明瞭ヲ期セラレ度此段及通牒候也

一三　指紋原紙提出ノ件

大正三年典獄會議注意

指紋原紙ハ必ス規定ノ期間内ニ提出スルコト

前科隱蔽ノ嫌疑アル短期囚ニシテ一般指紋原紙提出期内ニ出監スルモノアラハ其者ノ指紋原紙ハ直ニ之ヲ提出スルコト

一四　指紋ノ取扱及習熟ニ關スル件

大正三年典獄會議指示

指紋ニ關シテハ今尙徵收及調査ノ確實ヲ缺キ或ハ提出期限ヲ遲延スルモノ尠カラス爲ニ無益ノ手數ヲ要スルノミナラス指紋ノ效用ヲ薄弱ナラシムルニ至ルノ虞アルニ依リ主務者ヲシテ一層習熟ニ勗メシムルト共ニ愼重ナル取扱ヲ爲サシムルコトニ注意スヘシ

一五　指紋ノ對照ニ關スル件

大正二年典獄會議指示

指紋取扱規程第五條ニ依リ各監獄ヨリ前科隱蔽ノ嫌疑アル刑事被告人ニ付指紋ノ對照ヲ求メ來リタルモノハ前年中僅ニ六件ニ過キス然ルニ判決

確定後ニ至リ前科アルコトヲ發見シタルモノ百八十餘件アリ指紋ノ實用未タ宜シキヲ得サルニ付一層其實效ヲ收ムルコトニ注意スヘシ

一六　指紋ノ研究ニ關スル件

大正六年典獄會議指示

指紋ノ利用ハ刑事政策上最重要ノ事ニ屬ス然ルニ監獄ニ於ケル指紋事務ノ運用或ハ粗漏ニ流ルルカ爲犯罪者ノ異同識別ニ不便ヲ感スルモノ尠カラス斯ノ如キハ指紋ノ效果ヲ阻却スル所以ナルヲ以テ本府ハ時ニ屬僚ヲ派シ之カ講習ニ努ムル所アリ各位モ亦部下主任者ヲ督シテ之カ的確ヲ期シ益刑政ニ資セムコトヲ要ス

一七　指紋再捺ニ關スル件

大正三年典獄會議注意

事故ニ因リ正當ノ時期ニ指紋徵取不能ノ者アリタルトキハ其ノ障碍ノ止ミタル後直ニ之ヲ徵取シ提出スルコト

一八　指紋ノ改捺ニ關スル件

大正三年典獄會議注意

當部ヨリ指紋ノ再捺ヲ求メタル場合ニ於テ雙手全指ヲ改捺スヘキモノハ濃淡各一枚隻手ヲ改捺スヘキモノハ一枚ノ原紙ニ濃淡二樣其ノ他一部ヲ改捺スヘキモノハ濃淡三回ヲ各押捺セシムルコト

一九　指紋印象徵取方ニ關スル件

大正三年典獄會議注意

指紋ノ印象徵取ニ就テハ左記事項ニ注意スルコト

イ　平面押捺ハ四指ヲ眞直ニ揃ヘテ爲サシムルコト

ロ　回轉押捺ト平面押捺トハ之ヲ對照シ左右手指誤捺ノ有無ヲ檢スルコト

ハ　笞刑囚ノ指紋ハ多ク再徵不可能ナルヲ以テ特ニ前各號ニ注意ヲ拂フコト

二〇　指紋原紙印象鮮明ナルヘキ件

大正三年典獄會議注意

提出ノ指紋原紙中印象不鮮明ナル爲分類上疑惑ヲ生シ再捺ヲ求メタルモノ多シ將來各監獄ニ於テ取扱者ニ注意セシメ些細ナリトモ鮮明ナラサルモノハ必ス改捺提出ヲ爲スコト

二一　指紋原紙記載事項ニ關スル件

大正三年典獄會議注意

指紋原紙ニ記載ノ原籍地、居住地ニシテ實際ノ郡、面、洞、里ノ名稱ト符合セサルモノ又ハ虛無ノモノアリ若ハ郡名洞里名ノミヲ記載シ面ハ不詳トシテ省略セルモノ及其他ノ事項中記載漏ノモノ甚多シ提出ノ際充分調査ヲ遂クルコト

二二　指紋原紙上ノ自署ニ關スル件

大正三年典獄會議注意

再入者ニシテ前回入監ノ時徵取セル指紋原紙ニハ本人自署シ居ルニ拘ラス次回以後ノ分ニ付テハ自署不能ト記載セシモノアリ右ハ勗メテ自署ヲナサシムルコト

二三　指紋ノ確實ナルヘキ件

大正三年典獄會議注意

近時頻頻指紋ノ誤捺アルヲ以テ將來指紋徴取ノ際ニハ必ス本人ニ就キ罪名、刑名、刑期、氏名ヲ訊問シ人違ナキヤ否ヤヲ確認シタル上押捺セシムルコト

二四　指紋原紙特徴欄ノ記載方ノ件

大正三年典獄會議注意

指紋原紙特徴欄ニ特徴ト認メ得ヘカラサル微細ノ點又ハ生理上當然ノ徴候ヲ記載シタルモノアリ指紋取扱規程ニ依リ正確ニ記載スルコト

二五　指紋取扱上注意ヲ要スル件

大正四年典獄會議長官注意

指紋ノ取扱ニ關シテハ左記各號ニ注意セラレタシ

一　前科ノ執行カ其監獄ナリシニモ拘ラス之ヲ發見セサルモノ多シ畢竟指紋取扱規程第六條竝客年典獄會議事項第十六項ノ手續ヲ實行セサルニ由ルモノト認ム將來嚴ニ之ヲ勵行スルコト

二　前科發見ノ通牒ヲ爲シタルモノニ對シ刑ノ加重アリタルトキ、本人ノ申立及特徴ニシテ前回ノ調査ト相違スルモノアルトキ、其他指紋ニ關スル一切ノ異動ハ必ス漏ナク報告スルコト

三　指紋ノ事務ハ特ニ熟練ヲ要スルヲ以テ其取扱者ハ成ルヘク一人トシ且漫リニ之ヲ更迭セサルコト

四　指紋原紙ノ住所氏名ノ記載ハ必ス楷書ヲ以テ認ムヘキコト

五　前科中恩赦ニ係リタルモノアルトキハ當該出獄事由欄ニ其ノ旨ヲ記載スルコト

六　鮮明ニ指紋ノ印象ヲ徴取スルコト能ハサリシモノニ付テハ其理由ヲ備考欄ニ記載スルコト

七　發見セラレタル前科カ笞刑ナル場合ト雖必ス之ヲ檢事ヘ通報スルコト

八　朝鮮人婦女ノ氏名ハ多ク姓氏又ハ召史ナル稱呼ヲ附シアルモ右ハ必スシモ名ナキモノノミニ非ルヘキカ故ニ十分ナル調査ヲ遂ケ其本名アル者ハ之ヲ記載スルコト

九　受刑者ノ移監ヲ受ケタルトキハ指紋取扱心得及記載例第七項ニ依リ漏ナク司法部ヘ通報スルコト

二六　指紋疑義アル場合照會ニ於ケル符箋使用ノ件

大正三年典獄會議注意

指紋ノ分類又ハ價ヲ附スルコトニ關シ疑義アル場合ニ於テ單ニ取扱者ヨリ符箋ヲ以テ照會セラルルモノアリ自今該符箋ニハ典獄又ハ分監長認印ノ上提出スルコト

二七　指紋取扱上注意ヲ要スル件

大正五年典獄會議長官注意

指紋ノ取扱ニ付テハ左記各項ニ注意セラレタシ

一　原紙裏面記載事項ニ紫色スタンプインキヲ用ヰテ不動文字ヲ押捺

セルモノアリ右ハ往往表面ニ滲透シ指紋ヲ汚瀆スルモノアルヲ以テ將來黒肉ヲ使用スルコト

二　氏名ヲ記スルニハ必ス正字ヲ用ヰテ且楷書スルコト

三　鮮人ノ生年月日ニ建陽光武ノ年號ヲ使用セルモノアルモ右ハ舊韓國開國年暦ニ換算シテ記載スルコト

四　原籍、氏名、年齢、父母名等ノ異動ニシテ民籍調査ノ結果ニ係ルモノハ異動報告書ニ其ノ旨附記スルコト

（五乃至九略）

一〇　前科中恩赦ニ係リタルモノアルトキハ其ノ刑名刑期欄ニ減刑前ノ刑ヲ朱記スルコト

一一　同一監獄ノ再入者ニシテ屢其ノ前科ノ發見セラレサルモノアルノミナラス客年十一月恩赦令施行ニ際シテモ同令第七條ノ規定ニ牴觸セサルモノ數件ヲ出シタルハ指紋ノ運用忽諸ニ付シタル結果ニ外ナラス斯クノ如キハ指紋ノ效果ヲ減却セシムルモノナルヲ以テ將來一層其ノ應用ヲ努ムルコト

二八　内地人受刑者ノ指紋原紙作製ノ件

大正九年三月
監第五七四號法務局長通牒

大正七年十二月二十八日附監第一二九三號通牒ニ依ル内地人受刑者ノ指紋原紙ハ別紙記載例ニ依リ作製相成度此段及通牒候也

（別紙略）

第六編　會計

第六編 會計

第一章 通則

一 朝鮮ニ施行スル法律ニ關スル件

明治四十三年九月
勅令第四〇二號

左ニ掲クル法律ハ之ヲ朝鮮ニ施行ス

一 會計法
一 郵便法
一 郵便爲替法
一 鐵道船舶郵便法
一 明治二十三年法律第二十一號
一 電信法
一 郵便貯金法
一 逃亡犯人引渡條例
一 外國艦船乘組員ノ逮捕留置ニ關スル援助法

附 則

本令ハ明治四十三年十月一日ヨリ之ヲ施行ス

二 朝鮮總督府特別會計ニ關スル件

明治四十三年九月
勅令第四〇六號

第一條 朝鮮總督府ノ會計ハ特別トシ其ノ歳入及一般會計ノ補充金ヲ以テ其ノ歳出ニ充ツ

第二條 前條ノ收入支出ニ關スル規定ハ勅令ヲ以テ之ヲ定ム

第三條 政府ハ毎年朝鮮總督府特別會計ノ歳入歳出豫算ヲ調製シ歳入歳出ノ總豫算ト共ニ帝國議會ニ提出スヘシ

附 則

第四條 本令ハ明治四十三年十月一日ヨリ之ヲ施行ス

第五條 鐵道、森林、平壤鑛業所及公債金ノ特別會計竝通信ノ會計ニ付テハ明治四十三年度分限リ從前ノ例ニ依ル

第六條 舊韓國政府ニ屬シタル債權及債務ニシテ本令施行ノ際現存スルモノハ會計ニ移屬ス

第七條 明治四十三年勅令第三百二十六號ニ依ル豫算ニ關スル會計年度ハ明治四十三年九月三十日ヲ以テ終結ス

前項ノ豫算ニ計上シタル一時借入金ハ本會計ノ負擔ニ於テ之ヲ爲スコトヲ得

第八條 前條ノ歳入歳出竝統監府及其ノ所屬官署ニ係ル歳入歳出ノ出納ニ關スル事務ハ明治四十三年十二月三十一日迄ニ悉皆完結スヘシ

第九條 第七條ノ經費竝統監府及其ノ所屬官署ノ經費ノ支辨ニ屬スル工事又ハ製造ニシテ明治四十三年九月三十日迄ニ經費ノ支出ヲ終ラサルモノハ其ノ支出未濟ノ豫算額ヲ本會計ニ移シ之ヲ使用スルコトヲ得

第十條 前條ノ經費支辨ノ諸費ニシテ既ニ契約ヲ爲シ又ハ支拂義務ヲ生シ明治四十三年九月三十日迄ニ支出ヲ終ラサルモノハ其ノ支出未濟ノ豫算額ヲ本會計ニ移シ使用スルモノトス

第十一條 第七條ノ會計ノ過不足ハ之ヲ本會計ニ移シ整理ス

（第二十七回帝國議會承諾）

三 朝鮮總督府特別會計規則

明治四十三年九月
勅令第四〇七號

改正 大正十一年三月勅令第四三號

第一條 歳入歳出ノ豫定計算書ハ所管大臣之ヲ調製シ前年度九月三十日迄ニ大藏大臣ニ送付スヘシ

第二條 所管大臣ハ朝鮮總督ヲ以テ支出官トシ朝鮮總督府特別會計ニ屬スル歳出ヲ支出スル爲小切手ヲ振出サシムルコトヲ得

第三條 朝鮮總督ハ每年度決定ノ豫算定額ニ基キ支出官每ニ所要ノ費額ヲ定メ支拂豫算ヲ調製シ所管大臣ヲ經由シテ大藏大臣及會計檢査院ニ送付シ同時ニ其ノ旨日本銀行ニ通知スヘシ

支拂豫算ヲ更定シタルトキ亦同シ

第四條 朝鮮總督ハ年度內一時收入金額ニ不足ヲ生スルトキハ其ノ不足金額ヲ豫定シ所管大臣ヲ經由シテ大藏大臣ニ支拂元金ノ繰替ヲ請求スヘシ

大藏大臣ハ前項ノ請求ナキトキハ支拂元金ニ超過シタル小切手ノ仕拂ヲ停止セシムルコトアルヘシ

第五條 朝鮮總督ハ會計規則第十八條ノ規定ニ基キ發シタル勅令ニ依リ第一豫備金ノ支出ヲ爲シタルトキハ其金額理由ヲ示ス所ノ計算書ヲ作リ所管大臣ヲ經由シテ大藏大臣ニ通知スヘシ

第六條 大藏大臣第一豫備金支出ノ通知ヲ受ケタルトキハ之ヲ會計檢査院ニ通知スヘシ

第六條ノ二 歳入徵收官ハ每月徵收報告書ヲ調製シ參照書類ヲ添ヘ之ヲ朝鮮總督ニ送付スヘシ

第六條ノ三 朝鮮總督ハ徵收報告書ニ依リ每月徵收總報告書ヲ調製シ參照書類ヲ添ヘ所管大臣ヲ經由シテ其ノ翌月中ニ之ヲ大藏大臣ニ送付スヘシ

第六條ノ四 支出官ハ每月支出濟額報告書ヲ調製シ之ヲ朝鮮總督ニ送付スヘシ

第六條ノ五 朝鮮總督ハ支出濟報告書ニ依リ每月支出總報告書ヲ調製シ支出濟額報告書ヲ添ヘ所管大臣ヲ經由シテ其ノ翌月中ニ之ヲ大藏大臣ニ送付スヘシ

第七條 朝鮮總督ハ土地ノ情況ニ依リ會計規則第九十九條ノ保證金ヲ免除スルコトヲ得

第八條 歳入歳出ノ決定計算書ハ豫定計算書ト同一ノ區分ニ據リ所管大臣之ヲ調製シ翌年度七月三十一日迄ニ大藏大臣ニ送付スヘシ

第九條 朝鮮總督府ハ歳入簿ヲ備ヘ歳入ノ豫算額、調定濟額、收入濟額、不納缺損額及收入未濟額ヲ登記スヘシ

第十條 朝鮮總督府ハ歳出簿ヲ備ヘ歳出ノ豫算額、豫算決定後增加額、支出濟額、翌年度繰越額及殘額ヲ登記スヘシ

第十一條 本令ニ規定セサルモノハ會計規則ノ定ムル所ニ依ル 但シ會計規則第四十二條、第八十五條、第八十八條、第九十二條、第九十七條、第九十八條、第百四條、第百二十五條、第百二十六條、第百二十九條、第百三十四條、第百三十五條第二項、第百三十六條乃至第百三

十八條、第百四十四條及第百四十六條中各省大臣又ハ所管大臣トアルハ朝鮮總督トス

附　則

本令ハ大正十一年四月一日ヨリ之ヲ施行ス

會計規則第五十條、第五十三條、又ハ第七十八條ニ規定スル期限ニ付テハ大正十年度分ニ限リ四月三十日ヲ五月十五日五月三十一日ヲ六月十五日トシ同令第百七十條ニ規定スル期限ハ之ヲ六月十五日トス

大正十年度、所屬歳入歳出金ヲ日本銀行ニ於テ出納スルハ大正十一年六月十五日限リトス

大正十年度、所屬ノ歳入歳出金ノ六月分徴收總報告書及支出總報告書ハ參照書類又ハ支出濟額報告書ト共ニ所管大臣ヲ經由シテ大正十一年六月三十日迄ニ之ヲ大藏大臣ニ送付スヘシ

四　會計法

大正一〇年四月
法律第四二號

第一章　總則

第一條　政府ノ會計年度ハ毎年四月一日ニ始リ翌年三月三十一日ニ終ル

一會計年度所屬ノ歳入歳出ノ出納ニ關スル事務ハ翌年七月三十一日迄ニ悉皆完結スヘシ

第二條　租税其ノ他一切ノ收納ヲ歳入トシ一切ノ經費ヲ歳出トシ歳入歳出ハ之ヲ總豫算ニ編入スヘシ

第三條　毎會計年度ニ於ケル經費ノ定額ハ其ノ年度ノ歳入ヲ以テ之ヲ支辨スヘシ

第四條　各官廳ニ於テハ法律勅令ヲ以テ規定シタルモノヲ除クノ外特別ノ資金ヲ有スルコトヲ得ス

第五條　政府ハ日本銀行ヲシテ國庫金出納ノ事務ヲ取扱ハシム

前項ノ規定ニ依リ日本銀行ニ於テ受入レタル國庫金ハ命令ノ定ムル所ニ依リ政府ノ預金トス

第六條　政府ハ國庫金出納上必要アルトキハ大藏省證券ヲ發行シ又ハ日本銀行ヨリ借入ヲ爲スコトヲ得

大藏省證券及借入金ハ當該年度ノ歳入ヲ以テ之ヲ償還スヘシ

大藏省證券及借入金ノ最高額ハ毎年度帝國議會ノ協贊ヲ經テ之ヲ定ム

第二章　豫算

第七條　歳入歳出ノ總豫算ハ前年ノ帝國議會集會ノ始ニ於テ之ヲ提出スヘシ

必要避クヘカラサル經費及法律又ハ契約ニ基ク經費ニ不足ヲ生シタル場合ヲ除クノ外追加豫算ヲ提出スルコトヲ得ス

第八條　歳入歳出ノ總豫算ハ經常臨時ノ二部ニ大別シ各部中ニ於テ之ヲ款項ニ區分スヘシ

總豫算ニハ帝國議會參考ノ爲ニ左ノ文書ヲ添附スヘシ

一　歳入豫算明細書

二　各省ノ豫定經費要求書　但シ各項中各目ノ明細ヲ記入スヘシ

第九條　豫算中ニ設クヘキ豫備費ハ左ノ二項ニ分ツ

第一豫備金

第二豫備金

第一豫備金ハ避クヘカラサル豫算ノ不足ヲ補フモノトス

第二豫備金ハ豫算外ニ生シタル必要ノ費用ニ充ツルモノトス

第十條　豫備金ヲ以テ支辨シタルモノハ其ノ第一豫備金支出ニ係ルモノハ年度經過後其ノ第二豫備金支出ニ係ルモノハ次ノ常會ニ於テ帝國議會ニ提出シ其ノ承諾ヲ求ムルコトヲ要ス

第十一條　政府ハ豫算ニ定ムルモノ及特ニ帝國議會ノ協賛ヲ經タルモノヲ除クノ外災害事變其ノ他避クヘカラサル事由アル場合ニ於テハ翌年度ニ亘ル契約ヲ締結スルコトヲ得

前項ノ規定ニ依リ翌年度ニ亘ル契約ヲ爲スコトヲ得ヘキ金額ハ毎年度帝國議會ノ協賛ヲ經テ之ヲ定ム

第三章　收入

第十二條　租税其ノ他ノ歳入ハ法令ノ定ムル所ニ依リ之ヲ徴收又ハ收納スヘシ法令ノ定ムル所ニ依リ當該官吏ノ資格アル者ニ非サレハ租税其ノ他ノ歳入ヲ徴收又ハ收納スルコトヲ得ス　但シ各廳事務員ヲシテ收納ヲ分掌セシムル場合又ハ日本銀行ヲシテ收納ヲ取扱ハシムル場合ニ於テハ此ノ限ニ在ラス

第四章　支出

第十三條　各年度ニ於テ決定シタル經費ノ定額ヲ以テ他ノ年度ニ屬スヘキ經費ニ充ツルコトヲ得ス

第十四條　國務大臣ハ其ノ所管ニ屬スル收入ヲ國庫ニ納ムヘシ直ニ之ヲ使用スルコトヲ得ス

國務大臣ハ豫算ニ定メタル目的ノ外ニ定額ヲ使用シ又ハ各項ノ金額ヲ彼此流用スルコトヲ得ス

第十五條　國務大臣其ノ所管定額ヲ支出セムトスルトキハ現金ノ交付ニ代ヘ日本銀行ヲ支拂人トスル小切手ヲ振出スヘシ　但シ他ノ官吏ニ委任シテ小切手ヲ振出サシムルコトヲ得

第十六條　國務大臣ハ債主ノ爲ニスルニ非サレハ小切手ヲ振出スコトヲ得ス　但シ以下四條ノ規定ニ依リ主任ノ官吏又ハ日本銀行ニ對シ資金ヲ交付スル場合ニ於テハ此ノ限ニ在ラス

第十七條　國務大臣ハ勅令ヲ以テ定ムル經費ニ限リ主任ノ官吏ヲシテ現金支拂ヲ爲サシムル爲勅令ノ定ムル所ニ依リ之カ資金ヲ當該官吏ニ交付スルコトヲ得

第十八條　國務大臣ハ日本銀行ニ命シ國債ノ元利拂ヲ爲サシムル爲之カ資金ヲ日本銀行ニ交付スルコトヲ得

第十九條　國務大臣ハ勅令ノ定ムル所ニ依リ現金支拂ヲ爲サシムル爲當該官吏ヲシテ其ノ保管ニ係ル歳入金歳出金又ハ歳入歳出外現金ヲ繰替使用セシムルコトヲ得

前項ノ規定ニ依リ歳出金ニ繰替使用シタル現金ヲ補塡スル爲國務大臣ハ之カ資金ヲ當該官吏ニ交付スルコトヲ得

第二十條　國務大臣隔地者ニ支拂ヲ爲サムトスルトキハ必要ナル資金ヲ日本銀行ニ交付シ之カ支拂ヲ爲サシムルコトヲ得

前項ノ規定ハ隔地ノ出納官吏ニ資金ヲ交付セムトスル場合ニ之ヲ準用ス

第二十一條　國務大臣ハ勅令ヲ以テ定メタル場合ニ限リ前金拂又ハ概算拂ヲ爲スコトヲ得　但軍艦、兵器、彈藥若ハ外國ヨリ直接購入スル機械圖書ノ代價及官公署ニ對シ支拂フヘキ經費ヲ除クノ外物件ノ製造若ハ買入又ハ工事ニ付テハ此ノ限ニ在ラス

第二十二條　國務大臣ハ特殊ノ經理ヲ必要トスル場合ニ限リ勅令ノ定ムル所ニ依リ各廳事務費ノ全部又ハ一部ヲ主務官吏ニ對シ渡切ヲ以テ支給スルコトヲ得

第五章　決算

第二十三條　會計檢査院ノ檢査ヲ經テ政府ヨリ帝國議會ニ提出スル歳入歳出ノ總決算ハ翌年開會ノ常會ニ於テ帝國議會ニ之ヲ提出スヘシ

第二十四條　總決算ハ總豫算ト同一ノ樣式ヲ用ヰ左ノ事項ノ計算ヲ明記スヘシ

　歳入ノ部
歳入豫算額
調定濟歳入額
收入濟歳入額
不納缺損額
收入未濟歳入額

　歳出ノ部
歳出豫算額
豫算決定後增加歳出額
支出濟歳出額
翌年度繰越額
不用額

第二十五條　總決算ニハ會計檢査院ノ檢査報告ト俱ニ左ノ文書ヲ添付スヘシ

一　歳入決算明細書
二　各省決算報告書
三　國債計算書

第六章　歳計剩餘定額繰越過年度支出豫算外收入及定額戻入

第二十六條　各年度ニ於テ歳計ニ剩餘アルトキハ其ノ翌年度ノ歳入ニ繰入ルヘシ

第二十七條　豫算ニ於テ特ニ明許シタルモノ及一年度內ニ終ルヘキ工事製造又ハ物品ノ買入若ハ運搬ニシテ避クヘカラサル事故ノ爲ニ竣功又ハ納入若ハ運搬ヲ遲延シ年度內ニ其ノ經算ノ支出ヲ終ラサリシモノハ之ヲ翌年度ニ繰越シ使用スルコトヲ得

第二十八條　數年ヲ期シテ竣功スヘキ工事製造其ノ他ノ事業ニシテ繼續費トシテ總額ヲ定メタルモノハ毎年度ノ支出殘額ハ竣功年度迄遞次繰越シ使用スルコトヲ得

第二十九條　過年度ニ屬スル經費ハ現年度定額ヨリ支出スヘシ　但シ豫備金ヲ以テ補充シ得ヘキモノヲ除クノ外其ノ經費所屬年度ノ每項定額中不用ト爲リタル金額ヲ超過スルコトヲ得ス

第三十條　出納ノ完結シタル年度ニ屬スル收入其他豫算外ノ收入ハ總テ現年度ノ歳入ニ組入ルヘシ但シ支出濟歳出ノ返納金ハ勅令ノ定ムル所ニ依リ各之ヲ支拂ヒタル經費ノ定額ニ戻入ルルコトヲ得

第七章　契約

第三十一條　政府ニ於テ賣買貸借請負其ノ他ノ契約ヲ爲サムトスルトキハ勅令ヲ以テ定メタル場合ヲ除クノ外總テ公告シテ競爭ニ付スヘシ
國務大臣前項ノ方法ニ依リ契約ヲ爲スヲ不利ト認ムル場合ニ於テハ指名競爭ニ付シ又ハ隨意契約ニ依ルコトヲ得　但シ不動産賣拂ニ付テハ

此ノ限ニ在ラス

第八章　時　效

第三十二條　金錢ノ給付ヲ目的トスル政府ノ權利ニシテ時效ニ關シ他ノ法律ニ規定ナキトキハ五年間之ヲ行ハサルニ因リテ消滅ス政府ニ對スル權利ニシテ金錢ノ給付ヲ目的トスルモノニ付亦同シ

第三十三條　金錢ノ給付ヲ目的トスル政府ノ權利ニ付消滅時效ノ中斷停止其ノ他ノ事項ニ關シ適用スヘキ他ノ法律ノ規定ナキトキハ民法ノ規定ヲ準用ス政府ニ對スル權利ニシテ金錢ノ給付ヲ目的トスルモノニ亦同シ

第三十四條　法令ノ規定ニ依リ政府ノ爲ス納入ノ告知ハ民法第百五十三條ノ規定ニ拘ラス時效中斷ノ效力ヲ有ス

第九章　出納官吏

第三十五條　出納官吏ハ法令ノ定ムル所ニ依リ現金又ハ物品ヲ出納保管スヘシ

出納官吏ハ其ノ出納保管ニ係ル現金又ハ物品ニ付一切ノ責任ヲ負ヒ會計檢査院ノ判決ヲ受クヘシ

第三十六條　出納官吏其ノ保管ニ係ル現金又ハ物品ヲ亡失毀損シタルトキハ善良ナル管理者ノ注意ヲ怠ラサリシコトヲ會計檢査院ニ證明シ責任解除ノ判決ヲ受クルニ非サレハ其ノ亡失毀損ニ付辨償ノ責ヲ免ルルコトヲ得ス

第三十七條　國務大臣ハ特ニ必要アル場合ニ於テハ勅令ノ定ムル所ニ依リ各廳ノ事務員ヲシテ現金又ハ物品ノ出納保管ヲ分掌セシムルコトヲ得

出納官吏ニ關スル規定ハ前項ノ事務員ニ付之ヲ準用ス

第三十八條　第十五條ニ定メタル小切手振出ノ職務ハ現金出納ノ職務ト相兼ヌルコトヲ得ス

第十章　雜　則

第三十九條　特別ノ須要ニ因リ本法ニ準據シ難キモノアルトキハ特別會計ヲ設置スルコトヲ得特別會計ヲ設置スルハ法律ヲ以テ之ヲ定ムヘシ

第四十條　政府ハ其ノ所有又ハ保管ニ係ル有價證券ノ取扱ヲ日本銀行ニ命スルコトヲ得

第四十一條　日本銀行ハ其ノ取扱ヒタル國庫金ノ出納、國債ノ發行ニ依ル收入金ノ收支、第十八條又ハ第二十條ノ規程ニ依リ交付ヲ受ケタル資金ノ收支及前條ノ規程ニ依リ取扱ヒタル有價證券ノ受拂ニ關シ會計檢査院ノ檢査ヲ受クヘシ

附　則

本法施行ノ期日ハ勅令ヲ以テ之ヲ定ム

明治二十七年法律第十六號、明治三十三年法律第五十號及ヒ明治四十四年法律第二十四號ハ之ヲ廢止ス

本法施行前ニ爲シタル第二豫備金ノ支出竝本法施行ノ日ノ屬スル年度ノ前年度及前前年度ノ決算ニ付テハ仍從前ノ例ニ依ル

本法施行前ニ期滿免除ト爲ラサル權利ニ付テハ本法其ノ他ノ法律中時效ニ關スル規程ヲ適用ス　但シ其ノ期間ノ起算點ニ付テハ從前ノ規程ニ依ル本法施行前ニ進行ヲ始メタル期滿免除ノ期間カ本法其ノ他ノ法律ニ定メタル時效ノ期間ヨリ長キトキハ從前ノ規程ニ依ル　但シ其ノ殘期カ本法施行ノ日ヨリ起算シ本法其ノ他ノ法律ニ定メタル時效ノ期間ヨリ長キ

トキハ其ノ日ヨリ起算シテ本法其ノ他ノ法律ヲ適用ス
前三項ニ規程スルモノヲ除クノ外本法施行ニ關シ必要ナル規定ハ勅令ヲ以テ之ヲ定ム

〔參照〕

明治二十七年（六月十二日公布）法律第十六號ハ國庫金出納上一時貸借ニ關スル件、同三十三年（三月十二日公布）法律第五十號ハ鐵道、郵便、電信、電話官署ニ於テ取扱フ現金出納ニ關ル件、同四十四年（三月二十四日公布）法律第二十四號ハ朝鮮總督府鐵道及通信官署ニ於テ取扱フ現金ノ出納ニ關スル件ナリ

五　會計法施行期日ノ件

大正十年十二月
勅令第四八六號

大正十年法律第四十二號ハ大正十一年四月一日ヨリ之ヲ施行ス

六　會計規則

大正十一年一月
勅令第一號

第一章　總則

第一節　會計年度所屬區分

第一條　歳入ノ年度所屬ハ左ノ區分ニ依ル

一　納期ノ一定シタル收入ハ其ノ納期末日ノ屬スル年度
二　隨時ノ收入ニシテ納入ノ告知書ヲ發スルモノハ納入ノ告知書ヲ發シタル日ノ屬スル年度
三　隨時ノ收入ニシテ納入ノ告知書ヲ發セサルモノハ領收ヲ爲シタル日ノ屬スル年度

第二條　歳出ノ年度所屬ハ左ノ區分ニ依ル

一　國債ノ元利、年金、恩給ノ類ハ支拂期日ノ屬スル年度
二　諸拂戻金、缺損補塡金、償還金ノ類ハ其ノ決定ヲ爲シタル日ノ屬スル年度
三　俸給、給料、手當、旅費、手數料ノ類ハ其ノ支給スヘキ事實ノ生シタル時ノ屬スル年度
四　使用料、保管料、電燈電力料ノ類ハ其ノ支拂ノ原因タル事實ノ存シタル期間ノ屬スル年度
五　工事製造費、物件ノ購入代價、運賃ノ類ハ其ノ支拂ヲ爲スヘキ日ノ屬スル年度
六　前各號ニ該當セサル費用ニシテ繰替拂ヲ爲シタルモノハ其ノ繰替拂ヲ爲シタル日ノ屬スル年度、其ノ他ノモノハ小切手ヲ振出シタル日ノ屬スル年度

第二節　國庫金ノ出納

第三條　日本銀行ハ本令ニ依ルノ外大藏大臣ノ定ムル所ニ依リ國庫金出納ノ事務ヲ取扱フヘシ
日本銀行ニ於テ受入レタル國庫金ハ政府預金トシ其ノ種別及受拂ニ關スル事項ハ大藏大臣之ヲ定ム

第四條　政府預金ニハ大藏大臣ノ特ニ定ムルモノ及政府ノ爲ニスル支拂ノ準備ニ必要ナル金額ヲ除クノ外總テ相當ノ利子ヲ附セシム

第五條　毎年度所屬歳入金ヲ日本銀行ニ於テ受入ルルハ翌年度四月三十日限トス　但シ左ニ掲クルノ場合ニ於テハ翌年度五月三十一日迄之カ受入ヲ爲スコトヲ得

一　出納官吏ヨリ其ノ領收シタル歳入金ノ拂込アリタルトキ

二　市町村又ハ之ニ準スヘキモノヨリ其ノ收納シタル歳入金ノ送付アリタルトキ

三　國庫內ニ於テ移換ニ依ル歳入金ノ受入ヲ爲ストキ

每年度所屬歳出金ヲ日本銀行ニ於テ支拂フハ翌年度五月三十一日限トス

第二章　豫算

第一節　總豫算

第六條　大藏大臣ハ歳入ノ景況ヲ調査シ各省ノ豫定經費要求書ニ基キ歳入歳出總豫算ヲ調製スヘシ

總豫算ニハ歳計全體ニ關スル說明ヲ附スヘシ

第七條　歳入豫算ハ經常臨時共ニ款項ニ區分シテ調製シ成ルヘク歳入ノ性質ヲ明ニスヘシ

第八條　歳出豫算ハ經常臨時共ニ款項ニ區分シテ調製シ成ルヘク經費ノ目的ヲ明ニスヘシ

第九條　歳入歳出總豫算款項ノ區分ハ大藏大臣之ヲ定ム

第二節　歳入豫算明細書

第十條　大藏大臣ハ每年度歳入ノ豫定高ヲ算定シ前年度ノ豫算額ト比較ヲ爲シ歳入豫算明細書ヲ調製スヘシ

歳入豫算明細書ハ經常臨時共ニ款項ニ區分シ更ニ各項ノ金額ヲ各目ニ區分シ各項每ニ增減ノ事由及計算ノ基ク所ヲ示スヘシ

第三節　豫定經費要求書

第十一條　各省大臣ハ每年度其ノ所管經費ノ豫定高ヲ算定シ前年度ノ豫算額ト比較ヲ爲シ豫定經費要求書ヲ調製シ前年度九月三十日迄ニ之ヲ大藏大臣ニ送付スヘシ

第十二條　各省ノ豫定經費要求書ハ經常臨時共ニ款項ニ區分シ各項中所要ノ金額ヲ各目ニ區分シ必要ノ場合ニ於テハ更ニ之ヲ細分シ經費所要ノ理由及計算ノ基ク所ヲ示スヘシ目ノ區分ハ各省大臣大藏大臣ト協議シテ之ヲ定ム

第十三條　各省ノ豫定經費要求書ニハ各省所管經費全體ニ關スル說明及各款各項ノ說明ヲ附スヘシ

第四節　支拂豫算

第十四條　各省大臣ハ每年度決定ノ豫算定額ニ基キ支出官每ニ所要ノ費額ヲ定メ支拂豫算ヲ調製シ之ヲ大藏大臣及會計檢查院ニ送付スヘシ支拂豫算ハ各款各項ノ金額ヲ示スヘシ

第十五條　支拂豫算ヲ更定シタルトキハ其ノ計算書ヲ大藏大臣及會計檢查院ニ送付スヘシ

第十六條　大藏大臣支拂豫算又ハ其ノ更定計算書ノ送付ヲ受ケタルトキハ之ヲ日本銀行ニ通知スヘシ

第五節　豫備金支出

第十七條　豫備金ハ大藏大臣之ヲ管理ス

第十八條　第一豫備金ヲ以テ補充シ得ヘキ費途ハ每年度豫メ勅令ヲ以テ之ヲ定ム

第十九條　各省大臣第一豫備金ノ支出ヲ要スルトキハ金額理由及計算ノ基ク所ヲ明ニシタル要求書ヲ調製シ大藏大臣ノ承認ヲ經ヘシ

第二十條　大藏大臣第一豫備金ノ支出ヲ承認シタルトキハ之ヲ會計檢查院ニ通知スヘシ

第二十一條　各省大臣第二豫備金ノ支出ヲ要スルトキハ金額、理由及計

算ノ基ク所ヲ明ニシタル要求書ヲ調製シ之ヲ大藏大臣ニ送付スヘシ

第二十二條　大藏大臣ハ前條ノ要求書ヲ調査シ意見ヲ附シテ勅裁ヲ請フヘシ

第二十三條　第二豫備金支出ノ勅裁アリタルトキハ大藏大臣ハ金額、理由及計算ノ基ク所ヲ明ニシタル書類ヲ添ヘ之ヲ會計檢査院ニ通知シ且其ノ事項及金額ヲ官報ニ掲載スヘシ

第二十四條　第一豫備金ヲ以テ補充シタル金額ハ各省大臣其ノ計算書ヲ調製シ各費途毎ニ説明ヲ附シ翌年度八月三十一日迄ニ之ヲ大藏大臣ニ送付スヘシ

大藏大臣ハ第一豫備金支出ノ總計算書ヲ調製シ之ニ説明ヲ附シ各省大臣ヨリ送付シタル豫備金支出ノ計算書ト共ニ帝國議會ニ提出スルノ手續ヲ爲スヘシ

第二十五條　第二ノ豫備金ヲ以テ支辨シタル金額ハ各省大臣其ノ調書ヲ調製シ各費途毎ニ説明ヲ附シ毎年度帝國議會常會ノ開會後直ニ之ヲ大藏大臣ニ送付スヘシ

大藏大臣ハ第二豫備金支出ノ總調書ヲ調製シ之ニ説明ヲ附シ各省大臣ヨリ送付シタル豫備金支出ノ調書ト共ニ帝國議會ニ提出スルノ手續ヲ爲スヘシ

第六節　翌年度ニ亘ル契約

第二十六條　各省大臣災害事變其ノ他避クヘカラサル事由ノ爲會計法第十一條第一項ノ規定ニ依リ翌年度ニ亘ル契約ヲ結フノ必要アリト認ムルトキハ金額、理由及計算ノ基ク所ヲ明ニシタル要求書ヲ調製シ大藏大臣ノ承認ヲ經ヘシ

第二十七條　大藏大臣前條ノ承認ヲ爲シタルトキハ金額、理由及計算ノ基ク所ヲ明ニシタル書類ヲ添ヘ之ヲ會計檢査院ニ通知スヘシ

第三章　收入

第一節　徴收

第二十八條　歳入徴收官ハ法律又ハ勅令ニ特別ノ規定アル場合ヲ除クノ外各省大臣ノ定ムル各廳ノ長ヲ以テ之ニ充ツ各省大臣必要アリト認ムルトキハ大藏大臣ト協議シテ前項ノ規定ニ特例ヲ設クルコトヲ得

歳入徴收官必要アリト認ムルトキハ他ノ官吏ヲシテ其ノ徴收事務ノ一部ヲ分掌セシムルコトヲ得

第二十九條　支出濟ト爲リタル歳出返納金ヲ歳入ニ組入レムトスル場合ニ於テハ該經費ヲ支出シタル支出官之カ歳入徴收官トシテ徴收ノ手續ヲ爲スヘシ

第三十條　歳入徴收官租税其ノ他ノ歳入ヲ徴收セムトスルトキハ法令ニ違フコトナキカ、所屬年度及歳入科目ヲ誤ルコトナキカヲ調査シ之ヲ決定スヘシ

第三十一條　歳入徴收官前條ノ決定ヲ爲シタルトキハ納人ニ對シ其ノ納付スヘキ金額、期日及場所ヲ記載シタル書面ヲ以テ納入ノ告知ヲ爲スヘシ但シ出納官吏又ハ出納員ニ卽納セシムル場合ハ口頭ヲ以テ納入ノ告知ヲ爲スコトヲ得

第三十二條　納期ノ一定シタル收入ニシテ納期所屬ノ年度ニ於テ納入ノ告知書ヲ發セサルモノハ總テ納入ノ告知書ヲ發シタル年度ノ歳入ニ組入ルヘシ

第三十三條 出納官吏又ハ出納員租税其ノ他ノ歳入金ヲ收納シタルトキハ領收證書ヲ納人ニ交付スヘシ此ノ場合ニ於テ出納官吏收納濟ノ旨ヲ歳入徴收官ニ報告スヘシ

第三十四條 出納官吏又ハ出納員ノ收納シタル現金ハ出納官吏之ヲ日本銀行ニ拂込ムヘシ

第三十五條 日本銀行ニ於テ歳入金ヲ收納シ又ハ歳入金ノ拂込ヲ受ケタルトキハ領收證書ヲ納人又ハ拂込人ニ交付シ領收濟ノ旨ヲ歳入徴收官ニ報告スヘシ

第三十六條 毎度所屬歳入金ヲ出納官吏又ハ出納員ニ於テ收納スルハ翌年度四月三十日限トス

第三節 報告

第三十七條 歳入徴收官ハ毎月徴收報告書ヲ調製シ參照書類ヲ添ヘ之ヲ歳入事務管理廳ニ送付スヘシ

第三十八條 歳入事務管理廳ハ徴收報告書ニ依リ毎月徴收總報告書ヲ調製シ參照書類ヲ添ヘ其ノ翌月中ニ之ヲ大藏大臣ニ送付スヘシ

第四章 支出

第一節 總則

第三十九條 勅令ヲ以テ指定シタル費途ニ對シテハ大藏大臣ノ承認ヲ經ルニ非サレハ之ニ他ノ費途ノ金額ヲ流用スルコトヲ得ス

大藏大臣前項ノ承認ヲ爲シタルトキハ之ヲ會計檢査院ニ通知スヘシ

第四十條 豫備金ヲ以テ補充シ得ヘキ費途豫備金ヲ以テ支辨スル費途ノ金額ハ他ノ費途ニ流用スルコトヲ得ス

第四十一條 各省大臣他ノ官吏ヲシテ其ノ所管定額ノ支出ヲ爲サシメムトスルトキハ支拂豫算ヲ定メテ之ヲ委任スヘシ

第四十二條 支出官事故アルトキハ各省大臣ハ臨時他ノ官吏ヲシテ其ノ事務ヲ代理セシムルコトヲ得

第四十三條 本章ノ規定ハ商法中小切手ニ關スル規定ノ適用ヲ妨ケス

第二節 小切手ノ振出

第四十四條 支出官ハ小切手振出前其ノ經費ハ豫算ノ目的ニ違フコトナキカヲ調査シ該經費ノ金額ヲ算定シ且該經費ハ支拂豫算額ニ超過スルコトナキカ、所屬年度及支出科目ヲ誤ルコトナキカヲ調査スヘシ

第四十五條 支出官ハ其ノ振出ス小切手ニ受取人ノ氏名、金額、年度、支出科目、番號其ノ他必要ナル事項ヲ記載スヘシ

第四十六條 小切手ハ一項毎ニ之ヲ振出スヘシ

第四十七條 支出官ノ振出ス小切手ハ大藏大臣ノ特ニ定ムル場合ヲ除クノ外之ヲ記名式所持人拂ト爲スヘシ

第四十八條 支出官隔地ノ債主ニ支拂ヲ要スルトキハ支拂場所ヲ指定シ日本銀行ニ之カ資金ヲ交付シ其ノ旨ヲ債主ニ通知スヘシ

前項ノ規定ハ隔地ノ出納官吏ニ資金ヲ交付スル場合ニ之ヲ準用ス

第四十九條 支出官小切手ヲ振出シタルトキハ其ノ都度之ヲ日本銀行ニ通知スヘシ

第五十條 毎年度ニ屬スル經費ヲ精算シテ小切手ヲ振出スハ翌年度四月三十日限トス 但シ國庫內ニ於ケル移換ノ爲ニスル支出又ハ會計法第十九條ノ規定ニ依リ歳出金ニ繰替使用シタル現金補塡ノ爲ニスル支出ニ付テハ翌年度五月三十一日迄小切手ヲ振出スコトヲ得

第三節 支拂

第五十一條　小切手ノ呈示アリタルトキハ日本銀行ハ其ノ小切手カ法令違フコトナキカ、券面金額カ支拂豫算各項定額ノ殘高ニ超過スルコトナキカヲ調査シ之カ支拂ヲ爲スヘシ

前項ノ小切手ニシテ其ノ振出日附ヨリ十日ヲ經過シタルモノト雖一年ヲ經過セサル場合ニ於テハ之カ支拂ヲ爲スヘシ

第五十二條　日本銀行第四十八條ノ規定ニ依リ資金ノ交付ヲ受ケタル場合ニ於テ其ノ小切手ノ振出日附ヨリ一年ヲ經過シタルトキハ債主又ハ出納官吏ニ對シ之カ支拂ヲ爲スコトヲ得ス

第五十三條　毎年度小切手振出濟金額中翌年度五月三十一日迄ニ支拂ヲ了セサル金額ニ相當スル資金ハ會計法第二十六條ノ歳計剩餘ニ組入レス之ヲ繰越整理スヘシ

第五十四條　前條ノ規定ニ依リ繰越シタル資金中小切手振出日附ヨリ一年ヲ經過シ未タ其ノ支拂ヲ了セサル金額ニ相當スルモノハ之ヲ其ノ期間滿了ノ日ノ屬スル年度ノ歳入ニ組入ルヘシ

前項ノ規定ハ日本銀行第五十二條ノ場合ニ於テ支拂ヲ了セサル金額ニ相當スル資金ノ返納ニ付之ヲ準用ス

第五十五條　支出官小切手ノ所持人ヨリ償還ノ請求ヲ受ケタル場合ニ於テハ之ヲ調査シ償還スヘキモノト認ムルトキハ事由ヲ具シ證憑書類ヲ添ヘ之ヲ所管大臣ニ提出シ所管大臣ハ審査ノ上之カ支拂ヲ大藏大臣ニ請求スヘシ

第五十六條　前條ノ規定ハ支出官第五十二條ノ場合ニ於テ其ノ支拂ヲ受ケサル債主又ハ出納官吏ヨリ更ニ支拂ノ請求ヲ受ケタル場合ニ之ヲ準用ス

第四節　資金前渡、前金拂、概算拂及渡切經費

第五十七條　會計法第十七條ノ規定ニ依リ主任ノ官吏ヲシテ現金支拂ヲ爲サシムル爲其ノ資金ヲ當該官吏ニ前渡スルハ左ニ掲クル經費ニ限ル

一　陸軍ノ軍隊、學校及病院並海軍ノ部隊、學校、病院及艦船ニ屬スル經費
二　陸海軍ノ行軍又ハ演習ニ要スル經費
三　陸軍ニ於テ馬匹又ハ糧秣ヲ生產者ヨリ直接購入スル場合ニ要スル經費
四　官船ニ屬スル經費
五　外國ニ於テ支拂ヲ爲ス經費
六　運輸通信ノ不便ナル地方ニ於テ支拂ヲ爲ス經費
七　廳中常用ノ雜費及旅費但シ一年ノ總額五千圓ヲ超ユルコトヲ得ス
八　場所ノ一定セサル事務所ノ經費
九　各廳直營ノ工事、製造又ハ造林ニ要スル經費　但シ一主任官ニ付常時五萬圓ヲ超ユルコトヲ得ス
十　監獄作業賞與金
十一　囚人及刑事被告人押送費
十二　證人、鑑定人、通事又ハ參考人ニ支給スル旅費其ノ他ノ給與

第五十八條　前條ノ規定ニ依リ資金ヲ前渡スルハ左ノ區分ニ依ル

一　當時ノ費用ニ係ルモノハ毎一月分以內ノ費額ヲ豫定シテ交付スヘシ但シ外國ニ於テ支拂ヲ爲ス經費、運輸通信ノ不便ナル地方ニ於テ支拂ヲ爲ス經費又ハ支拂場所ノ一定セサル經費ハ事務ノ必要ニ依リ六月分以內ヲ交付スルコトヲ得

二 隨時ノ費用ニ係ルモノハ所要ノ費額ヲ豫定シテ事務上差支ナキ限リ成ルヘク分割シテ交付スヘシ

第五十九條 會計法第二十一條ノ規定ニ依リ前金拂ヲ爲シ得ルハ左ニ揭クル經費ニ限ル但シ第九號乃至第十三號ニ揭クル經費ニ付テハ所管大臣大藏大臣ト協議スルコトヲ要ス

一 軍艦、兵器又ハ彈藥ノ代價
二 外國ヨリ直接購入スル機械又ハ圖書ノ代價
三 朝鮮、臺灣、樺太、關東州又ハ南洋群島内ニ居住スル者ニ支給スル徵兵旅費
四 運賃
五 外國ニ於テ支拂ヲ要スル土地又ハ家屋ノ借料及公課
六 政府ノ買收又ハ收用ニ係ル土地ノ上ニ存スル物件ノ移轉料
七 官公署ニ對シ支拂フヘキ經費
八 外國ニ於テ研究又ハ調査ニ從事スル者ニ支給スル學資金其ノ他ノ給與
九 交通至難ノ場所ニ勤務スル者又ハ艦船乘組者ニ支給スル俸給其ノ他ノ給與
十 軍人、軍屬及陸海軍ノ職工ニ支給スル旅費
十一 外國在勤陸海軍武官ニ支給スル俸給其ノ他ノ給與
十二 補助金
十三 諸謝金

第六十條 會計法第二十一條ノ規定ニ依リ概算拂ヲ爲シ得ルハ左ニ揭クル經費ニ限ル但シ第三號ニ揭クル經費ニ付テハ所管大臣大藏大臣ト協議スルコトヲ要ス

一 旅費
二 官公署ニ對シ支拂フヘキ經費
三 補助金又ハ補給金

第六十一條 會計法第二十二條ノ規定ニ依リ事務費ノ全部又ハ一部ヲ主務官吏ニ對シ渡切ヲ以テ支給シ得ルハ左ニ揭クル官署ノ經費ニ限ル

一 在外各廳
二 遞信官署
三 區裁判所出張所
四 朝鮮、臺灣、樺太、關東州及南洋群島ニ於ケル官署

前項ノ官署ノ種類、渡切ト爲スヘキ歲出科目及支給方法ハ所管大臣大藏大臣ト協議シテ之ヲ定ム

第五節 繰替拂

第六十二條 各省大臣ハ左ニ揭クル經費ノ支拂ヲ爲サシムル爲出納官吏ヲシテ其ノ保管ニ係ル前渡ノ資金ヲ繰替使用セシムルコトヲ得但シ第四號ニ揭ケル經費ニ繰替使用スヘキ資金ハ艦船經費繰替金ニ限ル

一 旅費
二 埋葬費
三 在外公館ニ於ケル難民貸與金
四 海軍省所管艦船經費

第六十三條 所管大臣ハ左ニ揭クル官署ノ出納官吏又ハ出納員ヲシテ其ノ取扱ニ係ル歲入金、歲出金及歲入歲出外現金ヲ交互ニ繰替使用セシムルコトヲ得

一　鐵道官署
二　遞信官署

前項ノ規定ニ依ル現金ノ繰替使用ニ關スル手續ハ所管大臣大藏大臣ト協議シテ之ヲ定ム

第六節　年度開始前支出

第六十四條　各省大臣ハ資金前渡ヲ爲シ得ル經費ニ限リ必要已ムヲ得サル場合ニ於テハ當該年度開始前之カ資金ヲ交付スルコトヲ得

第六十五條　前條ノ場合ニ於テハ其ノ前渡ニ要スル經費ヲ算定シ計算書ヲ調製シ之ヲ大藏大臣及會計檢査院ニ送付スヘシ

大藏大臣前項ノ計算書ノ送付ヲ受ケタルトキハ審査ノ上之ヲ日本銀行ニ通知スヘシ

第七節　報告

第六十六條　支出官ハ毎月支出濟額報告書ヲ調製シ之ヲ所管大臣ニ送付スヘシ

第六十七條　所管大臣ハ支出濟額報告書ニ依リ毎月支出總報告書ヲ調製シ支出濟額報告書ヲ添ヘ其ノ翌月中ニ之ヲ大藏大臣ニ送付スヘシ

第五章　決算

第一節　總決算

第六十八條　歳入歳出總決算ハ總豫算ト同一ノ區分ニ依リ大藏大臣之ヲ調製スヘシ

第六十九條　大藏大臣ハ總決算ニ歳入決算明細書各省決算報告書及國債計算書ヲ添ヘ會計檢査院ニ送付ノ手續ヲ爲スヘシ

第二節　歳入決算明細書、各省決算報告書及收入支出計算書

第七十條　大藏大臣ハ歳入豫算明細書ト同一ノ區分ニ依リ歳入決算明細書ヲ調製シ各項毎ニ豫算ニ對スル增減ノ事由ヲ説明スヘシ

第七十一條　歳入事務管理廳ハ大藏大臣ノ定ムル所ニ依リ毎年度收入濟歳入額ニ付豫算ニ對スル增減計算書ヲ調製シ翌年度七月三十一日迄ニ之ヲ大藏大臣ニ送付スヘシ

第七十二條　各省大臣ハ各省豫定經費要求書ト同一ノ區分ニ依リ其ノ省所管ニ屬スル經費ノ決算報告書ヲ調製シ翌年度七月三十一日迄ニ之ヲ大藏大臣ニ送付スヘシ

第七十三條　歳入徴收官ハ會計檢査院ニ證明ノ爲歳入徴收額計算書ヲ調製シ證憑書類ヲ添ヘ其ノ歳入事務管理廳ニ送付シ歳入事務管理廳ハ之ヲ會計檢査院ニ送付スヘシ

第七十四條　支出官ハ會計檢査院ニ證明ノ爲支出計算書ヲ調製シ證憑書類ヲ添ヘ其ノ所管大臣ニ送付シ所管大臣ハ之ヲ會計檢査院ニ送付スヘシ

第七十五條　前二條ノ計算書ハ歳入事務管理廳又ハ所管大臣ヨリ特ニ委任ヲ受ケタル官吏ヲシテ直ニ之ヲ會計檢査院ニ送付セシムルコトヲ得

第三節　國債計算書

第七十六條　國債計算書ハ大藏大臣之ヲ調製スヘシ

第七十七條　國債計算書ニハ左ニ掲クル事項ヲ示スヘシ

一　當該年度末日ニ於ケル國債ノ種類及現在高ヲ示ス計算
二　當該年度ニ於テ償還シ及支拂ヒタル各種國債ノ元高及利子ノ計算
三　最近五年度間ニ於ケル各種國債增減ノ情況ヲ示ス計算

第六章　定額繰越及定額戻入

第一節　定額繰越

第七十八條　各省大臣會計法第二十七條及第二十八條ノ規定ニ依リ定額ノ繰越ヲ要スルトキハ翌年度四月三十日迄ニ繰越計算書ヲ調製シ各事件每ニ其ノ事由ヲ示シ大藏大臣ノ承認ヲ求ムヘシ

繰越計算書ハ歳出豫算ト同一ノ區分ニ依リ調製シ左ニ掲クル事項ヲ示スヘシ

一　繰越ヲ要スル項ノ定額
二　定額中支出濟ト爲リタル額及當該年度所屬トシテ支出スヘキ額
三　定額中翌年度ニ繰越ヲ要スル額
四　定額中不用ト爲ルヘキ額

第七十九條　會計法第二十七條ノ規定ニ依リ繰越ヲ爲サムトスルトキハ豫算ニ於テ明許シタル場合ヲ除クノ外前條ノ繰越計算書ニ契約書ノ寫其ノ他ノ參照書類ヲ添附スヘシ

第八十條　大藏大臣各省定額ノ繰越ヲ承認シタルトキハ繰越計算書ノ寫ヲ添ヘ之ヲ會計檢査院ニ通知スヘシ

第二節　定額戻入

第八十一條　支出濟ト爲リタル歳出ノ返納金ハ其ノ支拂ヒタル經費ノ定額ニ之ヲ戻入ルルコトヲ得　但シ最重ナル過失ニ因リ誤拂過渡ト爲リタル金額ニ付テハ此ノ限ニ在ラス

第八十二條　支出官前條ノ規定ニ依リ定額ニ戻入レムトスルトキハ返納人ヲシテ其ノ金額ヲ返納セシムヘシ

第八十三條　日本銀行ニ於テ前條ノ返納金ヲ領收シタルトキハ之ニ相當スル金額ヲ支拂豫算定額ニ戻入ノ記帳ヲ爲シ其ノ旨ヲ支出官ニ通知スヘシ

第八十四條　翌年度ニ屬スル定額戻入ヲ爲スハ翌年度四月三十日限トス

第七章　契　約

第一節　總　則

第八十五條　各省大臣又ハ其ノ委任ヲ受ケタル官吏契約ヲ爲サムトスルトキハ契約ノ目的、履行期限保證金額、契約違反ノ場合ニ於ケル保證金ノ處分、危險ノ負擔其ノ他必要ナル事項ヲ詳細ニ記載シタル契約書ヲ作成スヘシ

第八十六條　契約書ニハ當該官吏記名捺印スルコトヲ要ス

第八十七條　各省大臣ハ左ニ掲クル場合ニ於テハ第八十五條ニ規定スル契約書ノ作成ヲ省略スルコトヲ得但シ第五號ノ場合ニ於テハ大藏大臣ト協議スルコトヲ要ス

一　三千圓ヲ超エサル指名競爭契約又ハ隨意契約ヲ爲ストキ
二　外國ニ於テ五千圓ヲ超エサル指名競爭契約又ハ隨意契約ヲ爲ストキ
三　糶賣ニ付スルトキ
四　物品賣拂ノ場合ニ於テ買受人直ニ代金ヲ納付シ其ノ物品ヲ引取ルトキ
五　第一號及第二號以外ノ隨意契約ニ付各省大臣契約書ヲ作成スルノ必要ナシト認ムルトキ

第八十八條　政府ト契約ヲ結ハムトスル者ハ現金又ハ國債ヲ以テ契約金額百分ノ十以上ノ保證金ヲ納ムヘシ

指名競爭ニ付シ又ハ隨意契約ニ依ル場合ニ於テ各省大臣ハ保證金ノ全

部又ハ一部ヲ免除スルコトヲ得前條第三號及第四號ノ場合亦同シ

第八十九條 契約者其ノ義務ヲ履行セサルトキハ契約ニ別段ノ定アル場合ヲ除クノ外保證金ハ政府ノ所得トス

第九十條 政府ニ屬スル財産ノ賣拂ヲ爲ストキハ法律勅令ニ特別ノ規定アル場合ヲ除クノ外其ノ引渡前又ハ移轉ノ登記若ハ登錄前其ノ代金ヲ完納セシムヘシ

第九十一條 財産ノ貸付料ハ法律勅令ニ特別ノ規定アル場合ヲ除クノ外之ヲ前納セシムヘシ 但シ貸付期間ノ長期ニ渉ルモノニ付テハ毎年定期ニ之ヲ納付セシムルコトヲ得

第九十二條 各省大臣三千圓ヲ超ユル工事、製造又ハ物件ノ買入ニ付テハ竣功又ハ完納ノ後之ヲ監督又ハ檢査シタル官吏又ハ技術者ヲシテ其ノ調書ヲ作成セシムヘシ

契約ニ依リ工事若ハ製造ノ既濟部分又ハ物件ノ既納部分ニ對シ完濟前又ハ完納前ニ代價ノ一部分ヲ支拂ハムトスルトキハ各省大臣ハ特ニ檢査ノ官吏又ハ技術者ヲ命シ事實ヲ調査シテ其ノ調書ヲ作成セシムヘシ

前各項ノ調書ニ依ルニ非サレハ支拂ヲ爲スコトヲ得ス

第九十三條 前條第二項ノ支拂ヲ爲サムトスルトキハ工事又ハ製造ニ付テハ其ノ既濟部分ニ對スル代價ノ十分ノ九、物件ノ買入ニ付テハ其ノ既納部分ニ對スル代價ヲ超ユルコトヲ得ス 但シ箇箇ニ分立シ得ヘキ性質ノ工事又ハ製造ニ於ケル各箇ノ完濟部分ニ對シテハ其ノ代價ノ全額迄ヲ支拂フコトヲ得

第九十四條 前二條ノ規定ハ工事又ハ製造以外ノ請負契約ノ全部又ハ一部ノ履行ニ對シ支拂ヲ爲サムトスル場合ニ之ヲ準用ス

第九十五條 本章ニ定ムルモノノ外契約ニ關シ必要ナル事項ハ大藏大臣ハ之ヲ定ム

第二節 一般競爭契約

第九十六條 一般ノ競爭ニ加ラムトスル者ニ必要ナル資格ハ大藏大臣ノ定ムル所ニ依ル

第九十七條 各省大臣ハ左ノ各號ノ一ニ該當スト認メタル者ヲ爾後二年間競爭ニ加ラシメサルコトヲ得之ヲ代理人、支配人、番頭、手代又ハ技術者トシテ使用シタル者亦同シ

一 契約ヲ履行スルニ當リ故意ニ工事製造又ハ物件ヲ粗雜ニシ又ハ其ノ品質數量ニ關シ欺罔ノ行爲アリタル者

二 競爭ニ際シ不當ニ價格ヲ競上ケ又ハ競下クル目的ヲ以テ連合ヲ爲シタル者

三 競爭ノ加入ヲ妨害シ又ハ競落者ノ契約締結若ハ契約ノ履行ヲ妨害シタル者

四 檢査監督ニ際シ掛員ノ職務執行ヲ妨ケタル者

五 正當ノ理由ナクシテ契約ヲ履行セサリシ者

六 前各號ノ一ニ該當スト認メラレタル後二年ヲ經過セサル者ヲ契約ニ際シ代理人、支配人、番頭、手代又ハ技術者トシテ使用スル者

第九十八條 各省大臣ハ前條ノ規定ニ該當スル者ノ入札代理人トシテ使用スル者ヲ競爭ニ加ラシメサルコトヲ得

第九十九條 競爭ニ加ラムトスル者ハ現金又ハ國債ヲ以テ見積金額百分ノ五以上ノ保證金ヲ納ムヘシ

第百條 競落者契約ヲ結ハサルトキハ保證金ハ政府ノ所得トス

第百一條　競爭ハ第百九條ニ規定スル場合ヲ除クノ外總テ入札ノ方法ヲ以テ之ヲ行フヘシ

第百二條　入札ノ方法ニ依リ競爭ニ付セムトスルトキハ其ノ入札期日ノ前日ヨリ起算シ少クトモ十日前ニ官報、新聞紙、掲示其ノ他ノ方法ヲ以テ公告スヘシ　但シ急ヲ要スル場合ニ於テ其ノ期間ヲ五日迄ニ短縮スルコトヲ得

第百三條　前條ノ公告ニハ左ニ掲クル事項ヲ示スヘシ

一　競爭入札ニ付スル事項
二　契約條項ヲ示ス場所
三　競爭執行ノ場所及日時
四　入札ノ保證金

第百四條　各省大臣又ハ其ノ委任ヲ受ケタル官吏ハ其ノ競爭入札ニ付スル事項ノ價格ヲ豫定シ其ノ豫定價格ヲ封書トシ開札ノトキ之ヲ開札場所ニ置クヘシ

第百五條　開札ハ公告ニ示シタル場所日時ニ入札者ノ面前ニ於テ之ヲ行フヘシ　但シ入札者ニシテ出席セサル者アルトキハ入札ニ關係ナキ官吏ヲシテ開札ニ立會ハシムヘシ

入札者ハ一旦提出シタル入札書ノ引換、變更又ハ取消ヲ爲スコトヲ得ス

競爭加入ノ資格ナキ者ノ爲シタル入札又ハ入札ニ關スル條件ニ違反シタル入札ハ無效トス

第百六條　開札ノ場合ニ於テ各人ノ入札中第百四條ノ規定ニ依リ豫定タル價格ノ制限ニ達シタルモノナキトキハ直ニ再度ノ入札ヲ爲サシムルコトヲ得

第百七條　落札ト爲ルヘキ同價ノ入札ヲ爲シタル者二人以上アルトキハ直ニ抽籤ヲ以テ落札者ヲ定ムヘシ

前項ノ場合ニ於テ當該入札者中出席セサル者又ハ抽籤ヲ爲ササル者アルトキハ入札ニ關係ナキ官吏ヲシテ之ニ代リ抽籤ヲ爲サシムヘシ

第百八條　入札者若クハ落札者ナキ場合又ハ落札者契約ヲ結ハサル場合ニ於テ更ニ入札ニ付セムトスルトキハ第百二條ノ期間ハ五日迄ニ之ヲ短縮スルコトヲ得

第百九條　各省大臣動產ノ賣拂ニ付特別ノ事由ニ因リ必要アリト認ムル場合ニ於テハ大藏大臣ト協議シテ本節ノ規定ニ準シ糶賣リニ付スルコトヲ得

第三節　指名競爭契約

第百十條　會計法第三十一條第二項ノ規定ニ依ルノ外左ニ掲クル場合ニ於テハ指名競爭ニ付スルコトヲ得

一　契約ノ性質又ハ目的ニ依リ競爭ニ加ルヘキ者少數ニシテ一般ノ競爭ニ付スルノ必要ナキトキ
二　一萬圓ヲ超エサル工事若ハ製造ヲ爲サシメ又ハ五千圓ヲ超エサル財產ノ買入ヲ爲ストキ
三　賃借料年額又ハ總額三千圓ヲ超エサル物件ノ借入ヲ爲ストキ
四　豫定賃貸料年額又ハ總額千圓ヲ超エサル物件ノ貸付ヲ爲ストキ
五　豫定代價二千圓ヲ超エサル財產ノ賣拂ヲ爲ストキ
六　前四號以外ノ契約ニシテ其ノ金額四千圓ヲ超エサルトキ

隨意契約ニ依ルコトヲ得ヘキ場合ニ於テハ指名競爭ニ付スルコトヲ妨

ケス

第百十一條　指名競爭ニ付セムトスルトキハ成ルヘク五人以上ノ入札者ヲ指定スヘシ

前項ノ場合ニ於テハ第百三條ニ規定シタル事項ヲ各入札者ニ通知スヘシ

第百十二條　各省大臣會計法第三十一條第二項ノ規定ニ依リ指名競爭ニ付シテ契約ヲ結ヒタルトキハ事由ヲ詳具シ直ニ之ヲ會計檢査院ニ通知スヘシ

第百十三條　第九十七條乃至第百一條、第百四條乃至第百七條ノ規定ハ指名競爭契約ノ場合ニ之ヲ準用ス

各省大臣必要ナシト認ムル場合ニ於テハ第九十九條ノ保證金ハ之ヲ免除スルコトヲ得

第四節　隨意契約

第百十四條　會計法第三十一條第二項ノ規定ニ依ルノ外左ニ揭クル場合ニ於テハ隨意契約ニ依ルコトヲ得

一　契約ノ性質又ハ目的カ競爭ヲ許サヽルトキ

二　急迫ノ際競爭ニ付スルノ暇ナキトキ

三　政府ノ行爲ヲ秘密ニスルノ必要アルトキ

四　五千圓ヲ超エサル工事若ハ製造ヲ爲サシメ又ハ三千圓ヲ超エサル財產ノ買入ヲ爲ストキ

五　賃借料年額又ハ總額千五百圓ヲ越エサル物件ノ借入ヲ爲ストキ

六　豫定賃貸料年額又ハ總額五百圓ヲ越エサル物件ノ貸付ヲ爲ストキ

七　豫定代價千圓ヲ越エサル財產ノ賣拂ヲ爲ストキ

八　前四號以外ノ契約ニシテ其ノ金額二千圓ヲ越エサルトキ

九　勞力ノ供給ヲ請負ハシムルトキ

十　運送又ハ保管ヲ爲サシムルトキ

十一　官廳相互間ニ於テ契約ヲ爲ストキ

十二　農工場、學校、試驗所、監獄其ノ他之ニ準スヘキモノノ生產又ハ製造ニ係ル物品ノ賣拂ヲ爲ストキ

十三　法律勅令ノ規定ニ依リ財產ノ讓與又ハ無償貸付ヲ爲シ得ル者ニ其ノ財產ノ賣拂又ハ貸付ヲ爲ストキ

十四　非常災害アリタル場合ニ於テ罹災者ニ政府ノ生產ニ係ル建築材料ノ賣拂ヲ爲ストキ

十五　外國ニ於テ契約ヲ爲ストキ

十六　道府縣市町村其ノ他ノ公法人、公益法人、產業組合又ハ慈惠ノ爲ニ設立シタル救育所ヨリ直接ニ物件ノ買入又ハ借入ヲ爲ストキ

十七　移住地域內ニ於ケル土木工事ヲ其ノ移住民ノ共同請負ニ付スルトキ

十八　學術又ハ技藝ノ保護獎勵ノ爲之ニ必要ナル物件ノ賣拂又ハ貸付ヲ爲ストキ

十九　產業又ハ拓殖事業ノ保護獎勵ノ爲之ニ必要ナル物件ノ賣拂若ハ貸付ヲ爲ストキ又ハ生產者ヨリ直接ニ其ノ生產若ハ製造ニ係ル物品ノ買入ヲ爲ストキ

二十　公共用、公用又ハ公益事業ニ供スル爲必要ナル物件ヲ直接ニ公共團體又ハ起業者ニ賣拂又ハ貸付ヲ爲ストキ

二十一　土地、建物、林野又ハ其ノ產物ヲ之ニ特別ノ緣故アル者ニ賣

拂又ハ貸付ヲ爲スﾄキ

二十二 事業經營上特ニ必要ナル物品ノ買入ヲ爲シ若ハ製造ヲ爲サシメ又ハ土地建物ノ借入ヲ爲スﾄキ

二十三 法律勅令ノ規定ニ依リ問屋業者ニ販賣ヲ委託スルトキ又ハ之ヲシテ販賣ヲ爲サシムルトキ

前項第十九號乃至第二十三號ノ場合ニ於テハ所管大臣豫メ大藏大臣ト協議スルコトヲ要ス

前項ノ協議ヲ遂ケタルトキハ大藏大臣直ニ之ヲ會計檢査院ニ通知スヘシ

第百十五條 競爭ニ付スルモ入札者ナキトキ又ハ再度ノ入札ニ付スルモ落札者ナキトキハ隨意契約ニ依ルコトヲ得 但シ保證金及期限ヲ除クノ外最初競爭ニ付スルトキ定メタル價格其ノ他ノ條件ヲ變更スルコトヲ得ス

第百十六條 落札者契約ヲ結ハサルトキハ其ノ落札金額ノ制限内ニ於テ隨意契約ニ依ルコトヲ得 但シ期限ヲ除クノ外最初競爭ニ付スルトキ定メタル條件ヲ變更スルコトヲ得ス

第百十七條 前二條ノ場合ニ於テ豫定價格又ハ落札金額ヲ分割計算シ得ル場合ニ限リ該價格又ハ金額ノ制限内ニ於テ各目的ニ付之ヲ數人ニ分割シテ契約ヲ爲スコトヲ妨ケス

第百十八條 隨意契約ニ依ラムトスルトキハ成ルヘク二人以上ヨリ見積書ヲ徵スヘシ

第百十九條 各省大臣會計法第三十一條第二項ノ規定ニ依リ隨意契約ニ依リタル場合ニ於テハ事由ヲ詳具シ直ニ之ヲ會計檢査院ニ通知スヘシ

第八章 保管金及有價證券

第百二十條 政府ハ法律勅令ノ規定ニ依ルニ非サレハ公有又ハ私有ノ現金又ハ有價證券ヲ保管セス

第百二十一條 政府ノ保管ニ係ル現金ハ大藏大臣ノ定ムル所ニ依リ之ヲ大藏省預金部ニ預入ルヘシ

第百二十二條 政府ノ所有又ハ保管ニ係ル有價證券ハ大藏大臣ノ定ムル所ニ依リ日本銀行ヲシテ之カ取扱ヲ爲サシム

第百二十三條 政府ノ保管ニ係ル現金又ハ政府ノ所有若ハ保管ニ係ル有價證券ノ取扱手續ニ關シテハ法律勅令ニ特別ノ規定アル場合ヲ除クノ外大藏大臣之ヲ定ム

第九章 出納官吏

第一節 總則

第百二十四條 本令ニ於テ出納官吏ト稱スルハ現金ノ出納保管ヲ掌ル官吏ヲ謂フ

第百二十五條 出納官吏ハ各省大臣又ハ其ノ委任ヲ受ケタル官吏之ヲ命ス

第百二十六條 各省大臣又ハ其ノ委任ヲ受ケタル官吏必要アリト認ムルトキハ出納官吏ノ代理官又ハ分任官ヲ置クコトヲ得

前項ノ代理官ハ出納官吏ノ事務ノ全部ヲ代理シ分任官ハ其ノ一部ヲ分掌スルモノトス

第百二十七條 所管大臣ハ會計法第三十七條ノ規定ニ依リ左ニ掲クル官署ノ事務員ヲシテ現金ノ出納保管ニ關スル事務ヲ分掌セシムルコトヲ得

一 鐵道官署

二　遞信官署

前項ノ外特別ノ必要アル場合ニ於テハ各省大臣大藏大臣ト協議シ其ノ廳ノ事務員ヲシテ現金ノ出納保管ニ關スル事務ヲ分掌セシムルコトヲ得

第百二十八條　前條ノ規定ニ依リ現金ノ出納保管ニ關スル事務ノ分掌ヲ命セラレタル事務員ハ主任出納官吏又ハ分任出納官吏所屬ノ出納員トシテ其ノ事務ヲ取扱フヘシ

第百二十九條　出納員ノ領收シタル現金ハ之ヲ所屬出納官吏ニ拂込ムヘシ但シ所管大臣ニ於テ必要アリト認ムルトキハ他ノ出納官吏又ハ出納員ニ交付セシムルコトヲ得

第百三十條　出納官吏又ハ出納員其ノ保管ニ屬スル現金ヲ亡失シ又ハ其ノ行爲ニ因リ政府ニ損失ヲ生セシメタル場合ニ於テハ所管大臣ハ遲滯ナク之ヲ大藏大臣及會計檢査院ニ通知スヘシ

第百三十一條　出納官吏及出納員ハ本令ニ定ムルモノヲ除クノ外大藏大臣ノ定ムル所ニ依リ現金ノ出納保管ヲ爲スヘシ

第二節　責任

第百三十二條　出納官吏ハ其ノ責任ニ屬スル現金ノ出納保管ニ付單ニ自ラ事務ヲ執ラサルコトヲ理由トシテ其ノ責任ヲ免ルルコトヲ得ス但シ其ノ代理官、分任官又ハ所屬出納員ノ行爲ニ付テハ此ノ限ニ在ラス

前項ノ規定ハ出納員ノ責任ニ付之ヲ準用ス

第百三十三條　代理出納官吏、分任出納官吏又ハ出納員ハ其ノ行爲ニ付會計法第三十五條ノ責任ヲ免ルルコトヲ得ス

第百三十四條　各省大臣ハ出納官吏又ハ出納員ノ行爲ニ因リ政府ニ損失ヲ生セシメタリト認ムル場合ニ於テハ會計檢査院ノ判決前ト雖其ノ出納官吏又ハ出納員ニ對シ辨償ヲ命スルコトヲ得

第百三十五條　前條ノ場合ニ於テ其ノ辨償ヲ命セラレタル出納官吏又ハ出納員其ノ責ヲ免ルヘキ理由アリト信スルトキハ計算書ヲ調製シ證憑書類ヲ添ヘ所管大臣ヲ經由シテ之ヲ會計檢査院ニ送付シ其ノ判決ヲ求ムルコトヲ得

所管大臣ハ前項ノ場合ト雖其ノ命シタル損失金ノ辨償ヲ猶豫セス

會計檢査院ニ於テ出納官吏又ハ出納員ニ對シ辨償ノ責ナシト判決シタルトキハ其ノ既納ニ係ル辨償金ハ直ニ之ヲ還付スヘシ

第三節　檢査及證明

第百三十六條　出納官吏ノ帳簿金櫃ハ毎年三月三十一日又ハ轉免、死亡退職其ノ他異動アリタルトキ所管大臣檢査員ヲ命シテ之ヲ檢査セシムヘシ但シ臨時ニ資金ノ前渡ヲ受ケタル官吏ノ帳簿金櫃ハ定時ノ檢査ヲ要セス

大藏大臣又ハ各省大臣必要アリト認ムルトキハ臨時ニ檢査員ヲ命シテ出納官吏又ハ出納員ノ帳簿金櫃ヲ檢査セシムヘシ

第百三十七條　前條ノ檢査ヲ執行スルニ當リ當該出納官吏又ハ出納員事故ニ因リ自ラ檢査ヲ受クルコト能ハサルトキハ其ノ代理者又ハ特ニ所管大臣ノ命シタル官吏ニ於テ立會ヲ爲スヘシ

第百三十八條　出納官吏又ハ出納員ノ帳簿金櫃ヲ檢査シタルトキハ檢定書二通ヲ作成シ檢査員及當該出納官吏、出納員又ハ立會人之ニ記名捺印シ一通ハ當該出納官吏、出納員又ハ立會人ニ交付シ一通ハ所管大臣ニ提出スヘシ

第百三十九條　出納官吏又ハ出納員他ノ公金出納ヲ兼掌スルトキ金櫃ノ

檢査ヲ執行スル者ハ併セテ他ノ公金ノ檢査ヲ行フヘシ

第百四十條　租稅其ノ他ノ歲入金ノ收納ヲ掌ル官吏ハ會計檢査院ノ檢査判決ヲ受クル爲出納計算書ヲ調製シ證憑書類ヲ添ヘ歲入徵收官ヲ經由シテ之ヲ會計檢査院ニ提出スヘシ

第百四十一條　資金ノ前渡ヲ受ケタル官吏ハ會計檢査院ノ檢査判決ヲ受クル爲出納計算書ヲ調製シ證憑書類ヲ添ヘ支出官ヲ經由シテ之ヲ會計檢査院ニ提出スヘシ

第百四十二條　歲入歲出外現金ノ出納ヲ掌ル官吏ハ會計檢査院ノ檢査判決ヲ受クル爲出納計算書ヲ調製シ證憑書類ヲ添ヘ所管大臣又ハ其ノ指定シタル官吏ヲ經由シテ之ヲ會計檢査院ニ提出スヘシ

第百四十三條　第六十三條ノ規定ニ依リ現金ノ繰替使用ヲ爲ス官吏ハ會計檢査院ノ檢査判決ヲ受クル爲出納計算書ヲ調製シ證憑書類ヲ添ヘ所管大臣又ハ其ノ指定シタル官吏ヲ經由シテ之ヲ會計檢査院ニ提出スヘシ

第百四十四條　分任出納官吏ノ出納ハ總テ主任出納官吏ノ計算トシ出納員ノ出納ハ總テ所屬出納官吏ノ計算トシテ取扱ヒ其ノ報告書及計算書ハ各別ニ提出スルコトヲ要セス　但シ所管大臣又ハ會計檢査院ニ於テ必要アリト認ムルトキハ特ニ分任出納官吏又ハ出納員ヲシテ報告書又ハ計算書ヲ提出セシムルコトアルヘシ

第百四十五條　出納官吏交替シタルトキハ其ノ在職期間ニ執行シタル出納ノ計算書ヲ調製シ第百四十條乃至第百四十三條ノ手續ヲ爲スヘシ

第百四十六條　出納官吏又ハ出納員死亡其ノ他ノ事故ニ因リ自ラ計算書ヲ調製スルコト能ハサルトキハ所管大臣ノ命シタル官吏ヲシテ之ヲ調製セシムヘシ

出納官吏又ハ出納員定期內ニ計算書ヲ送付セサルトキハ所管大臣ハ他ノ官吏ニ命シテ之ヲ調製セシムヘシ

前二項ノ規定ニ依リ調製シタル計算書ハ出納官吏又ハ出納員ノ自ラ調製シタルモノト看做シ會計檢査院ニ於テ檢査判決ヲ爲スヘシ

第百四十七條　出納官吏又ハ出納員ノ計算書ハ提出ノ後修正變更スルコトヲ得ス

第十章　日本銀行ノ計算報告及出納證明

第百四十八條　日本銀行ハ大藏大臣ノ定ムル所ニ依リ國庫金ノ出納報告書ヲ大藏大臣ニ提出スヘシ

第百四十九條　日本銀行ハ會計檢査院ノ檢査ヲ受クル爲國庫金ノ出納計算書ヲ調製シ證憑書類ヲ添ヘ之ヲ大藏大臣ニ送付スヘシ

日本銀行ハ大藏大臣ノ定ムル所ニ依リ國債ノ發行ニ依ル收入金、國債元利拂資金及隔地者拂資金ノ收支ヲ整理シ之ヲ前項ノ計算書ニ揭記スヘシ

大藏大臣ハ第一項ノ計算書ヲ調査シ之ヲ會計檢査院ニ送付スヘシ

第百五十條　日本銀行ハ會計檢査院ノ檢査ヲ受クル爲政府ノ所有又ハ保管ニ係ル有價證券受拂計算書ヲ調製シ證憑書類ヲ添ヘ之ヲ大藏大臣ニ送付スヘシ

大藏大臣ハ前項ノ計算書ヲ調査シ之ヲ會計檢査院ニ送付スヘシ

第百五十一條　政府ノ爲ニ取扱フ現金又ハ有價證券ノ出納保管ニ關シ政府ニ損害ヲ與ヘタル場合ニ於ケル日本銀行ノ賠償責任ニ付テハ民法及

商法ニ依ル

第十一章　帳簿

第百五十二條　大藏省ハ日記簿、原簿及補助簿ヲ備ヘ國庫金ノ出納ヲ登記スヘシ

第百五十三條　大藏省ハ歳入歳出ノ主計簿ヲ備ヘ歳入主計簿ニハ歳入ノ豫算額、調定濟額、收入濟額、不納缺損額及收入未濟額ヲ登記シ歳出主計簿ニハ歳出ノ豫算額、豫算決定後增加額、支出濟額、翌年度繰越額及殘額ヲ登記スヘシ

第百五十四條　歳入徵收官ハ徵收簿ヲ備ヘ歳入ノ調定濟額、收入濟額、不納缺損額及收入未濟額ヲ登記スヘシ

第百五十五條　歳入事務管理廳ハ歳入簿ヲ備ヘ歳入ノ豫算額、調定濟額收入濟額、不納缺損額及收入未濟額ヲ登記スヘシ

第百五十六條　支出官ハ支出簿ヲ備ヘ歳出ノ支拂豫算額、支出濟額及支拂豫算殘額ヲ登記スヘシ

第百五十七條　各省ハ歳出簿ヲ備ヘ歳出ノ豫算額、豫算決定後增加額、支出濟額、翌年度繰越額及殘額ヲ登記スヘシ

第百五十八條　出納官吏及出納員ハ現金出納簿ヲ備ヘ現金ノ納出ヲ登記スヘシ

第百五十九條　前七條ニ規定スル帳簿ノ樣式及記入ノ方法ハ大藏大臣之ヲ定ム

第百六十條　日本銀行ハ左ニ掲クル帳簿ヲ備ヘ政府ノ爲ニ取扱フ現金ノ出納又ハ有價證券ノ受授ヲ登記スヘシ

一　國庫金ノ出納ヲ登記スヘキ帳簿
二　支拂豫算額及支拂濟額ヲ登記スヘキ帳簿
三　國債ノ發行ニ依ル收入金ニ關スル出納ヲ登記スヘキ帳簿
四　國債元利拂資金ノ出納ヲ登記スヘキ帳簿
五　隔地者拂資金ノ收支ヲ登記スヘキ帳簿
六　有價證券ノ受拂ヲ登記スヘキ帳簿

前項ノ帳簿ノ樣式及記入ノ方法ハ大藏大臣ノ認可ヲ經テ日本銀行之ヲ定ム

第百六十一條　大藏大臣ハ會計檢査官立會ノ上每年七月三十一日前年度ノ主計簿ヲ締切ルヘシ

第十二章　雜則

第百六十二條　本令ニ依リ會計檢査院ニ提出スル計算證明書類ノ樣式及提出期限ニ付テハ會計檢査院ノ定ムル所ニ依ルヘシ

第百六十三條　前條ノ計算證明書類ヲ除クノ外本令ニ規定スル書類ノ樣式ハ大藏大臣之ヲ定ム

第百六十四條　本令ニ依リ記名捺印ヲ要スル場合ニ於テハ外國ニ在リテハ署名ヲ以テ之ニ代フルコトヲ得

第百六十五條　本令ニ定ムルモノヲ除クノ外收入及支出ニ關シ必要ナル事項ハ大藏大臣之ヲ定ム

附　則

第百六十六條　本令ハ大正十一年四月一日ヨリ之ヲ施行ス

第百六十七條　左ノ勅令ハ之ヲ廢止ス

仕拂命令委任規程
會計年度開始前現金支出規則

明治二十二年勅令第百二十一號

金庫規則

明治二十三年勅令第二號
明治二十三年勅令第二十號
明治二十三年勅令第三十二號
明治二十三年勅令第三十五號
明治二十三年勅令第百四號
明治二十三年勅令第百十八號
明治二十三年勅令第百九十三號
明治二十三年勅令第二百七十三號
明治二十三年勅令第二百九十五號
明治二十四年勅令第一號
明治二十四年勅令第二十四號
明治二十四年勅令第七十五號
明治二十四年勅令第百六十三號
明治二十六年勅令第五十一號
明治二十六年勅令第七十號
明治二十六年勅令第二百二十八號
明治二十七年勅令第四十號
明治二十七年勅令第七十六號
明治二十八年勅令第百四號
明治二十九年勅令第百五十八號
明治二十九年勅令第二百四十號
明治二十九年勅令第二百六十八號
明治二十九年勅令第三百七十三號
明治三十年勅令第十五號
明治三十年勅令第二十一號
明治三十年勅令第五十八號
明治三十年勅令第百二十七號
明治三十一年勅令第三十七號
明治三十一年勅令第三十八號

帝國大學資金竝學校及圖書館資金所屬森林原野竝產物特別處分規則

明治三十一年勅令第百七十四號
明治三十二年勅令第二十五號
明治三十二年勅令第二百六號
明治三十二年勅令第二百二十九號
明治三十二年勅令第三百三號
明治三十二年勅令第三百六十三號
明治三十二年勅令第三百七十五號
明治三十二年勅令第四百十三號
明治三十二年勅令第四百二十四號
明治三十二年勅令第四百三十七號
明治三十三年勅令第三十九號
明治三十三年勅令第二百八十號
明治三十三年勅令第三百四十二號

明治三十三年勅令百四百八號
明治三十四年勅令第八號
明治三十四年勅令第百二十號
明治三十五年勅令第二百五號
明治三十五年勅令第二百三十六號
明治三十六年勅令第二十三號
明治三十六年勅令第百八十號
明治三十七年勅令第十號
明治三十七年勅令第十七號
明治三十七年勅令第五十四號
明治三十七年勅令第百七十八號
明治三十七年勅令第二百十七號
明治三十八年勅令第二十二號
明治三十八年勅令第三十二號
明治三十八年勅令第三十五號
郵便電信及電話官署經費渡切規則
明治三十八年勅令第百二十八號
明治三十八年勅令第二百一號
明治三十八年勅令第二百二號
明治三十八年勅令第二百六十五號
明治三十八年勅令第二百九十號
明治三十九年勅令第九十三號

明治三十九年勅令第百一號
明治三十九年勅令第二百四十六號
明治三十九年勅令第二百七十號
明治四十年勅令第八十四條
明治四十年勅令第百五十號
明治四十年勅令第二百二十七號
明治四十年勅令第二百六十一號
明治四十年勅令第三百四十一號
明治四十一年勅令第百三十八號
明治四十一年勅令第百五十八號
明治四十一年勅令第二百四十八號
明治四十一年勅令第三百十一號
明治四十二年勅令第六十一號
明治四十二年勅令第二百二十六號
明治四十三年勅令第三百四十一號
明治四十三年勅令第四百八號
明治四十三年勅令第四百九號
明治四十四年勅令第六十一號
明治四十四年勅令第六十二號
明治四十四年勅令第百五十六號
明治四十四年勅令第二百二十號
明治四十四年勅令第二百七十九號
明治四十四年勅令第二百九十二號

大正元年勅令第七號
大正二年勅令第百三號
大正三年勅令第三號
大正三年勅令第百三十五號
大正三年勅令第百三十六號
大正四年勅令第五十五號
大正四年勅令第七十八號
大正四年勅令第八十七號
大正四年勅令第九十五號
大正四年勅令第百二十五號
大正五年勅令第四十五號
大正五年勅令第百五十五號
大正五年勅令第百六十二號
大正五年勅令第百七十三號
大正五年勅令勅百八十八號
大正五年勅令第百九十八號
大正五年勅令第二百十九號
大正六年勅令第五十二號
大正六年勅令第百六十二號
大正六年勅令第百八十一號
大正六年勅令第二百三十四號
大正七年勅令第百二十二號
大正八年勅令第三號
大正八年勅令第二十六號
大正八年勅令第三百六十二號
大正九年勅令第百二十五號
大正九年勅令第百三十六號
大正九年勅令第五百四十七號
大正十年勅令第百四十四號
大正十年勅令第四百二十八號

大正六年勅令第百三十二號ハ當分ノ內仍其ノ效力ヲ有ス

第百六十八條　金庫ニ納付セシムル爲納入ノ告知アリタル歲入金ニシテ本令施行前收納ヲ了セサルモノハ該納入ノ告知ニ依リ日本銀行ニ於テ之カ收納ヲ取扱ハシム

前項ノ規定ハ定額戾入ノ爲納入ノ告知アリタル返納金ニシテ本令施行前領收ヲ了セサル場合ニ之ヲ準用ス

第百六十九條　仕拂命令ニシテ本令施行前其ノ支拂ヲ了セサルモノハ仕拂命令ニ關スル從前ノ手續ニ依リ日本銀行ニ於テ本令施行後一年間之カ支拂ヲ取扱ハシム

第五十五條ノ規定ハ前項ノ支拂期間經過後仍會計法附則第五項ノ規定ニ依リ期間ノ滿了セサル債務ノ支拂ニ付之ヲ準用ス

第百七十條　大正十一年五月三十一日迄ニ支拂ノ請求ナキ大正十年度仕拂命令濟金額ニ相當スル資金ハ從前ノ例ニ依リ當該年度ノ歲出支拂未濟金トシテ之ヲ繰越整理スヘシ

第百七十一條　本令施行前繰越整理ニ係ル資金及前條ノ繰越整理ニ係ル資金ニシテ大正十二年三月三十一日迄ニ支拂ヲ了セザルモノハ之ヲ大

正十一年度ノ歳入ニ組入ルヘシ

第百七十二條　大正十年度支出濟歳出額ハ同年度歳入歳出ノ總決算及主計簿ニ於テハ仕拂命令濟歳出額ニ併算スヘシ

大正十一年度仕拂命令濟歳出額ハ同年度歳入歳出ノ總決算及主計簿ニ於テハ支出濟歳出額ニ併算スヘシ

第百七十三條　大正十年度分ニ限リ金庫ニ備ヘタル支出簿ハ第百六十條第二號ノ帳簿ニ代用セシムルコトヲ得

第百七十四條　前六條ニ規定スルモノヲ除クノ外本令施行ニ關シ必要ナル規定ハ大藏大臣之ヲ定ム

七　會計規則及各特別會計規則ノ規程ニ依リ調製スルコトヲ要スル帳簿樣式及記入ノ方法竝ニ書類ノ樣式

大正十一年三月大藏省令第二〇號

會計規則及各特別會計規則ノ規定ニ依リ調製スルコトヲ要スル帳簿ノ樣式及記入ノ方法竝書類ノ樣式左ノ通之ヲ定ム

一支拂豫算書　別表第一號書式ニ依ル
一支拂豫算更定計算書　別表第二號書式ニ依ル
一年度開始前支出計算書　別表第三號書式ニ依ル
一徴收報告書　別表第四號書式ニ依ル
一徴收總報告書　別表第五號書式ニ依ル
一徴收簿　別表第六號書式ニ依ル
一歳入簿　別表第七號書式ニ依ル
一支出濟額報告書　別表第八號書式ニ依ル
一支出總報告書　別表第九號書式ニ依ル
一繰越計算書　別表第十號書式ニ依ル
一支出簿　別表第十一號書式ニ依ル
一歳出簿　別表第十二號書式ニ依ル
一現金領收證書　別表第十三號書式ニ依ル
一現金出納簿　別表第十四號書式ニ依ル
一國庫日記簿　別表第十五號書式ニ依ル
一國庫原簿　別表第十六號書式ニ依ル
一歳入主計簿　別表第十七號書式ニ依ル
一歳出主計簿　別表第十八號書式ニ依ル
一作業會計海軍工廠資金會計及燈臺官設鐵道用品資金會計日記簿　別表第十九號書式ニ依ル
一造幣局會計日記簿　別表第二十號書式ニ依ル
一帝國鐵道會計日記簿　別表第二十一號書式ニ依ル
一簡易生命保險會計日記簿　別表第二十二號書式ニ依ル
一米穀需給調節會計日記簿　別表第二十三號書式ニ依ル
一特別會計原簿　別表第二十四號書式ニ依ル
一特別會計補助簿　別表第二十五號書式ニ依ル
一特別會計支拂元受高差引簿　別表第二十六號書式ニ依ル
一受拂勘定表　別表第二十七號書式ニ依ル
一帝國鐵道會計貸借對照表　別表第二十八號書式ニ依ル
一帝國鐵道會計損益計算表　別表第二十九號書式ニ依ル
一帝國鐵道會計資本增減表　別表第三十號書式ニ依ル

一帝國鐵道會計固定財產價格增減表　別表第三十一號書式ニ依ル
一固定資本價格增減表　別表第三十二號書式ニ依ル
一簡易生命保險會計積立金明細目錄　別表第三十三號書式ニ依ル

附　則

本令ハ大正十一年四月一日ヨリ之ヲ施行ス
左ノ大藏省令ハ之ヲ廢止ス
明治二十三年大藏省令第九號
明治二十六年大藏省令第三十二號
明治三十年大藏省令第五號
明治四十年大藏省令第十七號
明治四十二年大藏省令第十六號
明治四十三年大藏省令第四十五號
明治四十五年大藏省令第九號
大正五年大藏省令第三號
大正五年大藏省令第二十一號
大正十年大藏省令第十一號
大正十年大藏省令第十六號
本令施行ノ際現存スル帳簿及用紙ハ當分ノ内之ヲ取繕ヒ使用スルコトヲ得

（別表）

第一號書式

支　拂　豫　算　書

何省所管
某年度歳出（何何會計歳出）經常部（臨時部）
支出官官氏名　日本銀行何店

款	項	金額
何	何	圓 0
	何	0
	何	0
		0

年　月　日
支拂豫算書ヲ調製スル官吏官氏名㊞
大藏大臣（會計檢查院長）宛

備考
一　用紙ハ厚質礬砂引美濃紙トシ左方ニ約一寸ノ綴代ヲ設クヘシ第二號乃至第五號、第八號乃至第十號書式亦同シ
二　本書式中日本銀行何店トアルハ支出官ノ振出ス小切手ノ支拂店名ヲ謂フ第二號、第三號及第十四號書式亦同シ
三　本書式ハ罫線其ノ他凡テ墨書スルモノトス第二號乃至第五號、第八號乃至第十號、第十三號、第二十七號乃至第三十三號書式亦同シ

第二號書式

支拂豫算更定計算書

何省所管　某年度歳出（何會計歳出）經常部（臨時部）
支出官官氏名　日本銀行何店

款	項	增	減
何	何	圓 0	圓
	何		0
		0	0

年　月　日
支拂豫算書ヲ調製スル官吏官氏名㊞
大藏大臣（會計檢查院長）宛

計　歳　入）徴　收　報　告　書　（次頁ヘ續ク）

何　月　分

濟額 本月迄累計	不納缺損額 本月分	不納缺損額 本月迄累計	收入未濟額	現金拂込濟仕譯	
圓	圓	圓	圓		
0	0	0			
0	0	0	0 0	前月迄拂込未濟	0
0	0	0	0	本月中現金領收額	0
					0
0	0	0	0	本月中現金拂込高	0
0	0	0	0		
				翌月ヘ越高	0
0	0	0	0		
0	0	0	0		

氏名 印

トス
ニ充ツル場合ニ於テハ徴收總報告書ヲ調製スヘキ官吏第五號甲書
徴收總報告書送付ノ順序ニ依リ送付スルモノトス

第三號書式

年度開始前支出計算書

何省所管　某年度歳出（何何會計歳出）經常部（臨時部）

支出官官氏名　　日本銀行何店

款	項	金額
		圓
何	何	0
	何	0
		0

年　月　日

年度開始前支出計算書ヲ調製スル官吏官氏名印

大藏大臣（會計檢査院長）宛

第四號書式甲　（前頁ヨリ續ク）

某年度歳入（何何會

何省所管　何廳　何年

款	項	目	事由	調定濟額 本月分	調定濟額 同本月迄累計	收入 本月分
				圓	圓	圓
經常部						
何	何	何	調定外誤納額	0	0	0
	何	何		0	0	0
				0	0	0
臨時部						
何	何	何		0	0	0
		何		0	0	0
				0	0	0
				0	0	0

年　月　日
歳入徴收官　官

備考
一　本書ニハ日本銀行ノ月計突合表ヲ添附スルモノ
二　特別會計ニ於テ徴收報告書ヲ以テ徴收總報告書式ノ例ニ依リ本書ニ年月日及官氏名ヲ奥書シ

第四號書式乙

現金拂込濟仕譯書

某年度歳入（何何會計歳入）經常部（臨時部）

何省所管　何廳　何年何月分

摘要	金額	備考
	圓	
前月迄拂込未濟	0	
本月中現金拂込高	0	
翌月ヘ越高	0	

年　月　日
歳入徴收官　官氏名㊞

備考
歳入調定濟額收入濟額及不納缺損額ニ異動ナク現金拂込高ノミニ異動アル月ニ於テハ徴收報告書ヲ要セス單ニ本書式ニ依リ現金拂込濟仕譯書ヲ調製シ之ニ日本銀行ノ月計突合表ヲ添ヘ徴收報告書送付ノ順序ニ依リ送付スルモノトス

第五號書式甲

某年度歳入(何何會計歳入)徵收總報告書

何年何月分

何省所管

款	項	目	事由	調定濟額 本月分	調定濟額 本月迄累計	收入濟額 本月分	收入濟額 本月迄累計	不納缺損額 本月分	不納缺損額 本月迄累計	收入未濟額
經	常	部		圓	圓	圓	圓	圓	圓	圓
何	何	何		0	0	0	0	0	0	0
		何	調定外課納額	0						
	何	何		0	0	0	0	0	0	0
				0	0	0	0	0	0	0
臨	時	部								
何	何	何		0	0	0	0	0	0	0
		何		0	0	0	0	0	0	0
				0	0	0	0	0	0	0
				0	0	0	0	0	0	0

年　月　日

徵收總報告書ヲ調製スル官吏官　氏名　印

備考
本書ニハ歳入徵收官ヨリ提出スル日本銀行ノ月計突合表ヲ添附スルモノトス

現金拂込濟仕譯

前月迄拂込未濟	0
本月中現金領收額	0
本月中現金拂込高	0
翌月へ越高	0

第五號書式乙

收入金拂込未濟內譯報告書

某年度歲入（何何會計歲入）經常部（臨時部）

何省所管　　何年何月分

廳名	徵收報告書 年	月	拂込未濟額	事由
何廳	何	何	圓 0	
何廳		何	0	
			0	

年　月　日

官　廳　名㊞

備考

一 本書ハ徵收總報告書現金拂込濟仕譯ノ欄內ニアル翌月ヘ越高ノ內譯トシテ徵收總報告書ニ添附スルモノトス

二 拂込遲滯セルモノハ其ノ事由ヲ記載スヘシ

第五號書式丙

現金拂込濟總仕譯書

某年度歲入（何何會計歲入）經常部（臨時部）

何省所管　　何年何月分

摘要	金額	備考
前月迄拂込未濟	圓 0	
本月中現金拂込高	0	
翌月ヘ越高	0	

年　月　日

徵收總報告書ヲ調製スル官吏官氏名㊞

備考

各歲入徵收官トモ單ニ現金拂込濟仕譯書ノミヲ送付セシ月ニ於テハ徵收總報告書ヲ要セス本書式ニ依リ現金拂込濟總仕譯書ヲ調製シ之ニ收入金拂込未濟內譯報告書及月計突合表ヲ添ヘ徵收總報告書送付ノ順序ニ依リ送付スルモノトス

第六號書式

「某年度歳入（何何會計歳入）經常部（臨時部）徴收簿」

何何（款）　何何（項）何何（目）

年月日	摘要	調定濟額	收入濟額	不納缺損額	收入未濟額
		圓	圓	圓	圓
何年何月何日		0	0	0	
何何	調定外誤納額	0			0

備考

一　歳入徴收官ノ備フヘキ徴收簿ハ別段ノ定アル場合ヲ除クノ外此ノ書式ニ依ル

二　調定濟額ノ欄内ニハ收入スヘキ額ノ確定シタルモノ收入濟額ノ欄内ニハ出納官吏又ハ日本銀行ヨリ收納濟ノ報告ヲ受ケタル額不納缺損額ノ欄内ニハ其ノ缺損ナルコトヲ確定シタル額ヲ記入スルモノトス

三　調定濟額ニ超過シタル誤納アリタルトキハ摘要欄内ニ調定外誤納額ト記載シ誤納額ニ相當スル額ヲ調定濟額ノ欄内ニ記入スルモノトス

四　徴收簿ノ詳細ヲ明ニスル爲要スル補助簿ハ適宜各廳ニ於テ設クルモノトス

　但シ便宜本簿中ニ統括シ又ハ款、項、目節別ノ口座ヲ設クルコトヲ得第七號書式亦同シ

五　本書式中「　」内ハ朱書トシ欄格ヲ示ス罫線ハ之ヲ朱線トス第七號、第十一號、第十二號及第十四號乃至第二十六號書式亦同シ

第五號書式丁

徴收總報告書ト日本銀行月計突合表トノ差額仕譯書

某年度歳入（何何會計歳入）

何省所管　　何年何月分

廳名	徴收報告書年月	差額 突合表ノ方超過	差額 突合表ノ方不足	事由
		圓	圓	
何廳	何何	0		何何
何廳	何		0	何何
		0	0	

年　月　日

官　廳　名　印

備考

本書ハ徴收總報告書ト日本銀行月計突合表トノ差額ノ內譯トシテ徴收總報告書ニ添附スルモノトス

第七號書式

「某年度歳入(何何會計歳入)經常部(臨時部)歳入簿」

何何(款)　　何何(項)何何(目)

年月日	摘要	徵收報告年月	廳名	豫算額	調定濟額	收入濟額	不納缺損額	收入未濟額	豫算額ト調定濟額トノ差
				圓	圓	圓	圓	圓	圓
何何何				0					0
何何何		何何何	何廳何		0	0	0		
何何何	調定外誤納額				0			0	0

備考 歳入簿ノ詳細ヲ明ニスル爲要スル補助簿ハ適宜各廳ニ於テ設クルモノトス

第八號書式

支出濟額報告書

某年度歳出(何何會計歳出)經常部(臨時部)

何省所管　　何年何月分

款	項	支出濟額 本月分	支出濟額 前月迄累計	支出濟額 合計	備考
		圓	圓	圓	
何	何	0	0	0	定額戻入0、
	何	0	0	0	更正減額何何0、
		0	0	0	

年　月　日

支出官　官氏名　印

備考

一 定額戻入及更正減額ハ金額事由トモ朱書スルモノトス第九號、第十一號、第十二號及第二十六號書式亦同シ

二 特別會計ニ於テハ支出濟額報告書ヲ以テ支出總報告書ニ充ツル場合ニ於テハ支出總報告書ヲ調製スヘキ官吏第九號書式ノ例ニ依リ本書ニ年月日及官氏名ヲ奥書シ支出總報告書送付ノ順序ニ依リ送付スルモノトス

三 本報告書ハ所管大臣必要アリト認ムル場合ニ於テハ目迄ヲ記載セシムルコトヲ得

第十號書式

繰越計算書

某年度歲出（何何會計歲出）經常部（臨時部）

款	項	豫算定額	小切手振出濟額及小切手ヲ振出スヘキ額	豫算定額不用額	翌年度ヘ繰越額 繰越承認濟額	翌年度ヘ繰越額 要繰越額	事由
何	何	圓 0	圓 0	圓 0	圓 0	圓 0	何何ノ事由ニ依リ會計法第何條（何何會計規則第何條）ニ依リ繰越ヲ要ス
	何	0	0	0	0	0	何何
		0	0	0	0	0	

年　月　日

所管大臣氏名㊞

備考

一　小切手振出濟額及小切手ヲ振出スヘキ額ノ欄内ニハ既ニ支出濟ト爲リタルモノ金額及當該會計ノ整理期限迄ニ支出スヘキ額ヲ掲クルモノトス

二　特別會計ニ於テ支出未濟トシテ繰越スヘキ金額ハ本書小切手振出濟額及小切手ヲ振出スヘキ額ノ欄ノ次ニ支出未濟トシテ翌年度ヘ繰越スヘキ額ノ欄ヲ設ケ之ヲ記入スルモノトス

第九號書式

支出總報告書

某年度歲出（何何會計歲出）經常部（臨時部）

何省所管　　何年何月分

款	項	支出濟額 本月分	支出濟額 前月迄累計	支出濟額 合計	備考
何	何	圓 0	圓 0	圓 0	定額戾入0、更正減額何々0、
	何	0	0	0	
		0	0	0	

年　月　日

支出總報告書ヲ調製スル官吏　官氏名㊞

第十一號書式

「某年度歲出(何何會計歲出)經常部(臨時部)支出簿」

何何(款)　何何(項)

年月日		摘要	支拂豫算額	支出濟額	支拂豫算殘額
			圓	圓	圓
何	年				
何	何		0		0
	何			0	
	何	定額戻入		0	
	何	更正減額何何		0	0

備考 支出簿ノ詳細ヲ明ニスル爲要スル補助簿ハ適宜各廳ニ於テ設クルモノトス
但シ便宜本簿中ニ統括又ハ款、項、目節別ノ口座ヲ設クルコトヲ得第十二號書式亦同シ

第十二號書式

「某年度歲出(何何會計歲出)經常部(臨時部)歲出簿」

何何(款)　何何(項)

年月日		摘要	豫算額	豫算決定後增加額	支出濟額	翌年度ヘ繰越額	豫算殘額
			圓	圓	圓	圓	圓
何	年						
何	何		0				0
	何				0		0
	何	前年度ヨリ越		0			
	何	定額戻入			0		
	何	更正減額何何			0		0
	何	豫備費ヨリ補充		0			0
	何	翌年度ヘ越				0	0

備考 歲出簿ノ詳細ヲ明ニスル爲要スル補助簿ハ適宜各廳ニ於テ設クルモノトス

第十三號書式

「現金領收證書」

（原符）

第何號	某年度（某年度何何會計）
何郡市町村何番地 何	某納
經常（臨時）	何何（款）
何何（項）	何何（目）

金

年　月　日領收　（收入官檢印）

報告書

第何號	某年度（某年度何何會計）
何郡市町村何番地 何	某納
經常（臨時）	何何（款）
何何（項）	何何（目）

金

上記ノ金額領收濟ニ付報告候也
年　月　日
何廳主任收入官吏
官　氏　名 印
又ハ何廳主任收入官吏官氏名所屬
何廳分任收入官吏
官　氏　名 印
歳入徵收官官氏名宛

領收證書

第何號	某年度（某年度何何會計）
何郡市町村何番地 何	某納
經常（臨時）	何何（款）
何何（項）	何何（目）

金

上記ノ金額領收候也
年　月　日
何廳主任收入官吏
官　氏　名 印
又ハ何廳主任收入官吏官氏名所屬
何廳分任收入官吏
官　氏　名 印

備考

一　用紙寸法（縦五寸六分 横三寸三分）輪廓寸法（縦四寸五分 横三寸三分）ノモノ三枚接續
二　會計規則第三十三條ノ規定ニ依リ交付スヘキ領收證書ハ別段ノ定アル場合ヲ除クノ外此ノ書式ニ依ル
三　官廳間ノ收入金ニシテ歳出金支拂通知書ニ領收ヲ證シ收納ヲ完了シタルトキハ此ノ領收證書ヲ送付セス
四　領收證書郵送ノ必要アル場合ニ於テハ式ノ如ク記入シタル郵便葉書ヲ使用スルコトヲ得
五　歳入徵收官ト同一官廳内ニ在ル收入官吏ノ收納濟報告書ハ原符ヲ以テ代用シ報告書ヲ省略スルコトヲ得

第十四號書式

「現　金　出　納　簿」

年	月日	摘要	受 現金	受 預金	受 計	拂 現金	拂 預金	拂 計	殘 現金	殘 預金	殘 計
			圓	圓	圓	圓	圓	圓	圓	圓	圓
何	何	何何金何某ヨリ收入又ハ(受入)	0								
同	何	日本銀行何店ヘ拂込				0			0		0
同	何	何何金支出官何某ヨリ受入	0								
	何	日本銀行何店ヘ預託		0	0	0					
	何	何何金何某ヘ拂渡				0					
	何	何何金何某ヘ拂渡ノ爲小切手振出					0	0	0	0	0
同	何	何何金日本銀行何店ヨリ預金部預金振込濟ノ通知ヲ受ク		0	0				0	0	0
同	何	何何金何某ヘ拂渡ノ爲小切手振出					0	0	0	0	0

備考

一 本簿ハ便宜縱式ト爲スコトヲ得

二 現金ヲ預託又ハ預入シタル場合ニ於テハ現金ハ之ヲ拂ノ部ニ掲ケ同時ニ預金ニ受入ノ手續ヲ爲スヘシ

三 現金又ハ預金ノミノ取扱ヲ爲ス出納官吏ニ在リテハ本書式中ノ現金、預金計ノ細區分ヲ廢シ單ニ受、拂、殘トシテ整理スルモ妨ケナシ

四 出納員ノ備フヘキ本簿ハ所管大臣ニ於テ本書式ニ準シ適宜ノ樣式ヲ定ムコトヲ得

第十五號書式

「某　年　度　國　庫　日　記　簿」

何年何月何日

借 歳出	借 歳出外	科目	貸 歳入	貸 歳入外
圓	圓		圓	圓
		某年度各會計勘定		
0	0	一般會計	0	0
0	0	何何(特別會計名簿)	0	0
0	0	何何(　何　)	0	0
		特別勘定		
	0	小額紙幣發行高		0
	0	何何		0
		現在高勘定		
	0	何何預金		0
0	0		0	0
	0			0
	0			0

備考 會計規則第百五十二條ノ日記簿ハ此ノ書式ニ依ル

第十六號書式

「某年度國庫原簿」

某年度一般會計

年月日	摘要	借 歲出	借 歲出外	貸 歲入	貸 歲入外	借或貸	殘
何年何月何日		0	0	0	0	貸	0

備考 會計規則第百五十二條ノ原簿ハ此ノ書式ニ依ル

第十七號書式

「某年度歲入(何何會計歲入)經常部(臨時部)主計簿」

何何(款)　何何(項)

年月日	摘要	省別	豫算額	調定濟額	收入濟額	不納缺損額	收入未濟額	豫算額ト調定濟額トノ差
何年何月何日		何省	0	0	0	0		
何日	調定外誤納額	同		0			0	

第十九號書式

「某年度何何會計日記簿」　　1

何年何月何日

原簿丁數	原簿科目		借	貸
	國庫		圓	圓
		運轉資本	0	0
	何何作業費		0	
		國庫		0
	材料及素品		0	
	機械運轉用品		0	
	備品		0	
		損益	0	0
			0	0
		何年何月何日		
	生産品		0	
		材料及素品		0
		機械運轉用品		0
		損益		0
			0	0
		何年何月何日		
	生産品		0	
		損益		0
	契約濟價格差増 物品代價未收		0	
		生産品		0
	國庫		0	
		何何作業收入		0
	損益		0	
		物品代價未收		0
			0	0

第十八號書式

「某年度何省所管歳出(何何會計歳出)經常部(臨時部)主計簿」

何何(款)　　何何(項)

年月日		摘要	豫算費	豫算決定後増加額	支出濟額	翌年度へ繰越額	豫算殘額
			圓	圓	圓	圓	圓
何	年						
何	何		0				0
	何				0		0
	何	前年度ヨリ越		0			0
	何	豫備費ヨリ補充		0			0
	何	翌年度へ越				0	0

2

何年何月何日

原簿丁數	原簿科目		借	貸
			圓	圓
	材料及素品		0	
	機械運轉用品		0	
		物品代價未渡		0
	何何作業費		0	
		國庫		0
	物品代價未渡		0	
		損益		0
		何年何月何日		
	國庫		0	
		何何作業收入		0
	損益		0	
		前金受		0
	前金受		0	
		生產品		0
			0	0
		何年何月何日		
	何何作業費		0	
		國庫		0
	前金拂		0	
		損益		0
	材料及素品		0	
		前金拂		0
			0	0

3

何年何月何日

原簿丁數	原簿科目		借	貸
			圓	圓
	損益		0	
		材料及素品		0
		機械運轉用品		0
		生產品		0
	毀損變質（不用品ニ組入）			
	現金未納		0	
		損益		0
	何	何		
	損益		0	
		現金未渡		0
	何	何		
			0	0
		何年何月何日		
	何何作業收入		0	
		損益		0
	損益		0	
		何何作業費		0
	損益		0	
		國庫		0
	益金納付			
			0	0

備考

一作業會計規則第三十二條ノ日記簿ハ此ノ書式ニ依ル

二專賣局作業會計規則、海軍工廠資金會計規則、臺灣官設鐵道用品資金會計規則ニ依リ要スル日記簿ハ此ノ書式ヲ準用ス

三原簿ニ於ケル科目ノ配置ハ下記ニ依ル

運轉資本損益、何何作業收入、何何作業費、物品代價未收、現金未納、物品代價未渡、現金未渡、前金受、前金拂、國庫、生產品、材料及素品、機械運轉用品、備品

第二十號書式

「某年度造幣局會計日記簿」

何年何月何日　　1

原簿丁數	原簿科目		借	貸
			圓	圓
	國庫		0	
	材料及素品		0	
	機械運轉用品		0	
	備品		0	
		運轉資本		0
	越	高		
	材料及素品		0	
	日本銀行		0	
		地金輸納人		0
	越	高		
	國庫（資金部）		0	
		資金		0
	越	高		
			0	0
		何年何月何日		
	生產品		0	
		損益		0
	損益		0	
		材料及素品		0
		機械運轉用品		0
			0	0

2　　何年何月何日

原簿丁數	原簿科目		借	貸
			圓	圓
	物品代價未收		0	
		生產品		0
	國庫		0	
		造幣局作業收入		0
	損益		0	
		物品代價未收		0
			0	0
		何年何月何日		
	日本銀行		0	
		生產品		0
	地金輸納人		0	
		日本銀行		0
	現金		0	
		造幣局作業收入		0
	國庫		0	
		現金		0
			0	0

何年何月何日

原簿丁數	原簿科目		借	貸
			円	円
	材料及素品		0	
	機械運轉用品		0	
		物品代價未渡		0
	造幣局作業費		0	
		國庫		0
	物品代價未渡		0	
		損益		0
			0	0
		何年何月何日		
	國庫		0	
		造幣局作業收入		0
	損益		0	
		前金受		0
	前金受		0	
		生產品		0
			0	0
		何年何月何日		
	造幣局作業費		0	
		國庫		0
	前金拂		0	
		損益		0
	材料及素品		0	
		前金拂		0
			0	0

何年何月何日

原簿丁數	原簿科目		借	貸
			円	円
	貨幣交換費		0	
		國庫（資金部）		0
	引揚貨幣		0	
		引揚貨幣受入		0
	作業部		0	
		引揚貨幣		0
	未精算材料		0	
		資金部		0
			0	0
		何年何月何日		
	作業部		0	
		國庫（資金部）		0
	資金國庫		0	
		繰替資金部		0
	同上 造幣局作業費		0	
		國庫		0
	材料及素品		0	
		損益		0
	國庫（資金部）		0	
		造幣局資金收入		0
	引揚貨幣拂出		0	
		作業部		0
		追次合計	0	0

5

何年何月何日

原簿丁數	原簿科目		借	貸
	前業	合計	圓0	圓0
	資金部		0	
		未精算材料		0
			0	0
		何年何月何日		
	國庫		0	
		造幣局作業收入		0
	資金部		0	
		國庫		0
	繰替	返戻		
	國庫(資金部)		0	
		作業部		0
	同	上		
			0	0
		何年何月何日		
	損益		0	
		材料及素品		0
		機械運轉用品		0
	毀損變質(不用品ニ組入)			
	現金未納		0	
		損益		0
	何	何		
	損益		0	
		現金未渡		0
	何	何		
			0	0
		何年何月何日		
	造幣局作業收入		0	
		損益		0
	損益		0	
		造幣局作業費		0
	追次	合計	0	0

6

何年何月何日

原簿丁數	原簿科目		借	貸
	前業	合計	圓0	圓0
	損益		0	
		國庫		0
	作業益金資金ヘ組入			
	國庫(資金部)		0	
		資金		0
	同	上		
	造幣局資金收入		0	
	引揚貨幣受入		0	
		資金受拂過不足		0
	資金受拂過不足		0	
		貨幣交換費		0
		引揚貨幣拂出		0
	資金受拂過不足		0	
		資金		0
	受拂過剰額資金ヘ組入			
	資金		0	
		資金受拂過不足		0
	受拂不足額資金減額			
			0	0

備考 原簿ニ於ケル科目ノ配置ハ下記ニ依ル
運轉資本、損益、造幣局作業收入、造幣局作業費、物品代價未收、現金未納、物品代價未渡、現金未渡前金拂、地金輸納入、資金部、國庫、現金、日本銀行生産品、材料及素品、機械運轉用品、備品、資金、資金拂過渡、不足、引揚貨幣受入、引揚貨幣拂出、造幣局資金收入、貨幣交換費、作業部、國庫(資金部)引揚貨幣

第二十一號書式

「某年度帝國鐵道會計日記簿」

何年何月何日　　1

原簿丁數	原簿科目	借	貸
		圓	圓
	國　　庫	0	
	固定財産	0	
	特有資本		0
	借入資本		0
	越　　高		
	國　　庫	0	
	鐵道資金收入		0
	收　入　高		
	出納官吏	0	
	國　　庫		0
	繰替拂資金受入		
		0	0
	何年何月何日		
	貯藏物品	0	
	支出未濟		0
	用品購入代		
	鐵道建設及改良費繰替拂	0	
	鐵道用品及工作費繰替拂	0	
	鐵道作業費繰替拂	0	
	出納官吏		0
	繰替拂高		
	支出未濟	0	
	用品工作受拂過不足		0
	用品購入代支拂濟ニ付組替		
		0	0

2　　何年何月何日

原簿丁數	原簿科目	借	貸
		圓	圓
	收入未濟	0	
	貯藏物品		0
	賣拂用品原價		
	收入未濟	0	
	用品工作受拂過不足		0
	賣拂用品ニ對スル勘排		
	出納官吏	0	
	鐵道資金收入		0
	鐵道用品及工作收入		0
	鐵道作業收入		0
	歲入歲出外勘定		0
	收入高		
	用品工作受拂過不足	0	0
	收入未濟		
	用品賣拂代收入濟ニ付組替		
		0	0
	何年何月何日		
	鐵道建設及改良費	0	
	鐵道用品及工作費	0	
	鐵道作業費	0	
	國　　庫		0
	繰替拂ニ對シ小切手發行		
	國　　庫	0	
	鐵道建設及改良費繰替拂		0
	鐵道用品及工作費繰替拂		0
	鐵道作業費繰替拂		0
	同上小切手ヲ以テ鐵道資金收入鐵道用品及工作收入鐵道作業收入振替拂込		
		0	0
		0	0

何年何月何日

原簿丁數	原簿科目		借	貸
	國庫		0	
		出納官吏		0
	現金ニテ歳入金拂込(繰替拂資金戻入)			
			0	0

原簿丁數	原簿科目		借	貸
		何年何月何日		
	工場勘定		0	
		用品工作受拂過不足		0
	工作費及電氣費支拂高			
	工場勘定		0	
		貯藏物品		0
	工場ヘ物品引渡			
			0	0

原簿丁數	原簿科目		借	貸
		何年何月何日		
	貯藏物品		0	
		工場勘定		0
	工場ヨリ新製品受入			
	收入未濟		0	
		工場勘定		0
	修繕原價			
	收入未濟		0	
		用品工作受拂過不足		0
	修繕ニ對スル割掛			
			0	0

原簿丁數	原簿科目		借	貸
		何年何月何日		
	特有資本		0	
		固定財産		0
	毀損(滅失)			
	用品工作受拂過不足		0	
		貯藏物品		0
	毀損變質(又ハ不用品ニ組入)			
			0	0

何年何月何日

原簿丁數	原簿科目		借	貸
	鐵道作業收入		0	
		損益		0
	損益		0	
		鐵道作業費		0
	損益		0	
		國庫		0
	鐵道益金繰入			
	國庫		0	
		鐵道資金收入		0
	同上			
			0	0

原簿丁數	原簿科目		借	貸
		何年何月何日		
	鐵道資金收入		0	
		特有資本		0
		借入資本		0
		公債其他差增		0
	資本ニ編入			
	公債其他差增		0	
		特有資本		0
	同上			
	公債其他差損		0	
		借入資本		0
	差損ニ對スル債務額			
	特有資本		0	
		公債其他差損		0
	資本ヨリ控除			
		追次合計	0	0

第二十二號書式

「某年度簡易生命保險會計日記簿」

何年何月何日　　　　1

原簿丁數	原簿科目		借	貸
			圓	
	國　　庫		0	
		簡易生命保險收入		0
	簡易生命保險費		0	
		國　　庫		0
			0	0
		何年何月何日		
	積立金繰替拂出		0	
		國庫（積立金）		0
	積立金繰替			
	國　　庫		0	
		積立金繰替受入		0
	同	上		
			0	0
		何年何月何日		
	積立金繰替受入		0	
		國　　庫		0
	繰替返戻			
	國庫（積立金）		0	
		積立金繰替拂出		0
	同	上		
			0	0

何年何月何日　　　　5

原簿丁數	原簿科目		借	貸
	前葉合計		圓 0	圓 0
	固定財産		0	
		鐵道建設及改良費		0
	鐵道用品及工作收入		0	
		用品工作受拂過不足		0
	用品工作受拂過不足		0	
		鐵道用品及工作費		0
	用品工作受拂過不足		0	
		特有資本		0
	受拂過剩額資本ニ編入			
	固定財産		0	
		特有資本		0
	收益勘定ニ於テ補充工事ノ爲支出シタル金額			
			0	0

備考

原簿ニ於ケル科目ノ配置ハ下記ニ依ル

特有資本、借入資本、損益、用品工作受拂過不足、鐵道資金收入、鐵道作業收入、鐵道用品及工作收入、鐵道建設及改良費、鐵道作業費、鐵道用品及工作費、何何繰替拂、公債其他差增、公債其他差損、收入未濟、支出未濟、歳入歳出外勘定

國庫、出納官吏、固定財産、貯藏物品、工場勘定

2　　何年何月何日

原簿丁數	原簿科目		借	貸
			■	■
	預金(餘裕金)		0	
		國庫		0
	國庫		0	
		預金(餘裕金)		0
			0	0
		何年何月何日		
	預金(積立金)		0	
	有價證券		0	
	一般貸付		0	
	出納官吏		0	
		國庫(積立金)		0
			0	0
		何年何月何日		
	契約者貸付		0	
		出納官吏		0
	出納官吏		0	
		契約者貸付		0
			0	0
		何年何月何日		
	國庫(積立金)		0	
		預金(積立金)		0
		有價證券		0
		一般貸付		0
		出納官吏		0
	缺損		0	
		有價證券		0
		般貸付		0
		契約者貸付		0
			0	0

3　　何年何月何日

原簿丁數	原簿科目		借	貸
			■	■
	簡易生命保險收入		0	
		歳入歳出過不足		0
	歳入歳出過不足		0	
		簡易生命保險費		0
	歳入歳出過不足		0	
		國庫		0
	國庫(積立金)		0	
		積立金		0
	積立金		0	
		國庫(積立金)		0
	國庫		0	
		歳入歳出過不足		0
	積立金		0	
		缺損		0
			0	0

備考
原簿ニ於ケル科目ノ配置ハ下記ニ依ル
積立金、歳入歳出過不足、簡易生命保險收入、簡易生命保險費、積立金繰替拂出、積立金繰替受入國庫、國庫(積立金)、出納官吏、預金(餘裕金)、預金(積立金)有價證券、契約者貸付、一般貸付、缺損

第二十三號書式

「某年度米穀需給調節會計日記簿」

何年何月何日　　1

原簿丁數	原簿科目		借	貸
			圓	圓
	國庫		0	
		米穀需給調節收入		0
	損益		0	
		借入金		0
			0	0
		何年何月何日		
	米穀		0	
		證券發行未濟		0
	證券發行未濟		0	
		證券發行高		0
			0	0
		何年何月何日		
	米穀		0	
	土地		0	
	建物		0	
	機械及器具		0	
		支出未濟		0
	米穀需給調節費		0	
		國庫		0
	支出未濟		0	
		損益		0
			0	0

2　　何年何月何日

原簿丁數	原簿科目		借	貸
			圓	圓
	米穀需給調節費		0	
		國庫		0
	證券發行高		0	
	借入金		0	
		損益		0
			0	0
		何年何月何日		
	出納官吏		0	
		米穀需給調節收入		0
	損益		0	
		前金受		0
	國庫		0	
		出納官吏		0
	前金受		0	
		米穀		0
			0	0

4

何年何月何日

原簿丁數	原簿科目		借	貸
	預金		圓 0	圓
		國庫		0
			0	0
		何年何月何日		
	米穀		0	
		損益		0
			0	0
		何年何月何日		
	米穀需給調節收入		0	
		損益		0
	損益		0	
		米穀需給調節費		0
			0	0

何年何月何日

3

原簿丁數	原簿科目		借	貸
	出納官吏		圓 0	圓
		歳入歳出外勘定		0
	國庫(歳入處出外)		0	
		出納官吏		0
	歳入歳出外勘定		0	
		國庫(歳入歳出外)		0
	國庫		0	
		米穀需給調節收入		0
	損益		0	
		米穀		0
			0	0
		何年何月何日		
	收入未濟		0	
		米穀		0
	國庫		0	
		米穀需給調節收入		0
	損益		0	
		收入未濟		0
			0	0

第二十四號書式

「某年度何何會計原簿」
（何何）

年月日	摘要	日記丁數	借	貸	借或貸	殘
			圓	圓		圓
何年	何何					
何何	何何		0	0	借	0

備考 特別會計規則ニ依リ要スル原簿ハ此ノ書式ニ依ル

何年何月何日

原簿丁數	原簿科目	借	貸
		圓	圓
	證券發行未濟	0	
	證券發行高	0	
	借入金	0	
	前金受	0	
	支出未濟	0	
	歲入歲出外勘定	0	
	損益	0	
	米穀		0
	土地		0
	建物		0
	機械及器具		0
	收入未濟		0
	國庫		0
	出納官吏		0
	國庫(歲入歲出外)		0
	損益		0
		0	0

備考 原簿ニ於ケル科目ノ配置ハ下記ニ依ル
損益、米穀需給調節收入、借入金、米穀需給調節費、證券發行未濟、證券發行高、收入未濟、支出未濟、前金受、歲入歲出外勘定、國庫、國庫(歲入歲出外)、現金、出納官吏、米穀土地、建物、機械及器具

第二十五號書式

「某年度何何會計補助簿」

何何(原簿科目)　　何何(細科目)

年月日		摘要	憑證番號	借	貸	借或貸	殘
何	年			圓	圓		圓
何	何	何何		0			
	〃	何何			0	借	0

備考

一 特別會計規則ニ依リ要スル原簿ノ補助簿ハ此ノ書式ニ依ル

二 本簿ハ所管大臣ノ定ムル細科目毎ニ口座ヲ設クルモノトス

三 本簿ノ外原簿ノ詳細ヲ明ニスル爲要スル所ノ補助簿ハ適宜各廳ニ於テ設クルモノトス

第二十六號書式

「某年度何何會計支拂元受高差引簿」

年月日		摘要	支拂元受高	支出濟額	殘額
何	年		圓	圓	圓
何	何何	前年度ヨリ越	0		0
	何	歳入	0		
	〃			0	
	〃	定額戻入		0	
	〃	更正減額何何	0		0
	何	翌年度ヘ越		0	
	〃	何何		0	0

第二十七號書式

某年度何何會計受拂勘定表

受入		拂出	
歳入ノ收入濟額	〇圓	歳出ノ支出濟額	〇圓
收入未濟額	〇	支出未濟額	〇
据置運轉資本ニ屬スル現金ノ持越高	〇	据置運轉資本額	〇
何何	〇	何何	〇
何何	〇	何何	〇
合計	〇	合計	〇

備考　受入ノ拂出(拂出ノ受入)ニ超過スルコトヲ本表ノ如クナルヲ以テ何圓ノ益金(損失)ヲ生シタリ

第二十八號書式

某年度帝國鐵道會計貸借對照表

借方 種目	金額	貸方 種目	金額
現金	〇圓	特有資本	〇圓
收入未濟	〇	借入資本	〇
固定財産	〇	支出未濟	〇
貯藏物品	〇	歳入歳出外勘定	〇
工場勘定	〇	何何	〇
何何	〇		
合計	〇	合計	〇

第二十九號書式

某年度帝國鐵道會計損益計算表

損失 種目	損失 金額	利益 種目	利益 金額
鐵道作業費	○円	鐵道作業收入	○円
何何	○	何何	○
差引益金	○		
合計	○	合計	○

第三十號書式

某年度帝國鐵道會計資本增減表

種目	年度首	增	減	年度末	增減事由
特有資本	円	円	円	円	
借入資本					
合計					

第三十一號書式

某年度帝國鐵道會計固定財產價格增減表

種目	年度首價格	增	減	年度末價格	增減事由
固定財產	円	円	円	円	

第三十二號書式

某年度何々會計固定資本價格增減表

種目	年度首價格	增	減	年度末價格	增減事由
土地	円	円	円	円	
建築					
道路					
機械					
器具					
何何					
合計					
備考					

第三十三號書式

何年三月三十一日簡易生命保險會社積立金明細目錄

種目	積立金額	前年積立金額	增	減	增減事由
額面又ハ券面	円	円	円	円	何々
公債證書 何何					
有價證券 何何					
貸付金 何何					
現金 何何					
何何 何何					
合計					
備考					

【參照】

明治二十三年三月二十九日大藏省令第九號ハ作業及鐵道會計規則ニ要スル諸

報告書諸表諸帳簿ノ書式ノ件同二十六年十一月二十日同第三十二號ハ諸計算書仕拂命令領收證及諸帳簿ノ樣式ノ件同三十年三月二十二日同第五號ハ臺灣總督府特別會計ニ要スル諸報告書仕拂命令領收證計算書等樣式ノ件同四十年三月三十日同第十七號ハ關東廳及樺太廳特別會計規則ニ據リ同會計ニ要スル諸書類帳簿等ノ樣式ノ件同四十二年三月三十一日同第十六號ハ帝國鐵道會計ニ要スル諸書類帳簿等ノ樣式ノ件同四十三年十月一日同第四十五號ハ朝鮮總督府特別會計規則ニ據リ同會計ニ要スル諸書類帳簿等ノ樣式ノ件同四十五年四月十五日同第九號ハ朝鮮醫院及濟生院特別會計ニ要スル諸書類帳簿等ノ樣式ノ件大正五年三月三十一日同第三號ハ造幣局特別會計規則ニ依リ同會計ニ要スル諸書類帳簿ノ樣式ノ件同八月十八日同第二十一號ハ簡易生命保險特別會計規則ニ依リ同會計ニ要スル諸書類帳簿ノ樣式ノ件同十年四月十二日同第十一號ハ大學特別會計規則竝學校及圖書館特別會計規則ニ據リ要スル諸書類帳簿ノ樣式ノ件同五月二十四日同第十六號ハ米穀需給調節特別會計規則ニ依リ要スル諸書類帳簿ノ樣式ノ件ナリ

八　朝鮮總督府及所屬官署會計事務章程

大正三年八月
總訓第四二號

改正　七年十二月第六三號　九年三月第一八號　十年三月第一一號　十年四月第一九號　十一年四月第一八號　十一年四月第二三號　十二年一月第二號

第一章　總則

第一條　朝鮮總督府及所屬官署ノ會計事務ハ別ニ規定アルモノヲ除クノ外本規程ニ依ル

第二條　各廳ノ支局又ハ出張所ハ其ノ廳ノ一部ト看做ス　但シ左ニ掲クルモノハ此ノ限ニ在ラス

庶務部印刷所
土木部出張所
觀測所
殖產局山森課出張所
殖產局鑛務課出張所
殖產局燃料選鑛研究所
地質調査所
專賣支局及其ノ出張所
島支廳
會寧慈惠醫院出張員診療所
稅關支署及出張所
營林廠支廠出張所
勸業模範場支場
地方法院支廳
監獄分監

附屬測候所ハ觀測所ノ一部ト看做ス

第三條　海員審判所ハ遞信局ノ一部ト看做ス

法院ノ檢事局ハ其ノ法院ノ一部、支廳ノ檢事分局ハ支廳ノ一部ト看做ス

覆審法院所在地ノ地方法院ハ其ノ覆審法院ノ一部ト看做ス

供託局ハ地方法院ノ一部ト看做ス

第四條　左ノ各廳ノ長ヲ其ノ廳ノ朝鮮總督府特別會計歲入徵收官トス

庶務部印刷所
土木部出張所
觀測所
專賣局
府、郡
警察官講習所
官立學校
獸疫血清製造所
中央試驗所
水產試驗場
高等法院
覆審法院

殖產局商工課長ハ商工課龍山分室、遞信局長ハ遞信官署、專賣支局長ハ專賣支局及其ノ出張所、道知事ハ道及警察署、島司ハ島及島支廳、稅關長ハ稅關、支署及出張所、勸業模範場長ハ勸業模範場及支場、營林廠長ハ營林廠、支廠及出張所、地方法院長（第三條第三項ノ覆審法院長ヲ含ム）ハ地方法院、支廳及出張所、典獄ハ監獄及分監ノ朝鮮總督府特別會計歲入徵收官トス

左ノ各廳ノ長ヲ其ノ廳ノ朝鮮醫院及濟生院特別會計歲入徵收官トス

濟生院
醫　院
道慈惠醫院（會寧慈惠醫院出張員診療所ヲ含ム以下同シ）
道（會計規則第二十九條ノ場合ニ限ル）

庶務部會計課長ハ前三項ニ規定セサル各廳ノ朝鮮總督府特別會計及朝鮮醫院及濟生院特別會計歲入徵收官トス

第五條　左ノ各廳ノ長ヲ其ノ廳ノ歲入徵收事務分掌者トス

專賣局ノ出張所
島支廳
稅關支署及出張所

前項ニ規定セサル各廳ニ歲入徵收事務分掌者ヲ置ク必要アリト認ムルトキハ歲入徵收官ハ朝鮮總督ノ認可ヲ受クヘシ

第六條　遞信局長ハ遞信官署、專賣局長ハ專賣局、專賣支局長ハ專賣支局及其ノ出張所、道知事ハ道府郡島、島支廳、警察署及日本銀行代理店ノ設ナキ地ノ慈惠醫院、稅關長ハ稅關及稅關支署出張所、營林廠長ハ營林廠及支廠出張所、日本銀行代理店ノ設アル地ノ監獄ノ典獄ハ其ノ監獄及分監、竝庶務部印刷所長、觀測所長、土木部出張所長、醫院長、日本銀行代理店ノ設アル地ノ慈惠醫院長、警察官講習所長、日本銀行代理店ノ設アル地ノ官立學校長、【平壤鑛業所長】、中央試驗所長、獸疫血清製造所長、水產試驗場長、高等法院長及覆審法院所在地外ノ地方法院長ハ各其ノ廳ノ經費ノ分任支出官トス

庶務部會計課長ハ前項ニ規定セサル各廳ノ經費ノ分任支出官トス

第七條　第四條又ハ第五條ニ規定スル官吏缺員ノ場合ニ於テハ其ノ職務ノ代理ヲ命セラレタル官吏又ハ法令ニ依リ職務ヲ代理スル官吏ヲ以テ歲入徵收官又ハ歲入徵收事務分掌者トス

前項ニ規定スル場合ノ外歲入徵收官歲入徵收事務分掌者又ハ分任支

出官缺員其ノ他ノ事故アルトキハ朝鮮總督ハ歳入徴收官、支出官又ハ支出官ノ代理官ヲ、歳入徴收官ハ歳入徴收事務分掌者ヲ命スルコトヲ得

第八條　左ノ各廳ニ資金前渡官吏ヲ置ク

殖産局山林課出張所
殖産局鑛務課出張所
殖産局燃料選鑛研究所
專賣支局ノ出張所
警察署（道支出官所在地ノモノヲ除ク）
府、郡、島（道支出官所在地ノモノヲ除ク）
道慈惠醫院（日本銀行代理店所在地ノモノヲ除ク）
官立學校（日本銀行代理店所在地ノモノヲ除ク）
監獄（日本銀行代理店所在地ノモノヲ除ク）
監獄分監
地方法院支廳
營林廠支廠及出張所
勸業模範場及支場
林業試驗場

資金前渡官吏又ハ分任資金前渡官吏ヲ置ク必要アリト認ムルトキハ支出官ハ朝鮮總督ノ認可ヲ受ケ之ヲ置クコトヲ得但シ臨時資金前渡官吏ニ付テハ認可ヲ受クルヲ要セス

第九條　各廳ニ收入官吏、歳入歳出外現金出納官吏、物品會計官吏及有價證券取扱主任ヲ置ク

歳入歳出外現金出納官吏及有價證券取扱主任ハ收入官吏之ヲ兼掌スヘシ　但シ必要アルトキハ他ノ官吏ニ有價證券取扱主任ヲ兼掌スル歳入歳出外現金出納官吏ヲ命スルコトヲ得

各廳ノ長必要アリト認ムルトキハ收入官吏ノ下ニ分任收入官吏ヲ置クコトヲ得

第十條　前條ノ官吏ハ本部ニ在リテハ庶務部會計課ニ之ヲ置ク　但シ必要アルトキハ他ノ課室ニモ之ヲ置クコトヲ得

第十一條　（削除）

第十二條　各廳ノ長ハ部下ノ官吏ノ中ヨリ左ノ各號ニ掲クル官吏ヲ命免スヘシ　但シ其ノ長ノ外他ニ官吏ナキ場合ニ於テハ其ノ廳ノ長ヲ以テ第一號ノ官吏トシ第二號乃至第四號ノ官吏ハ直近上級廳ノ長其ノ部下ノ官吏ノ中ヨリ之ヲ命免スヘシ

一　收入官吏、分任收入官吏、歳入歳出外現金出納官吏、資金前渡官吏、分任資金前渡官吏、物品會計官吏
二　會計規則第九十二條第百三十六條及物品會計規則第十條ノ二第十一條、第十二條ノ檢査官吏
三　會計規則第百三十七條及物品會計規則第十三條ノ立會官吏
四　會計規則第百四十六條第一項及物品會計規則第十五條第二項ノ官吏

朝鮮總督府ニ於テハ前項官吏ノ命免ハ庶務部長之ヲ行フヘシ　但シ土木部所管ノ事務ニ關シ會計規則第九十二條ノ官吏ノ命免ハ別ニ定ムル所ニ依ル

警察署ノ收入官吏、資金前渡官吏、歳入歳出外現金出納官吏、物品會

計官吏ハ署長ヲ以テ之ニ充ツ
第十三條　遞信官署ニ於ケル前條第一項ノ官吏及現金出納ニ關スル事務ヲ分掌スル事務員ノ命免ハ遞信局長ノ定ムル所ニ依ル
第十四條　各廳ノ長、資金前渡官吏又ハ分任資金前渡官吏ヲ命免シタルトキハ即日官職氏名ヲ支出官ニ報告スヘシ
支出官ヲ置キタル各廳ノ長、勸業模範場長、日本銀行代理店ノ設ナキ地ノ官立學校長、道慈惠醫院長及典獄ハ其ノ廳及所轄廳ノ收入官吏、資金前渡官吏、歲入歲出外現金出納官吏及物品會計官吏ノ一年間ニ於ケル各官吏ノ管理期間ヲ調査シ翌年度四月十日迄ニ朝鮮總督ニ報告スヘシ
第十五條　出納官吏事務引繼ヲ了シタルトキハ前任後任官吏連署ヲ以テ直近上級廳ノ長ニ報告スヘシ　但シ分任收入官吏又ハ分任資金前渡官吏ノ事務引繼ノ場合ニ於テハ其ノ主任官吏ニ報告スルヲ以テ足ル
收入官吏兼掌ニ係ル有價證券取扱主任交替ノ場合ハ前項ノ例ニ依ル
第十六條　（削除）
第十六條ノ二　（削除）
第十六條ノ三　支出官、出納官吏、出納員又ハ有價證券取扱主任其ノ保管ニ係ル小切手現金又ハ有價證券ヲ亡失シ又ハ盜難ニ罹リタルトキハ其ノ所屬長官ニ於テ速ニ左記事項ヲ調査シ意見ヲ付シ朝鮮總督ニ報告スヘシ經費ヲ詐取セラレ又ハ出納官吏若ハ出納員ノ行爲ニ因リ政府ニ損失ヲ生セシメタル場合亦同シ
一　被害ノ日時及場所
二　被害ノ原因タル事實ノ狀況
三　被害金額
四　被害事實發見ノ動機
五　平素ニ於ケル現金又ハ有價證券管守ノ方法
第十六條ノ四　日本銀行代理店ノ設ナキ地ノ歲入歲出外現金出納官吏ノ保管スル現金ハ郵便局所ニ、資金前渡官吏ノ保管スル現金ハ成ルヘク郵便局所又ハ確實ナル銀行若ハ金融組合ニ預入ルヘシ　但シ遠距離ナルトキハ此ノ限ニ在ラス
第十六條ノ五　支出官及出納官吏ノ振出ス小切手面ノ署名ハ其ノ氏名ヲ彫刻シタル記名印ヲ以テシ其ノ印肉ハ黑色ヲ用フヘシ
第十六條ノ六　小切手及小切手用紙ハ堅牢ナル容器ニ格納シ其ノ受拂ハ帳簿ヲ設ケ之ヲ登記シ支出官、出納官吏又ハ其ノ委任ヲ受ケタル官代毎日之ヲ點檢スヘシ
第十六條ノ七　（削除）
第十七條　日本銀行代理店所在地外ニ於テ收入又ハ支拂ヲ要スルトキハ收官吏又ハ資金前渡官吏ニ於テ取扱フモノヲ除クノ外納人又ハ債主居ノ住地最近ノ遞信官署ヲ指定シ納入セシメ又ハ支拂ヲ爲スヘシ但シ納人又ハ債主ヨリ特別ノ申出アルトキハ此ノ限ニ在ラス
遞信官署所屬歲入歲出金又ハ歲入歲出外現金ノ受拂ニ付テハ納人又ハ債主カ日本銀行代理店所在地ニ在ル場合ニ於テモ前項ノ規定ニ依リ取扱フヘシ
第十八條　計算書報告等ヲ提出セムトスルトキハ之ヲ原本ニ對照檢算シ其ノ書類ノ表紙餘白ニ檢算濟ト記入シ主任者之ニ證印スヘシ
第十九條　特ニ指定シタルモノヲ除クノ外各廳ヨリ提出スル書類ハ其ノ

監督官廳ヲ經由スヘシ

第二十條　各廳ヨリ提出スル證明書類又ハ報告書類ニシテ所定ノ期限内ニ提出スルコト能ハサルモノアルトキハ其ノ事由及提出期日ヲ主管局部長ニ報告スヘシ

第二十一條　各廳ヨリ會計檢査院又ハ大藏省ニ提出スル書類ハ總テ本府ヲ經由スヘシ

第二十二條　本規程ニ依リ本府ニ書類ヲ提出シ又ハ申請、報告ヲ爲スヘキモノニシテ本府ノ各官吏ノ作製ニ係ルモノハ其ノ監督ノ債任アル官吏ヲ經テ主管部局ニ送付スヘシ

第二十三條　納税告知書、納入告知書、現金拂込書及納付書ニハ年度欄ニ其ノ會計名ヲ記入スヘシ

一　朝鮮總督府特別會計ニ屬スルモノニ在リテハ「朝鮮總督府」

二　朝鮮醫院及濟生院特別會計ニ屬スルモノニ在リテハ「朝鮮醫院及濟生院」

前項ノ外朝鮮醫院濟生院特別會計ニ屬スルモノニ在リテハ同規則第七條ノ區分ニ從ヒ欄外ニ「朝鮮總督府醫院」「何道何慈惠醫院」又ハ「濟生院」ノ文字ヲ記入スヘシ

第二十四條　遞信官署ノ會計ニ關シテハ第三章、第四章、第六章乃至第九章及第十二章ノ規定ヲ適用セス但シ歳入歳出ノ報告、歳入ノ誤謬整理及保管金又ハ保管有價證劵ヲ歳入ニ納付スル場合ノ規定ハ此ノ限ニ在ラス

第二章　豫算及決算

第二十五條　左記各號ノ區分ニ依リ當該各官ハ四月二十日迄ニ次年度歳入歳出ニ關スル計畫及既定事項ノ改廢竝之ニ伴フ收支ノ説明書ヲ作リ其ノ前年度ノ豫算ニ比較シ増減アルモノハ其ノ事由及算出ノ基礎ヲ示シタル調書ヲ添ヘ本府ニ提出スヘシ

一　本府、庶務府印刷所、土木部出張所、觀測所、殖産局山林課出張所、殖産局鑛務課出張所、地質調査所、高等土地調査委員會【事務局】中樞院及朝鮮部隊費ニ關スルモノハ庶務部長

二　（削除）

三　（削除）

四　遞信官署及海員審判所ニ關スルモノハ遞信局長

五　專賣局、專賣支局及其ノ出張所ニ關スルモノハ專賣局長

六　道府郡島警察署及道慈院醫院ニ關スルモノハ道知事

七　濟生院ニ關スルモノハ濟生院長

八　醫院ニ關スルモノハ醫院長

八ノ二　警察官講習所ニ關スルモノハ警察官講習所長

九　官立學校ニ關スルモノハ官立學校長

十　税關ニ關スルモノハ税關長

十一　營林廠ニ關スルモノハ營林廠長

十二　【平壤鑛業所ニ關スルモノハ平壤鑛業所長】

十三　勸業模範場ニ關スルモノハ勸業模範場長

十三ノ二　獸疫血清製造所ニ關スルモノハ獸疫血清製造所長

十四　中央試驗所ニ關スルモノハ中央試驗所長

十五　高等法院ニ關スルモノハ高等法院長

十六　覆審法院ニ關スルモノハ覆審法院長

十七 地方法院ニ關スルモノハ覆審法院所在地ニ在リテハ覆審法院長其ノ他ハ地方法院長

十八 監獄ニ關スルモノハ典獄

第二十六條 前條ノ書類ノ提出アリタルトキハ第六號中道府郡島及第七號ニ關スルモノハ內務局長第六號中警察署、道慈惠醫院第八號及第八號ノ二ニ關スルモノハ警務局長第九號ニ關スルモノハ學務局長第十號ニ關スルモノハ財務局長第十一號乃至第十四號ニ關スルモノハ殖産局長第十五號乃至十八號ニ關スルモノハ法務局長其ノ書類ニ意見ヲ附シ財務局長ニ交付スヘシ

財務局長ハ前條ノ書類ヲ取纏メ四月三十日迄ニ朝鮮總督ニ提出スヘシ

第二十七條 前條ノ書類ニ付朝鮮總督ノ判定アリタルトキハ財務局長ハ之ヲ各局部長、遞信局長及專賣局長ニ之ヲ內示ス

前項ノ各官ハ判定ノ趣旨ニ依リ其ノ主管事務ニ屬スル歲入歲出ノ概算書ヲ作リ五月十五日迄ニ財務局長ニ送付スヘシ

第二十八條 財務局長ハ前條ノ概算書ニ依リ庶務部長ノ意見ヲ聽キ全般ノ歲入歲出概算書ヲ作リ參考書類ヲ添ヘ六月三十日迄ニ朝鮮總督ニ提出スヘシ

財務局長ハ朝鮮總督ノ裁定ニ基キ豫定計算書及各目明細書ヲ作リ之ニ必要ナル參考書類ヲ添ヘ所管大臣ニ送付ノ手續ヲ爲スヘシ

第二十九條 所管大臣ヨリ決定豫算ノ通知アリタルトキハ財務局長ハ歲入豫算額ヲ各局部長、遞信局長及專賣局長ニ歲出豫算額ヲ庶務部長ニ通知スヘシ

庶務部長ハ前項ノ通知ニ依リ歲出豫算ノ配付ヲ掌理シ其ノ配付額ヲ財務局長ニ通知スヘシ

各局部長、遞信局長及專賣局長ハ歲入豫算ノ通知ヲ受ケタルトキハ之ヲ關係各歲入徵收官ニ通知スヘシ

第三十條 財務局長ハ歲出豫算配付額ノ通知ニ基キ各分任支出官ニ對シ支拂豫算委任ノ手續ヲ爲シ支拂豫算ヲ大藏大臣及會計檢査院ニ送付シ同時ニ之ヲ日本銀行京城代理店ニ通知スヘシ支拂豫算ヲ更定シタルトキ亦同シ

第三十一條 分任支出官ヲ置キタル各廳ノ長ハ其ノ配付セラレタル豫算ノ範圍內ニ於テ其ノ廳及所轄各廳ノ經理ヲ爲スヘシ

本府及分任支出官ヲ置カサル各廳ニ屬スル歲出ハ庶務部長之ヲ經理スヘシ

第三十二條 前條第一項ノ各廳ノ長及庶務部長ハ豫算ノ配付アリタル後直ニ其ノ使用計畫書ヲ作成スヘシ配付豫算ニ增減アルトキ又ハ既定計畫ノ變更ヲ要スルモノアルトキハ其ノ都度之ヲ更正スヘシ

第三十三條 支出官ヲ置キタル各廳ノ長ハ豫算各目ノ流用又ハ新設ヲ要スルトキハ其ノ事由ヲ具シ本府ニ申請スヘシ 但シ特ニ委任セラレタル各目ノ流用ニ付テハ之ヲ決行スヘシ

豫算各目流用申請書ハ第一號書式、豫算科目新設申請書ハ第三號書式ニ依ルヘシ

年功加俸及特別俸加給ノ俸給豫算ハ他ノ費途ヘ流用スルコトヲ得ス

第三十四條 前條ノ場合及本府ニ於テ豫算各目ノ流用又ハ新設ヲ要スルトキハ左ノ區分ニ依リ取扱フヘシ

一 各目ノ流用ハ庶務部長財務局長ニ合議ノ上之ヲ決行スヘシ

二 目ノ新設ヲ爲サムトスルトキハ歲入ニ在リテハ各局部長、遞信局長及專賣局長、歲出ニ在リテハ庶務部長財務局長ニ之ヲ請求シ財務局長ハ大藏省ニ請求ノ手續ヲ爲シ朝鮮總督ニ委任セラレタルモノニ在リテハ目新設ノ手續ヲ爲スヘシ

第三十五條 豫算增額申請書ハ第四號書式ニ依ルヘシ豫算增額申請ノ場合ニ於テ目ノ新設ヲ必要トスルトキハ豫算申請書ニ其ノ旨ヲ附記シ豫算科目新設申請書ハ之ヲ省略スルコトヲ得

第三十六條 （削除）

第三十七條 支出官ヲ置キタル各廳ノ長ハ其ノ年十二月末日現在ヲ以テ第五號書式ノ經費現計書ヲ作リ一月十五日迄ニ本府ニ宛テ發送スヘシ

第三十八條 會計年度開始前現金ノ支出ヲ要スルトキハ支出官ヲ置キタル各廳ノ長ハ之ヲ本府ニ請求スヘシ

前項ノ請求アリタルトキハ庶務部長ハ其ノ經費ヲ算定シ意見ヲ附シ之ヲ財務局長ニ送付スヘシ

財務局長前項ノ書類ヲ受ケ必要ト認メタルトキハ計算書ヲ作リ所管大臣ニ送付ノ手續ヲ爲スヘシ

第三十九條 豫備金ノ支出ヲ要スルトキハ庶務部長ハ金額及所要ノ事由ヲ具シ財務局長ニ請求スヘシ

財務局長ハ第一豫備金ノ支出ヲ爲シタルトキハ其ノ計算書ヲ調製シ所管大臣ヲ經由シ大藏大臣ニ通知ノ手續ヲ爲スヘシ

財務局長ハ第二豫備金ノ支出ヲ必要ト認メタルトキハ其ノ要求書ヲ調製シ所管大臣ヲ經由シ大藏大臣ニ送付ノ手續ヲ爲スヘシ

第三十九條ノ二 支出官ハ補充費途ニ屬スル經費經理ノ實蹟ヲ調査シ翌年度八月三十一日迄ニ之ヲ本部ニ報告スヘシ

庶務部長ハ前項ノ報告ヲ取纒メ財務局長ニ送付スヘシ

第四十條 （削除）

第四十一條 歲入徵收官ハ第七號書式ノ歲入增減計算書（內譯書及增減事由表ヲ添付ス）ヲ作リ翌年度六月十五日迄ニ本府ニ提出スヘシ

前項ノ計算書ニシテ道府郡島ニ係ルモノハ道知事之ヲ集計提出スヘシ

第四十二條 財務局長ハ各歲入徵收官ヨリ提出シタル歲入增減計算書ニ基キ歲入決定計算書ヲ作リ所管大臣ニ送付ノ手續ヲ爲スヘシ

第四十三條 資金前渡官吏ヲ置キタル各廳ノ長ハ第八號書式ノ決算報告書ニ準シタル報告書ヲ作リ翌年度五月三十一日迄ニ其ノ所屬分任支出官ニ送付スヘシ

支出官ヲ置キタル各廳ノ長及庶務部會計課長ハ第八號書式ノ決算報告書ヲ作リ翌年度六月十五日迄ニ各廳ノ長ハ本府ニ、庶務部會計課長ハ庶務部長ニ提出スヘシ

第四十四條 朝鮮醫院及濟生院特別會計法ニ依ル歲計ニ付テハ分任支出官ハ第九號書式ノ收入支出計算書ヲ作リ前條ノ例ニ準シ提出スヘシ

第四十五條 庶務部長ハ前二條ノ報告書及計算書ヲ取纒メ集計ヲ要スル科目ニ付テハ總括書ヲ添ヘ翌年度七月五日迄ニ財務局長ニ送付スヘシ

財務局長ハ前項ノ書類ニ依リ歲出決定計算書ヲ作リ所管大臣ニ送付ノ手續ヲ爲スヘシ

第四十六條 （削除）

第四十七條 支出官ヲ置キタル各廳ノ長會計法第二十七條及第二十八條

ノ規定ニ依リ翌年度ニ繰越ヲ要スルモノアルトキハ會計規則第七十八條及第七十九條ニ依リ左ノ書類各二通ヲ四月十日迄ニ本府ニ提出スヘシ

一 請負ニ付シタルモノニ在リテハ請負契約書寫、請負又ハ供給者提出願ニ因ルモノニ在リテハ延期願書ノ寫、設計ノ變更其ノ他官廳ノ都合ニ基クモノニ在リテハ其命令書寫、相當時期ニ於テハ實施シ能ハサリシモノニ在リテハ其ノ事由書

二 第十號書式ノ繰越計算書ノ附屬明細書

三 繰越ノ爲新ニ科目設置ノ必要アルモノハ其ノ事由書

資金前渡官吏ヲ置キタル各廳ノ長前項ノ繰越ヲ要スルトキハ四月五日迄ニ前項書類ヲ所屬支出官ニ送付スヘシ

第四十八條 朝鮮醫院及濟生院特別會計法ニ依ル指定ノ費途ニシテ翌年度ニ繰越ヲ要スルモノアルトキハ道知事、醫院長及濟生院長ハ四月十日迄ニ會計規則第七十八條ノ書類ヲ本府ニ提出スヘシ

第四十九條 庶務部長ハ第四十七條第一項及前條ノ書類ヲ審査シ繰越計算書ヲ作リ四月十五日迄ニ財務局長ニ送付スヘシ

財務局長ハ前項ノ書類ニ依リ繰越計算書又ハ繰越報告書ヲ作リ所管大臣ニ送付ノ手續ヲ爲スヘシ

第四十九條ノ二 第三十一條、第三十二條、第三十三條、第三十七條、第三十八條、第百八條及第二百十八條ノ規定ハ資金前渡官吏ヲ置キタル各廳ノ長ニ之ヲ準用ス

第三章 歲入

第五十條 稅外諸收入ヲ取扱フ歲入徵收官又ハ歲入事務分掌者會計規則第三十條ニ依リ歲入ヲ調定シタルトキハ十五日以內ニ於テ適當ノ納期ヲ定メ納人日本銀行本店、支店又ハ代理店所在地ニ在ルトキハ明治三十三年大藏省訓令第二十七號諸收入收納取扱規程ノ樣式ニ準シ、納人朝鮮內ニ於テ日本銀行代理店所在地外ニ在ルトキハ朝鮮總督府遞信官署現金受拂規則所定ノ書式ニ依リ納入告知書ヲ發スヘシ

遠隔ノ地ニ在ル納人ニ對シ納入告知書ヲ發スル場合ニ於テハ前項ノ期限ニ相當斟酌ヲ加フルコトヲ得

歲入徵收官又ハ歲入徵收事務分掌者租稅ヲ徵收セムトスルトキハ法令ノ規定ニ依リ納額通知書又ハ納稅告知書ヲ發スヘシ

第五十一條 歲入徵收事務分掌者ニ於テ發スル告知書又ハ其ノ所屬收入官吏ノ發スル現金拂込書及納付書ニハ其ノ廳名ヲ歲入徵收官在勤廳名ノ左側ニ記入スヘシ

第五十二條 朝鮮總督府遞信官署現金受拂規則ニ依リ作製スル納稅告知書、納入告知書及納付書ノ用紙ハ左ノ區分ニ依ル

一 朝鮮總督府特別會計ニ屬スルモノハ 白色

二 醫院及濟生院特別會計ニ屬スルモノハ 黃色

三 一般會計ニ屬スルモノハ 靑色

第五十三條 (削除)

第五十四條 (削除)

第五十五條 明治四十五年勅令第七十一號ニ依リ國庫ニ納付スル收入金ハ道歲入徵收官ノ所屬トス

前項ノ收入金ニシテ團體ヨリ納付スルモノニ在リテハ納入告知書ヲ發行シ其ノ他ノモノニ在リテハ道府郡島ノ收入官吏ヲシテ之ヲ取扱ハシ

ムヘシ

第五十六條　歳入徴收官又ハ歳入徴收事務分掌者ハ日本銀行代理店、收入官吏又ハ遞信官署出納官吏ヨリ領收濟通知書（遞信官署出納官吏又ハ日本銀行代理店ノ領收濟通知書中收入官若ハ遞信官署主任出納官吏ノ拂込ニ係ルモノヲ除ク）又ハ領收濟報告書ヲ受ケタル時ハ關係帳簿ニ收入濟ノ登錄ヲ爲スヘシ

歳入徴收事務分掌者ノ取扱ニ係ル收入官吏ノ領收濟報告書及收入明細書、遞信官署出納官吏ノ領收濟通知書及歳入金領收高月計通知書ハ當該歳入徴收事務分掌者ニ送付スヘシ

前二項ノ領收濟通知書又ハ領收濟報告書ハ各別ニ領收日付ニ依リ各月ニ區分シ其ノ表紙ニ金額ヲ記シ編綴シ置クヘシ

第五十七條　歳入徴收官又ハ歳入徴收事務分掌者ヲ置カサル廳ノ收入官吏納税告知書又ハ納入告知書ニ依ラスシテ現金ヲ領收シタルトキハ第十二號書式ノ明細書ヲ領收濟報告書ニ添ヘ所屬歳入徴收官又ハ歳入徴收事務分掌者ニ送付スヘシ

第五十八條　歳入徴收官又ハ歳入徴收事務分掌者遞信官署出納官吏ヨリ歳入金領收高月計通知書ヲ受ケタルトキハ第五十六條ノ領收濟通知書ニ對査シ其ノ符合ヲ認メタル上該通知書左方欄外ニ對査ヲ爲シタル者捺印ヲ爲シ保存スヘシ歳入徴收官ハ遞信官署出納官吏ノ拂込ニ係ル歳入ニ付日本銀行京城代理店ヨリ領收濟通知書ヲ受ケタルトキハ其ノ月計ト前項ノ歳入月計通知書トヲ對査シ其ノ符合ヲ確カムヘシ

第五十八條ノ二　歳入徴收官遞信官署出納官吏ノ領收ニ係ル歳入ニ付キ郵便爲替貯金管理所ヨリ歳入金領收高對査表ノ送付ヲ受ケタル時ハ之ヲ調査シ證明ノ上三日内ニ之ヲ郵便爲替貯金管理所ニ返付スヘシ但シ相違アル點ニ付テハ其ノ事由ヲ附記スルモノトス

前項ノ場合ニ於テ府郡島ヨリ返付スルモノハ道ヲ經由スヘシ

第五十九條　歳入徴收官又ハ收入官吏納税告知書、納入告知書、納付書又ハ現金拂込書ニ記載シタル年度、所管、會計名及歳入徴收官口座ニ誤謬アルコトヲ發見シタルトキハ大正十一年大藏省令第三十八號又ハ出納官吏事務規程第六十六條ニ依リ訂正ノ手續ヲ爲スヘシ

第五十九條ノ二　前條ノ誤謬ニシテ郵便局所ニ納入又ハ拂込タル歳入金ニ係ルトキハ當初其ノ取扱ヲ爲シタル郵便局所ヲ經由シ郵便爲替貯金管理所ニ宛テ之カ訂正ヲ請求スヘシ

郵便爲替貯金管理所出納官吏ハ前項訂正請求書ニ依リ日本銀行京城代理店ニ對シ更ニ其ノ訂正ヲ請求スヘシ　但シ五月三十一日迄ニ訂正請求ヲ爲シ得サリシモノニ付テハ該請求書ヲ返付スヘシ

第六十條　歳入徴收官ノ口座更正請求書ハ第十三號書式ニ依ルヘシ

第六十一條　出納官吏事務規程第二十四條ノ現金拂込仕譯書ニハ日本銀行代理店ニ拂込タル分ト郵便局所ニ拂込タル分トヲ區分記載スヘシ

第六十二條　醫院、道慈惠醫院及濟生院ノ歳入徴收官ハ十日毎ニ其ノ收入濟額中日本銀行代理店拂込濟額ヲ分任支出官ニ通知スヘシ

第六十三條　歳入徴收事務分掌者ハ其ノ取扱ヒタル徴收事務ニ付毎月徴收報告書ニ準シタル報告書ヲ作リ第十二號書式ニ準シタル歳入明細書現金受拂仕譯書及歳入金領收高月計通知書ヲ添ヘ翌月三日迄ニ歳入徴收官ニ提出スヘシ

歳入徴收官前項ノ報告書ヲ受ケタルトキハ之ヲ調査シ徴收簿ニ登錄スヘシ

第六十四條　歳入徴收官ハ毎月徴收簿ニ基キ會計ノ種別毎ニ大正十一年大藏省令第二十號所定ノ様式ニ依リ徴收報告書又ハ現金拂込濟仕譯書ヲ調製シ歳入金月計突合表ヲ添ヘ翌月十五日迄ニ府、郡、島ニ在リテハ道ニ其ノ他ニ在リテハ直接本府ニ提出スヘシ

第六十四條ノ二　最終徴收報告書ニハ副本ヲ添付スヘシ

第六十五條　道知事ハ道府郡島ノ徴收報告書又ハ現金拂込濟仕譯書ニ依リ大正十一年大藏省令第二十號所定様式ニ準シ徴收總報告書又ハ現金拂込濟總仕譯書ヲ調製シ收入金拂込濟内譯報告書、徴收總報告書ト日本銀行月計突合表トノ差額仕譯書及歳入金月計突合表ヲ添ヘ翌月二十日迄ニ本府ニ提出スヘシ

第六十六條　財務局長ハ各歳入徴收官ヨリ提出シタル徴收報告書ヲ集計シ徴收總報告書ヲ作リ參照書類ヲ添ヘ大藏大臣ニ送付ノ手續ヲ爲スヘシ

第六十七條　（削除）

第六十八條　歳入徴收官毎年度收入未濟ニシテ翌年度ニ繰越スモノアルトキハ明治二十四年大藏省訓令第六十八號又ハ明治二十五年大藏省訓令第二十五號收入金繰越手續ニ依リ之ヲ取扱ヒ當該年度ニ於テ最終徴收報告書ニ其ノ旨ヲ記載スヘシ

第六十九條　前年度以前ヨリノ繰越額ニ付テハ左記ノ記載例ニ依リ明治三十一年大藏省訓令第十二號ノ歳入繰越額計算表ヲ作リ年度經過後十五日以内ニ本府ニ提出スヘシ

一　繰越額欄ノ繰越額ハ前年度繰越計算表ヲ掲ケタル翌年度ヘ繰越額ヲ掲記スヘシ

二　當該年度中ニ滯納處分ノ引繼引受其ノ他ノ事由ニ依リ増減シタル額及其ノ事由ハ元年度ノ欄中當該年度ノ下ニ墨書又ハ朱書スヘシ

第七十條　道府郡島ノ前二條ニ依ル計算表ニハ道知事其ノ集計表ヲ作リ之ヲ添附スヘシ

第七十條ノ二　歳入徴收官ハ毎年三月末日迄ノ現況ニ依リ第十六號書式ノ二ノ一般會計所屬歳入現計表ヲ作リ四月五日迄ニ本府ニ提出スヘシ

第七十一條　歳入金過誤納ノ爲拂戻ノ必要アルトキハ關稅、噸稅、稅關雜收入ニ係ルモノニ付テハ稅關長之カ拂戻ヲ爲シ其ノ他ノモノニ付テハ歳入徴收官ハ第十七號書式ノ過誤納金拂戻要求書ヲ作リ權利者ノ請求書ヲ添ヘ本府ニ提出スヘシ

前項ノ要求書ニシテ規定ノ事項ヲ具備シタルトキハ歳入徴收官ハ之ニ調査濟ノ旨ヲ附記證印シテ前項ノ拂戻要求書ヲ省略スルコトヲ得

第七十二條　稅外諸收入ニ屬スル不納額ニシテ明治四十四年法律第五十八號ニ依リ諸貸付金ニ編入アリタルトキハ稅外諸收入ノ不納缺損トシテ之ヲ整理スヘシ

第七十三條　政府ト私人トノ債務ノ相殺アリタル場合ノ取扱方ハ大正十一年大藏省訓令第十五號ニ依ルヘシ

第七十四條　（削除）

第四章　歳出

第七十五條　支拂ハ左ニ掲クルモノヲ除ク外債主ノ請求ニ依リ之ヲ爲スヘシ

一　俸給、給料、諸賜金、手當金及賄料

二　賞與及慰勞金

三　補助金、府面交付金及共濟組合給與金
四　諸謝金
五　宿舍料
六　被服料及被服代料
七　地所家屋其ノ他借料
八　墓地管理費
九　渡切經費
十　在監人作業賞與金
十一　濟生院院兒作業賞與金
十二　船舶乘組員食卓料
十三　生徒寄宿費
十四　官報及朝鮮總督府官報代金

第七十六條　支出官及資金前渡官吏支拂ヲ爲サムトスルトキハ第十八號書式ニ依リ決議書ヲ作製スヘシ

第七十七條　支出官又ハ資金前渡官吏旅費ノ概算渡ヲ爲シタルトキハ其ノ旅行終了後五日以内ニ之ヲ精算セシムヘシ但シ外國旅行ヲ除クノ外旅行中年度經過シタル場合ニ在リテハ旅行終了前ト雖精算セシムヘシ

第七十八條　支出官小切手、歲出金繰替拂證票及同通知書等ニ押捺スヘキ印章ハ約五分ノ正方形トシ印字ハ其ノ職名又ハ官名ノミヲ表ハスニ止メ其ノ印肉ハ朱色ヲ用フヘシ

支出官ノ印章ノ保管及使用ニ付テハ最モ嚴重ナル取締方法ヲ講シ遺漏ナキヲ期スヘシ

第七十九條　支出官ハ朝鮮總督府遞信官署現金受拂規則第十六條ニ依リ送付スヘキ金額氏名表ヲ作製セシムルトキハ「拂渡店又ハ送金先」ヲ「繰替郵便局所」ト改ムヘシ

第八十條　朝鮮總督府遞信官署現金受拂規則第十六條ニ依リ振出ス隔地者拂小切手ノ裏面記載方ハ左ノ例ニ依ルヘシ

一　表面ノ金額ハ何道何郡何面何番地何某ヘ何郵便局所ニ於テ繰替拂ヲ要ス

二　表面ノ金額ハ金額氏名表ニ記載ノ通繰替拂ヲ要ス

第八十一條　歲出金繰替拂通知書ニ輪廓ノ外左側ニ「(注意)取受人ハ裏面注意事項ヲ熟覽スヘシ」ト記載シ其ノ裏面輪廓ノ刷色及寸法ハ表面ト同一トシ第十九號書式ニ依リ注意事項及委任狀文ヲ記載スヘシ

歲出金繰替通知書ニハ其ノ欄外上部ニ支拂店タル日本銀行代理店名ヲ記載スヘシ

第八十二條　(削除)

第八十三條　支出官一萬圓以上ノ繰替拂ヲ爲サムトスルトキハ電話又ハ電報等急速ノ方法ヲ以テ豫メ遞信局ニ之ヲ通知スヘシ此ノ場合ニ於テ電報ヲ用ヰルトキハ第二十號書式ニ依ルヘシ

第八十三條ノ二　(削除)

第八十四條　支出官遞信官署ヨリ繰替拂證票未着ノ通知ヲ受ケタルトキハ其ノ亡失シタル事實ヲ確メタル場合ニ限リ更ニ之ヲ發行シ日本銀行代理店ニ交付スヘシ

前項ノ場合ニ於テハ其ノ證票ニ再發行ノ文字ヲ記入スルヲ要ス

第八十四條ノ二　(削除)

第八十五條　繰替拂證票發行ノ日ヨリ六十日ヲ經過シ支拂ノ請求ナキ爲

遞信官署ヨリ繰替拂證票ノ返送ヲ受ケタルトキハ支出官ハ其ノ證票ヲ保管シ遞信官署ヨリ請求アリタルトキハ再ヒ之ヲ送付スヘシ

第八十六條 （削除）

第八十七條 （削除）

第八十八條 支出官歳出金繰替拂證票發行後金額以外ノ訂正ヲ要スルトキハ訂正書二通ヲ作リ支拂店タル日本銀行代理店ニ送付スヘシ

第八十九條 支出官歳出繰替拂通知書發行後金額以外ノ訂正ヲ要スルトキハ其ノ證明書ヲ債主ニ交付スヘシ 但シ繰替拂證票ト同一事項ノ訂正ヲ要スル場合ニハ其ノ證票ノ訂正書ニ併記シテ省略シ其ノ旨債主ニ通知スヘシ

第九十條 支出官定額戻入ヲ爲サムトスルトキハ第二十一號書式ニ依リ決議書ヲ作リ支出官事務規程又ハ朝鮮總督府遞信官署現金受拂規則ニ依リ返納告知書ヲ發スヘシ

第九十一條 （削除）

第九十二條 支出官過年度ニ屬スル經費ノ支出ヲ要スルトキハ金額及其ノ事由ヲ具シ本府ニ申請スヘシ

第九十三條 資金前渡官吏過年度ニ屬スル經費ノ支拂ヲ要スルトキハ金額及事由ヲ詳具シ支出官ニ請求スヘシ

支出官前項ノ請求ヲ受ケタルトキハ其ノ事實ヲ調査シ前條ノ手續ヲ爲スヘシ

第九十四條 歳入歳出金及歳入歳出外現金ノ缺損補塡ヲ要スルトキハ出納官吏ニ於テ第二十二號書式ノ缺損補塡金要求書ヲ作リ左ノ書類ヲ添付シ其ノ廳ノ長ヲ經テ本府ニ提出スヘシ

一 會計規則第百三十六條ニ依ル臨時檢査員ノ檢定書寫

二 會計規則第百三十四條ニ依リ辨償ヲ命セラレタルトキハ其ノ顚末書、辨償ヲ命セラレサルトキハ其ノ理由書

第九十五條 第七十一條ノ過誤納拂戻、第九十二條ノ過年度ニ屬スル經費ノ支出又ハ前條ノ缺損補塡金支拂ノ要求又ハ申請アリタルトキハ庶務部長ハ其ノ事實ヲ審査シ拂戻ノ決定ヲ爲スヘシ

第九十六條 支出官前條ノ決定ニ依リ過誤納金ノ拂戻又ハ歳入ノ缺損補塡金ノ支拂ヲ爲シタルトキハ其ノ主管ノ歳入徴收官ニ之ヲ通知スヘシ

第九十七條 資金前渡官吏前渡金ヲ請求セムトスルトキハ第二十三號書式ニ依ルヘシ

第九十八條 （削除）

第九十九條 （削除）

第百條 資金前渡官吏經費ノ支拂ヲ爲サムトスルトキハ其ノ廳ノ長ノ決定ヲ經テ執行スヘシ 但シ出張先ニ於テ支拂ヲ爲ス場合ハ之ヲ專行スルコトヲ得

第百一條 資金前渡官吏誤拂過渡ヲ發見シタルトキハ第二十一號書式ノ回收決議書ヲ作リ速ニ回收ノ手續ヲナシ科目違ヲ發見シタルトキハ直ニ更正ノ手續ヲ爲スヘシ

第百二條 資金前渡官吏當該年度ノ最終又ハ任務終了ノ際ニ於ケル資金出納計算書提出ノ後前條ノ誤謬ヲ發見シタルトキハ第二十六號書式ノ報告書ヲ會計檢査院ニ提出シ爾後完了ニ從ヒ其ノ旨ヲ會計檢査院ニ報告スヘシ

第百三條 支出官ハ支出ノ有無ニ拘ラス翌年五月分迄每月支出濟報告書

正副二通ヲ調製シ翌月十日迄ニ直接本府ニ提出スヘシ
財務局長ハ各支出官ヨリ提出シタル支出濟報告書ニ依リ支出總報告書ヲ調製シ參照書類ヲ添ヘ大藏大臣ニ送付ノ手續ヲ爲スヘシ
第百四條 資金前渡官吏支拂ヲ完了シタルトキハ直ニ第三十號書式ノ前渡金受拂明細書ヲ作リ殘金アルトキハ返納書ヲ添ヘ之ヲ支出官ニ提出スヘシ
第百五條 小切手、歲出金支拂通知書、歲出金繰替拂證票及同通知書中金額ヲ誤記シタルトキハ之ヲ廢紙トナシ金額以外ノ誤記脫字ヲ爲シタルトキハ用紙裏面ニ其ノ旨ヲ記載シ支出官又ハ出納官吏之ヲ證印スヘシ
前項ノ場合ニ於テ小切手ノ廢紙ハ原符ニ附著セシメ保存スヘシ
第百六條 概算拂又ハ前渡金ノ支拂殘額ヲ外國貨幣又ハ外國爲替券ヲ以テ日本銀行ニ納付スル場合ニ於テハ支出官ハ第三十一號書式ノ交換仕譯書ヲ作リ本府ニ提出スヘシ
第百七條 （削除）
第百七條ノ二 （削除）
第百七條ノ三 （削除）
第百七條ノ四 政府ヲ第三債務者トシテ差押ヘラレタル債務ニ關シテハ支出官又ハ出納官吏ハ明治二十六年勅令第二百六十一號及明治二十七年大藏省令第二號ニ依リ取扱フヘシ
第百七條ノ五 （削除）
第百七條ノ六 道慈惠醫院ニ於テ朝鮮醫院及濟生院特別會計ノ支拂元金ノ移換ヲ要スルトキハ道知事ハ第三十一號書式ノ二ノ申請書ヲ本府ニ提出スヘシ
第百七條ノ七 朝鮮醫院及濟生院特別會計ノ歲出支拂元金ニシテ本府支出官ヨリ各道支出官ニ對シ移換ヲ爲ス場合ハ本府支出官、又各道支出官ノ間ニ於テ爲ス移換ハ本府ノ通知ニ依リ當該支出官ニ於テ之カ手續ヲ爲スヘシ
第百七條ノ八 各道支出官前條ノ通知ヲ受ケタルトキハ左ノ區分ニ依リ請求書ヲ日本銀行代理店ニ送付スヘシ
一 甲日本銀行代理店ニアル甲支出官ノ支拂元金ヲ同日本銀行代理店ニ於ケル乙支出官ノ支拂元金ニ移換ヲ要スルトキハ第三十一號書式ノ三
二 甲日本銀行代理店ニアル甲支出官ノ支拂元金ヲ乙日本銀行代理店ニ於ケル乙支出官ノ支拂元金ニ移換ヲ要ストルキハ第三十一號書式ノ四

第五章 契約

第百八條 工事ノ請負、物件ノ賣買貸借若ハ運搬又ハ勞力ノ供給等ニ關スル契約ハ支出官ヲ置キタル各廳ノ長之ヲ擔任スヘシ 但シ必要アリト認ムルトキハ他ノ官吏ヲシテ擔任セシムルコトヲ得
第百九條 契約擔任官ハ左ニ揭クル場合ニ於テ會計法第三十一條第二項ノ規定ニ依リ指名競爭ニ付セムトスルトキハ其ノ事由ヲ詳記シ朝鮮總督ノ認可ヲ受クヘシ
一 當業者相連合シテ不當ノ競爭ヲ爲サムトスル虞アルトキ
二 不誠實又ハ不信用ノ者競爭ニ加入シ不當ノ競爭ヲ爲ス虞アルトキ
三 特種ノ構造又ハ品質ヲ要スル工事、製造又ハ物件ノ買入ニシテ檢

査著シク困難ノモノナルトキ

四　契約上ノ義務ニ違背アルトキハ政府ノ事業ニ著シキ支障ヲ來スノ虞アルトキ

契約擔任官前項各號ノ場合ノ外特殊ノ事由ニ因リ一般ノ競爭ニ付スルヲ不利ト認ムルトキハ朝鮮總督ノ認可ヲ經テ指名競爭ニ付スルコトヲ得

第百十條　工事ノ請負、物件ノ賣買、貸借、運搬、勞力供給等ノ契約ニシテ競爭又ハ指名競爭ニ付セムトスルトキハ一定ノ期間ヲ定メ入札希望者ヲシテ仕樣書、圖面、契約條件、請負人心得及現場又ハ見本若ハ雛形等ヲ閲覽セシムヘシ

第百十一條　競爭又ハ指名競爭ノ場合ニ於ケル豫定價格調書ハ秘密ニ之ヲ取扱ヒ其ノ書面ハ嚴封シ置キ開披ヲ爲シタルトキハ開披者更ニ封緘ヲ施スヘシ

第百十二條　豫定價格調書ハ直接關係ヲ有スル官吏ノ外披見スルコトヲ得ス開札後ト雖之ヲ發表スヘカラス

第百十二條ノ二　隨意契約ノ場合ニ於テ豫定價格調書ヲ作成シタルトキハ前二條ノ規定ヲ準用ス

第百十三條　契約擔任官ハ土地ノ情況ニ依リ必要ナシト認ムルトキハ一般ノ競爭若ハ指名競爭ノ場合ニ於ケル入札保證金ヲ免除シ又ハ指名競爭若ハ隨意契約ノ場合ニ於ケル契約保證金ヲ免除スルコトヲ得

第百十四條　入札書ハ封緘ヲ施シ指定時刻迄ニ差出サシムヘシ入札ハ郵便ニ依ルモノニ在リテハ配達證明若ハ書留郵便、電信ニ依ルモノニ在リテハ照校電報ト爲シタルモノニ限リ之ヲ受理スルコトヲ得　但シ入札保證金ヲ要スル場合ニ於テ入札保證金ノ納付ナキモノハ此ノ限ニ在ラス

第百十五條　入札保證金ハ入札書提出前之ヲ納付セシメ入札執行後落札人ニ屬スルモノヲ除クノ外卽日之ヲ還付シ落札人ニ屬スルモノハ契約締結ノ後之ヲ還付スヘシ

第百十六條　（削除）

第百十七條　（削除）

第百十八條　契擔任官ハ落札人ヲシテ落札ノ日ヨリ五日以內ニ契約保證金ヲ納付セシメ契約ヲ締結スヘシ

契約擔任官ニ於テ正當ノ事由アリト認ムルトキハ前項ノ期間ヲ延長スルコトヲ得

第百十八條ノ二　契約擔任官ハ左ノ場合ニ於テ會計法第三十一條第二項ノ規定ニ依リ隨意契約ヲ爲サムトスルトキハ其ノ事由ヲ詳記シ朝鮮總督ノ認可ヲ受クヘシ

一　現ニ契約履行中ノ工事、製造又ハ物品ノ供給ニ關聯スルモノニシテ之ヲ他ノ者ヲシテ分割履行セシムルコトヲ不利トスルトキ

二　隨意契約ニ依ルトキハ時價ニ比シ著シク有利ナル價格ヲ以テ契約ヲ爲シ得ヘキ見込アルトキ

三　買入ヲ要スル物品多量ニシテ分割購入ヲ爲スニ非サレハ買占其ノ他ノ事由ニ因リ其ノ價格ヲ騰貴セシムルノ虞アルトキ

四　急速ニ契約ヲ爲スニ非サレハ契約ヲ爲スノ機會ヲ失ヒ又ハ著シク不利ナル價格ヲ以テ契約ヲ爲ササルヘカラサル虞アルトキ

五　第百九條第一項各號ノ場合ニ於テ指名競爭ニ付スルコトヲ不利ト

スル特別ノ事由アルトキ

契約擔任官前項各號ノ場合ノ外特殊ノ事由ニ因リ一般競爭ニ付スルヲ不利ト認ムルトキハ朝鮮總督ノ認可ヲ受ケ隨意契約ヲ爲スコトヲ得

第百十九條　隨意契約ヲ爲サムトスルトキハ二人以上ヨリ見積書ヲ徵シ賣却貸渡等ヲ爲スモノニ付テハ最高額、工事ノ請負及物件ノ購入借入等ヲ爲スモノニ付テハ最低額ノ者ト契約スヘシ　但シ價格百圓未滿ノモノ又ハ特別ノ事由アルモノハ此ノ限ニ在ラス

前項ノ場合ニ於テ最高又ハ最低ノ價格見積書ヲ出シタル者數名アルトキハ抽籤ヲ以テ之ヲ決定スヘシ

第百十條ノ規定ハ第一項ノ場合ニ之ヲ準用ス

第百十九條ノ二　契約擔任官會計法第三十一條第二項ノ規定ニ依リ指名競爭ニ付シ又ハ隨意契約ニ依リ契約ヲ結ヒタルトキハ第三十一號書式ノ五ニ依リ遲滯ナク之ヲ本府ニ提出スヘシ

第百二十條　契約擔任官會計規則第九十七條又ハ第九十八條ニ該當スルモノト認メタル者アルトキハ其ノ氏名、住所及事實ヲ詳具シ之ヲ本府ニ報告スヘシ

第百二十一條　保證金トシテ納付シタル國債ノ辨濟期到來シタルトキハ其ノ納付者ヲシテ他ノ國債證券又ハ現金ト引換ヲナサシムヘシ

第百二十二條　契約擔任官ハ記名國債證券ヲ以テ保證金ヲ納付セムトスル者ヲシテ大正十一年大藏省令第三十一號國債規則第三十九條ノ手續ヲ爲サシムヘシ

第百二十三條　會計規則第九十二條第二項ニ依ル工事若ハ製造ノ既濟部分又ハ物件ノ既納部分ニ對スル檢査調書ハ第三十二號又ハ第三十三號書式ニ依リ之ヲ調製スヘシ

第六章　寄　附

第百二十四條　醫院、道慈惠醫院又ハ濟生院ノ事業ノ爲其ノ資金ニ編入ヲ要セサル金錢又ハ物件ヲ寄附セムトスル者アルトキハ醫院長、道知事又ハ濟生院長之ヲ受理シ其ノ金額又ハ品名數量、價額竝條件及寄附者ノ住所氏名ヲ本府ニ報告スヘシ

資金ニ編入ヲ要スルモノハ朝鮮醫院及濟生院特別會計資金取扱規程ニ依リ取扱フヘシ

第百二十四條ノ二　學術技藝救恤慈善若ハ水利土工等ノ爲金錢又ハ物件ノ寄附ヲ爲サムトスル者アルトキハ各廳ノ長之ヲ受理シ其ノ金額又ハ品名、數量、價格竝寄附者ノ住所氏名及其ノ用途ヲ詳具シ直ニ之ヲ本府ニ報告スヘシ之ヲ受クル爲費用ヲ要スル者ハ豫メ其ノ費目金額等ヲ具シ本府ニ伺出ツヘシ

第七章　歲入歲出外現金及有價證券

第百二十五條　法律勅令ノ規定ニ依リ保管スル公有又ハ私有ノ現金又ハ有價證券ハ現金ニ在リテハ歲入歲出外現金出納官吏ニ於テ出納官吏事務規程ニ依リ有價證券ニ在リテハ有價證券取扱主任ニ於テ政府保管有價證券取扱規程ニ依リ之ヲ取扱フヘシ

第百二十五條ノ二　前條ノ事務ヲ執行スルニ付保管金取扱規程、預金部預金取扱規程又ハ政府保管有價證券取扱規程ニ依リ作製スル書類ノ肩書ハ單ニ某廳歲入歲出外現金出納官吏又ハ有價證券取扱主任ト記載スヘシ

第百二十六條　政府ノ保管スル公有又ハ私有ノ有價證券ニシテ日本銀行

代理店ニ寄託シ難キ場合ニ於テハ其ノ廳ノ物品會計官吏ヲシテ之ヲ保管セシムヘシ

第百二十七條（削除）

第百二十八條　歳入歳出外現金又ハ政府保管有價證券ノ出納ヲ要スルトキハ本府ニ在リテハ當該課長其ノ他ニ在リテハ其ノ廳ノ長之カ受拂ヲ命令スヘシ　但シ裁判所ニ於テ判事又ハ檢事ノ命令ニ依ルヘキモノハ此ノ限ニ在ラス

第百二十八條ノ二（削除）

第百二十八條ノ三　事件主任官タル判事又ハ檢事競賣保證金、訴訟事件、非訟事件ニ關スル費用ノ豫納金ノ類ノ納付ヲ爲サシメムトスルトキハ第三十三號書式ノ二ノ納付命令書ヲ納人ニ交付スヘシ

執達吏ノ職務ヲ行フ者領收シタル現金又ハ有價證券ヲ歳入歳出外現金出納官吏又ハ有價證券取扱主任ヲシテ保管セシムル必要アルトキハ第三十三號書式ノ二ノ納付命令書ヲ執達吏ノ職務ヲ行フ者ニ交付スヘシ

第百二十八條ノ四　裁判所ノ歳入歳出外現金出納官吏又ハ有價證券取扱主任保管金又ハ有價證券ノ納付ヲ受ケタルトキハ第三十三號書式ノ四ノ保管票ヲ以テ納付濟ノ旨ヲ事件主任官タル判事又ハ檢事ニ通知スヘシ

第百二十八條ノ五　事件主任官タル判事又ハ檢事他廳ヨリ保管ニ係ル現金又ハ有價證券ノ移送ヲ受ケタル場合ニ第三十三號書式ノ二ノ受入通知書ヲ以テ歳入歳出外現金出納官吏又ハ有價證券取扱主任ニ受入ノ通知ヲ爲スヘシ

前項ノ通知ヲ受ケタルトキハ歳入歳出外現金出納官吏又ハ有價證券取扱主任ハ領收證ヲ發送廳ノ歳入歳出外現金出納官吏又ハ有價證券取扱主任ニ送付スヘシ

第百二十八條ノ六　事件主任官タル判事又ハ檢事現金又ハ有價證券ノ拂渡又ハ移送ヲ爲サムトスルトキハ保管票ヲ以テ歳入歳出外現金出納官吏又ハ有價證券取扱主任ニ拂渡又ハ移送ノ通知ヲ爲スヘシ　但シ納人以外ノ權利者ニ拂渡ス場合ハ其ノ請求書ヲ添付スヘシ

第百二十八條ノ七（削除）

第百二十九條（削除）

第百三十條　保管金取扱規程第十六條及政府保管有價證券取扱規程第二十條ノ主務官廳ハ朝鮮總督府、遞信局、專賣局、道、稅關、營林廠、覆審法院及地方法院（覆審法院所在地ノモノヲ除ク）トス

第百三十一條（削除）

第百三十二條（削除）

第百三十二條ノ二　有價證券取扱主任ハ每年度末日ニ於テ有價證券受拂簿ノ寄託現在高ト日本銀行ノ現在高トヲ對照シ結果ヲ其ノ廳ノ長ニ報告スヘシ

第百三十三條（削除）

第八章　領置物

第百三十四條　覆審法院、地方法院、地方法院支廳、監獄及監獄分監ニ領置物取扱主任一人ヲ置ク

領置物取扱主任ハ其ノ廳ノ長之ヲ命免ス　但シ其ノ廳ノ長ノ外官吏ナキ場合ニ於テハ其ノ廳ノ長ヲ以テ領置物取扱主任トス

第百三十五條　裁判所ノ領置物取扱主任ハ押收品其ノ他領置シタル金

品、監獄又ハ監獄分監ノ領置物取扱主任ハ在監者ヨリ領置シタル物品ノ出納ヲ掌ル

第百三十六條　領置物ニシテ有價證券貴金屬其ノ他貴重品ト認ムヘキモノハ堅牢ナル金櫃ニ藏置スヘシ

第百三十七條　領置物取扱主任ハ領置物ノ保管出納ニ付其ノ責ニ任ス

領置物取扱主任領置物ヲ亡失毀損シ又ハ盜難ニ罹リタルトキハ現金ニ在リテハ歲入歲出外現金出納官吏ニ物品ニ在リテハ物品會計官吏ニ準シ其ノ責ニ任スヘシ

第百三十八條　裁判所ニ於テ領置物保管ヲ要スルトキハ事件主任官ハ書面又ハ帳簿ヲ以テ金品ヲ領置物取扱主任ニ送付スヘシ

裁判所ノ領置物ニシテ貨幣ニ付テハ事件主任官ハ領置物取扱主任ト立會ノ上封緘ヲ施シ保管ノ困難ナルモノニ付テハ領置物取扱主任ト協議ノ上依託其ノ他適當ノ方法ヲ定ムヘシ

第百三十九條　領置物取扱主任差入人ヨリ物品ヲ受領シタル場合ニ於テ請求アリタルトキハ第三十四號書式ノ領收證ヲ交付スヘシ

第百四十條　領置物ハ其ノ廳ノ長又ハ事件主任官タル判事若ハ檢事ノ命令ニ依リ其ノ出納ヲ爲スヘシ　但シ自ラ領置物取扱主任タル場合ハ直ニ出納ヲ爲スコトヲ得

前項ニ依リ領置物ノ出納ヲ爲シタルトキハ書面又ハ帳簿ヲ以テ授受ノ證印ヲ爲ヘシ

第百四十一條　領置物取扱主任領置物ヲ交付シタルトキハ領收證ヲ徵スヘシ　但シ監獄又監獄ハ分監ニ於テ監房ニ携入セシムル場合ハ此ノ限ニ在ラス

第百四十一條ノ二　在監人移監ノ爲領置物ノ移送ヲ要スルモノアルトキハ領置物取扱主任ハ引繼書ヲ作リ適宜ノ方法ヲ以テ移監ヲ受クル監獄ノ領置物取扱主任ニ之ヲ送付シ其ノ領收證ヲ徵スヘシ

第百四十二條　領置物カ國庫ノ所得ニ歸シタルトキハ領置物取扱主任ハ其ノ領置物カ現金ナルトキハ其ノ廳ノ收入官吏ニ引繼キ、現金以外ノモノナルトキハ之ヲ其ノ廳ノ物品會計官吏ニ引繼クヘシ

前項ノ場合ニ於テ領置物カ有價證券ナルトキハ監獄慈惠ノ用ニ充ツヘキモノヲ除クノ外政府保管有價證券取扱規程第二十條ニ依リ取扱フヘシ

第百四十三條　領置ヲ爲ササル金品ハ假留品トシテ保管シ領置物ノ例ニ依リ取扱フヘシ

第百四十四條　領置物取扱主任交替シタルトキハ現金ニ在リテハ歲入歲出外現金出納官吏、其ノ他ノ物品ニ在リテハ物品會計官吏交替ノ例ニ準シ事務ノ引繼ヲ爲スヘシ

第百四十五條　裁判所、監獄及監獄分監以外ノ官廳ニ於テ金錢又ハ物品ヲ領置スルノ必要アルトキハ本章ノ規定ニ準シ之ヲ取扱フヘシ

第九章　物　品

第百四十六條　左ノ區分ニ依リ物品取扱主任ヲ置ク

一　本府各課室及其ノ本府廳外ニ在ル分室、東京出張員事務所、【留學生監督部】

二　專賣局及專賣支局ノ各課、工場、分工場

三　稅關各課

四　道知事官房及道各部ノ各課

五 濟生院各部
六 中央試驗所各部、科及係
七 地方法院出張所
八 監獄及分監ノ各係出張所

各廳ノ長ハ必要アリト認ムルトキハ別ニ物品取扱主任ヲ置クコトヲ得

第百四十七條 物品取扱主任ハ其ノ所管物品ノ請求、返納、修理等ノ事務ヲ取扱フ

第百四十八條 物品取扱主任ハ其ノ廳ノ長之ヲ命免ス 但シ本府ニ在リテハ各課室ノ長之ヲ命免シ物品會計官吏ニ通知スヘシ

第百四十九條 物品ノ取扱ニ關シ物品會計官吏ニ報告、請求、引繼等ヲ爲ス場合ニハ其ノ監督ノ任アル官吏ヲ經由スヘシ

第百五十條 物品ヲ類別シテ左ノ五種トス

第一類 廳用品
　備品
　消耗品
第二類 作業品
　器具機械
　消耗品
　材料素品
　生産品
第三類 獄用品
　備品
　消耗品
第四類 工事材料品
第五類 動物
第六類 政府保管有價證券

專賣局ニ於ケル物品ニ付テハ前項ノ類別ニ據ラサルコトヲ得

輸移出入貨物買上品及沒收品其ノ他特殊ノ取扱ヲ要スル物品ハ別ニ之ヲ整理スヘシ

第百五十一條 物品ノ種別竝職員專用品及其ノ定數ハ第一號表及第二號表ニ依ル

第百五十二條 左ノ物品ハ物品會計官吏ノ保管外トシ物品出納簿ニ登錄スルヲ要セス

一 購入ノ際直ニ消費スルモノ
二 公文書類及官報、新聞、雜誌及之ニ準スルモノ

第百五十三條 物品ノ專用者又ハ取扱者ハ其ノ專用又ハ取扱ニ係ル物品ニ付保管ノ責ニ任ス

物品取扱主任ハ前項ニ規定スル場合ヲ除クノ外其ノ所管ノ物品ニ付保管ノ責ニ任ス

第百五十四條 購入、生産等受入ヲ要スル物品ハ物品會計官吏ニ於テ直ニ受入ノ手續ヲ爲スヘシ 但シ直ニ受入ヲ爲スコト能ハサルモノニ付テハ取扱者ヨリ品目、數量、事由等ヲ記シタル引繼書ヲ作リ現品ヲ添ヘ物品會計官吏ニ引繼クヘシ

前項但書ノ場合ニ於テ現品ヲ直ニ引繼ク能ハサルトキハ引繼書ニ其ノ物品ノ保管證ヲ添附シ物品會計官吏ニ提出スヘシ

第百五十五條 物品會計官吏ニ移送ヲ要スル物品ニシテ運搬スルコト能

ハサルモノ又ハ運搬ニ便ナラサルモノハ取扱者ニ於テ之ヲ保管シ其ノ旨ヲ引繼書ニ附記スヘシ

第百五十六條　物品取扱主任、專用者又ハ取扱者其ノ保管物品ヲ亡失毀損シ又ハ盜難ニ罹リ若ハ詐取セラレタルトキハ事由ヲ詳具シ物品會計官吏ニ報告スヘシ但シ專用者ノ保管物品ニシテ物品取扱主任ヨリ交付ヲ受ケタルモノナルトキハ其ノ物品取扱主任ヲ經由スルコトヲ要ス

物品會計官吏前項ノ報告ヲ受ケタルトキハ事實ヲ査覈シ意見ヲ附シ其ノ廳ノ長ニ申告スヘシ

第百五十七條　物品會計官吏其ノ保管物品ヲ亡失毀損シ又ハ盜難ニ罹リ若ハ詐取セラレタルトキハ事由ヲ詳具シ其ノ廳ノ長ニ申告スヘシ

第百五十八條　各廳ノ長（本府ニ在リテハ其ノ課室ノ長）前二條ノ申告ヲ受ケタル場合ハ事實ヲ審査シ故意怠慢ニ出テタルモノト認メタルトキハ左ノ區分ニ從ヒ責任者ヲシテ之ヲ辨償セシムヘシ

一　物品ヲ亡失シ又ハ盜難ニ罹リ若ハ詐取セラレタルトキハ代品ヲ納付セシメ又ハ相當價額ヲ辨償セシム

二　物品ヲ毀損シタルトキハ其ノ物品ヲ修理セシメ又ハ修理料ヲ辨償セシム　但シ修繕ヲ加フルモ使用ニ堪ヘサルモノニ付テハ前號ノ例ニ依ル

前項ノ場合ニ於テ各廳ノ長ハ處理ノ顛末ヲ本府ニ報告スヘシ　但シ輕微ナルモノニ付テハ此ノ限ニ在ラス

第百五十九條　物品ノ保管轉換ヲ爲サムトスルトキハ其ノ品名、數量、價格及保管轉換ヲ要スル事由ヲ具シ本府ニ申請スヘシ　但シ左ニ揭クル物品ニ付テハ其ノ廳ノ長ニ於テ專行スルコトヲ得

一　一廉五十圓未滿ノ物品

二　移監囚徒ノ被服

專賣局、專賣支局及其ノ出張所相互間、道廳府郡島廳警察署相互間及府郡島廳警察署間、稅關及其ノ支署出張所間、勸業模範場及其ノ支場間、營林廠及其ノ支廠出張所間、地方法院同支廳及同出張所間、監獄及其ノ分監間ノ保管轉換ハ其ノ廳ノ長之ヲ專行スヘシ但シ府郡島廳警察署間ニ在リテハ道知事、地方法院同支廳同出張所間ニ在リテハ地方法院長（覆審法院所在地ノ地方法院ニ在リテハ覆審法院長）ノ認可ヲ受クヘシ

第百六十條　物品ノ保管轉換ノ場合ニ於テハ現保管ノ物品會計官吏ハ第三十五號書式ノ保管轉換引繼書ヲ作リ保管ノ引繼ヲ受クヘキ物品會計官吏ニ引繼ヲ爲シ其ノ領收證ヲ徵スヘシ

第百六十一條　物品取扱主任交替シタルトキハ前任者後任者立會ノ上物品及帳簿ノ引繼ヲ爲シ物品會計官吏ニ報告スヘシ

前任物品取扱主任死亡其ノ他ノ事故ニ依リ立會ヲ爲スコト能ハサルトキハ特ニ他ノ官吏ニ命シテ之カ立會ヲ爲サシムヘシ

第百四十八條ノ規定ハ前項ノ場合ニ之ヲ準用ス

第百六十二條　物品會計官吏ハ其ノ廳ノ長又ハ其ノ委任ヲ受ケタル官吏ノ命令アルニ非サレハ物品出納ヲ爲スコトヲ得ス

第百六十三條　共用品又ハ專用品ノ備附、修理若ハ交換ヲ要スルトキハ物品取扱主任又ハ專用者ハ品目、數量、事由ヲ詳具シ物品會計官吏ニ請求スヘシ此ノ場合ニ於テ修理又ハ交換ヲ要スルモノハ現品ヲ添附スヘシ

物品ヲ返納スル場合ハ前項ニ準シ其ノ手續ヲ爲スヘシ
第百五十五條ノ規定ハ前項ノ場合ニ之ヲ準用ス

第百六十四條　備品ノ修理又ハ補足ニ充ツル目的ヲ以テ受入レタル物品及給與スヘキ物品ハ消耗品トシテ整理スルコトヲ得

第百六十五條　（削除）

第百六十六條　消耗品ハ所要ノ都度之ヲ交付ス　但シ日常ノ消耗品ハ一月分以内ノ所要額ヲ見積リ概算渡ヲ爲スコトヲ得
特別ノ事由アルモノハ前項ノ規定ニ拘ラス適宜概算渡ヲ爲スコトヲ得

第百六十七條　前條ノ概算渡ヲ受ケタル物品ハ消費濟ノ都度遅滯ナク精算ヲ爲シ又ハ所要ノ事由止ミタルトキ精算ヲ爲シ其ノ殘品ヲ返納スヘシ　但シ定期ニ概算渡ヲ受クルモノニ在リテハ毎月末日ヲ以テ其ノ精算ヲ爲シ殘品ハ年度更改ノトキ迄遞次繰越使用スルコトヲ得

第百六十八條　購入、生産等ニ因リ受入レタル物品ニシテ物品會計官吏ニ引繼前賣却シタルモノ、消費シタルモノ又ハ不用ニ歸シタルニ因リ其ノ廳ニ移送スル必要止ミタルモノハ計算書ニ事由ヲ附記シ其ノ廳ノ長ニ報告スヘシ

第百六十八條ノ二　貴重品又ハ有價證券ヲ保管スル場合ニハ之ヲ堅牢ナル櫃ニ藏置スヘシ

第百六十九條　（削除）

第百七十條　物品ノ處分ハ特ニ規定アルモノヲ除クノ外本府ニ在リテハ庶務部長其ノ他ニ在リテハ各廳ノ長之ヲ決行スヘシ

第百七十一條　左ノ物品ハ特別文具トシ之ヲ給スルコトヲ得

一　辭令用、掲示用、筆榻版用、受付用、公衆用、在監人書信用ノ筆墨
二　簿記用、金券及旅券作成用、指紋用、診察用、藥局用ノペン、ペン軸、インキ
三　病室用鉛筆
四　官印押捺用ノ肉池及印肉
五　製圖用具及材料

前項ニ依リ官給スル物品ノ數量ハ本府ニ在リテハ庶務部長其ノ他ニ在リテハ各廳ノ長之ヲ定ム

第十章　官有財産

第百七十二條　官有財産ニ關スル事務ハ遞信ノ業務ニ關スルモノハ遞信局其ノ他ハ本府ニ於テ之ヲ管掌ス

第百七十三條　官有財産ハ左ノ區分ニ依リ之ヲ保管スヘシ　但シ數箇ノ官廳ニ於テ共用スル官有財産ニ在リテハ其ノ保管者ハ特ニ之ヲ指定ス

一　本府竝京城府所在各廳（遞信官署、專賣局、專賣支局、道、府、郡、警察署、税關出張所及營林廠出張所ヲ除ク）及其ノ所管廳、京城監獄使用中ノ官有財産ハ庶務部長
二　遞信官署ニ於テ使用中ノ官有財産ハ遞信局長
三　專賣局專賣支局及其ノ出張所ニ於テ使用中ノ官有財産ハ專賣局長
四　觀測所使用中ノ官有財産ハ觀測所長
五　官立學校（京城府所在官立學校ヲ除ク）使用中ノ官有財産ハ官立學校長
六　税關使用中ノ官有財産ハ税關長
七　營林廠使用中ノ官有財産ハ營林廠長

八　水產試驗場使用中ノ官有財產ハ水產試驗場長
九　勸業模範場使用中ノ官有財產ハ勸業模範場長
九ノ二　獸疫血清製造所使用中ノ官有財產ハ獸疫血清製造所長
十　覆審法院（京城覆審法院ヲ除ク）使用中ノ官有財產ハ覆審法院長
十一　地方法院使用中ノ官有財產ハ覆審法院所在地ニ在リテハ覆審法院長其ノ他ハ地方法院長
十二　監獄（京城監獄及西大門監獄ヲ除ク）使用中ノ官有財產ハ典獄
十三　驛屯土及之ニ準シテ管理シタル土地、國有未墾地、森林山野、堤堰、洑及堤堰洑ノ附屬地並道、府、郡、島、警察署、道慈惠醫院使用中ノ官有財產ハ道知事

前項ニ掲ケサル官有財產ハ京城府ニ在リテハ土木部長其ノ他ハ道知事ヲ以テ保管者トス

第百七十四條　保管者ハ其ノ保管ニ屬スル官有財產ノ維持保存取締ノ責ニ任スヘシ

保管者ハ朝鮮總督ノ認可ヲ受ケ其ノ保管ニ屬スル官有財產ニ付關係官吏ヲ指定シテ前項ノ責ヲ分任セシムルコトヲ得

第百七十五條　第百七十二條ノ官署ノ長ハ其ノ管掌ニ屬スル官有財產ノ總臺帳並圖面ヲ保管者（土木部長及遞信局長ヲ除ク）ハ其ノ保管ニ屬スル官有財產ノ臺帳並圖面ヲ備ヘ之ヲ整理スヘシ

第百七十六條　保管者ハ官有財產ノ貸付及使用ニ付必要ナル帳簿ヲ備ヘ之ヲ整理スヘシ

第百七十七條　官有財產ノ保管換ヲ受ケムトスル者ハ左ノ事項ヲ具シ朝鮮總督ニ申請スヘシ

一　所在地、地目
二　名稱、種類及數量
三　所要ノ目的及事由
四　圖　面
五　保管者ト協議濟ノ書類

船舶ノ場合ハ前項第一號ニ付テハ船籍港又ハ定繫場、第二號ノ數量ニ付テハ噸數又ハ積石數ヲ記載スヘシ

第百七十八條　官有財產ノ所管換ヲ受ケムトスルトキ又ハ第百七十三條ノ保管者ニ於テ他ノ保管ニ屬スル官有財產ノ一時使用ヲ爲サムトスルトキハ前條ノ規定ヲ準用ス

一時使用ノ場合ニ在リテハ前條ニ掲ケタル各事項ノ外使用ノ條件及期間ヲ附記スヘシ

第百七十九條　官有財產ノ維持保存其ノ他ノ必要ニ依リ其ノ保管ノ寄託ヲ要スルモノアルトキハ保管者ハ其ノ事項ヲ具シ朝鮮總督ニ申請スヘシ

一　第百七十七條第一項第一號及第二號又ハ第二項ノ事由
二　受寄者ノ住所氏名
三　事　由
四　寄託ノ條件及期間
五　寄託料ヲ要スルモノハ其ノ金額
六　圖　面

第百八十條　官有地ヲ道路、河川、堤防等ノ敷地ニ組替ヲ要スルモノアルトキハ保管者ハ其ノ事項ヲ具シ朝鮮總督ニ申請スヘシ此ノ場合ニ於テハ第百七十七條又ハ第百七十八條ノ手續ヲ要セス

一　第百七十七條第一項第一號及第二號ノ事項
二　事由
三　三斜線ヲ記入シタル實測圖

第百八十一條　官有財產臺帳ニ登錄漏ノ財產ニシテ新ニ登錄ヲ要スルモノアルトキ又ハ登錄ノ取消若ハ訂正ヲ要スルノアルトキハ保管者ハ左ノ事項ヲ具シ朝鮮總督ニ申請スヘシ
一　第百七十七條第一項第一號及第二號又ハ第二項ノ事項
二　事由
三　新ニ登錄スルモノニ付テハ其ノ價格及圖面、圖面ノ訂正ヲ要スルモノニ付テハ其ノ圖面

第百八十二條　官有財產ノ增築、改築、移轉、取拂若ハ模樣替ヲ要スルトキ又ハ官有財產ノ用途ノ變更若ハ不用中ノ官有財產ノ使用ヲ要スルトキハ保管者ハ左ノ事項ヲ具シ朝鮮總督ニ申請スヘシ
一　第百七十七條第一項第一號及第二號又ハ第二項ノ事項
二　事由
三　工事ニ付テハ其ノ仕樣書
四　圖面
前項ニ依リ他ノ保管者ニ屬スル不用中ノ官有財產ノ使用ノ申請ヲ爲シタルトキハ第百七十七條又ハ第百七十八條ノ手續ヲ要セス

第百八十三條　競爭契約ニ依リ官有財產ノ貸付又ハ賣拂ヲ要スルモノアルトキハ保管者ハ左ノ事項ヲ具シ朝鮮總督ニ申請スヘシ
一　第百七十七條第一項第一號及第二號又ハ第二項ノ事項
二　事由
三　貸付ニ在リテハ貸付ノ條件及期間
四　豫定價格下調書
五　圖面
豫定價格下調書ハ封書ト爲スヘシ

第百八十四條　隨意契約ニ依リ官有財產ノ貸付又ハ使用ヲ出願スルモノアルトキハ保管者ハ其ノ事項ヲ具シタル願書ヲ徵シ朝鮮總督ニ副申スヘシ其ノ繼續又ハ變更ノ出願アリタルトキ亦同シ
一　第百七十七條第一項第一號及第二號又ハ第二項ノ事項
二　出願者ノ住所氏名
三　借受又ハ使用者ノ目的及期間
四　料金但シ無料ノ場合ニハ其ノ事由
五　圖面

第百八十五條　隨意契約ニ依リ官有財產ノ賣拂ヲ出願スル者アルトキハ保管者ハ左ノ事項ヲ具シタル願書ヲ徵シ朝鮮總督ニ副申スヘシ
一　第百七十七條第一項第一號及第二號又ハ第二項ノ事項
二　出願者ノ住所氏名
三　買受ノ目的
四　買受金額及其ノ內譯書
五　圖面

第百八十六條　官有財產ノ讓與ヲ出願スルモノアルトキハ保管者ハ其ノ事項ヲ具シタル願書ヲ徵シ朝鮮總督ニ副申スヘシ
一　第百七十七條第一項第一號及第二號又ハ第二項ノ事項
二　出願者ノ住所氏名

三　讓受ノ目的又ハ事由
四　圖面

第百八十七條　官有財產ヲ交換セムトスルトキハ保管者ハ其ノ事項ヲ具シ朝鮮總督ニ申請スヘシ
一　交換物件ニ關スル第百七十七條第一項第一號及第二號ノ事項
二　交換者ノ住所氏名
三　事由
四　交換者ノ提供スヘキ物件ノ登記又ハ證明ノ謄本
五　交換物件ノ圖面

前項ノ申請書ニハ交換者ノ願書又ハ承諾書及交換物件ニ對スル評定價格書ヲ添附スヘシ

評定價格書ハ二人以上ノ官吏ヲシテ作製セシメ且價格ノ內譯及評定ノ根據ヲ詳記セシムヘシ

第百八十八條　官有財產ニ編入スヘキ物件ノ寄附ヲ出願スル者アルトキハ左ノ事項ヲ具シタル願書ヲ徵シ朝鮮總督ニ副申スヘシ
一　第百七十七條第一項第一號及第二號又ハ第二項ノ事項
二　價格
三　出願者ノ住所氏名
四　寄附ノ目的
五　物件ノ權利關係及關係人ノ住所氏名
六　圖面

第百八十九條　第百八十三條、第百八十五條乃至前條ノ圖面ニシテ土地ニ關スルモノナルトキハ三斜線ヲ記入シタル實測圖ヲ添附スヘシ

第百九十條　官有地ノ貸付、使用、賣拂、讓與又ハ交換ニ關スル申請又ハ副申ヲ爲ス場合ニハ其ノ位置及附近ノ形狀ヲ示シタル一般圖ヲ添付スヘシ

第百九十一條　官有財產ノ所管換、保管換、賣拂、讓與、交換ヲ爲シ又ハ寄附ヲ受ケタル場合ニハ保管者ハ實地立會ノ上書面ニ依リ受渡ヲ行フヘシ

第百九十一條ノ二　貸付又ハ使用ヲ許可シタル官有財產ニシテ其ノ貸付又ハ使用期間滿了シタルトキ又ハ其ノ契約ヲ解除シタルトキハ保管者ハ檢査ノ上該官有財產ノ引渡ヲ受クヘシ

前項ノ場合ニ於テ官有財產ニ附屬セシメタル物件アルトキ又ハ原狀ヲ變更シタルモノアルトキハ之ヲ原狀ニ復セシムヘシ　但シ原狀回復ノ必要ナシト認ムルトキハ此ノ限ニ在ラス

第百九十二條　官有財產ニ編入スヘキ物件ヲ取得シタルトキハ保管者ハ法令ノ定ムル所ニ從ヒ速ニ登記又ハ證明囑託ノ手續ヲ爲スヘシ登記ノ抹消又ハ訂正ヲ要スル場合亦同シ

第百九十三條　官有財產ニシテ左ノ各號ノ一ニ該當スルトキハ保管者ハ速ニ朝鮮總督ニ報告スヘシ
一　貸付又ハ使用ノ認可ヲ受ケ其ノ手續ヲ了シタルトキ
二　貸付契約ヲ解除シタルトキ
三　貸付又ハ使用物ノ返還ヲ受ケタルトキ
四　第百九十一條ノ受渡又ハ前條ノ手續ヲ了シタルトキ
五　第百八十條ノ組替ノ手續ヲ了シタルトキ

第百九十四條　使用中ノ官有財產不用ニ歸シタルトキハ保管者ハ左ノ事

項ヲ具シ速ニ朝鮮總督ニ報告スヘシ
一 第百七十七條第一項第一號及第二號又ハ第二項ノ事項
二 事由
三 圖面
四 處理ニ關スル意見

第百九十五條 天災其ノ他事故ニ因リ官有財産ニ損害ヲ生シタルトキハ保管者ハ左ノ事項ヲ具シ速ニ朝鮮總督ニ報告スヘシ
一 第百七十七條第一項第一號及第二號又ハ第二項ノ事項
二 原因
三 損害ノ程度竝價格
四 被害ノ部分ヲ示シタル圖面
五 處理ニ關スル意見

前項ノ場合ニ於テ急速處理ヲ要スルトキハ相當措置ヲ爲シタル後之ヲ報告スヘシ

遞信局長ノ保管ニ屬スル官有財産ニ付テハ損害價格五百圓未滿ノ場合ニ於テハ前二項ノ報告ヲ要セス

第百九十六條 官有地ノ境界上必要ノ箇所ニハ境界標ヲ建設スヘシ

境界標ハ成ルヘク不朽ノ材料ヲ用フヘシ

第百九十七條 官有財産中歷史ノ徵證又ハ學術上ノ參考ト爲ルヘキモノハ保存及取締上特別ノ注意ヲ爲スヘシ

第百九十八條 官有財産ノ價格ハ左ノ區分ニ從フヘシ
一 買入又ハ製造ニ係ルモノハ其ノ買入金額又ハ製造費
二 新築又ハ增築ニ係ルモノハ其ノ建築費 但シ材料ノ一部トシテ在來ノ物品又ハ他工事ノ殘品ヲ使用シタルトキハ其ノ價格ヲ合算スヘシ
三 機械類据付ニ係ルモノハ其ノ代價及据付費
四 埋立ニ係ルモノハ其ノ埋立費
五 交換ニ係ルモノハ交換ノ時ニ於ケル評定價格
六 收用ニ係ルモノハ其ノ補償金額
七 前各號以外ノモノハ其ノ評定價格

第百九十九條 官有財産ニ屬スル建物ハ特ニ指定シタルモノヲ除クノ外居住ノ用ニ供スルコトヲ得ス 但シ官有財産ノ保管又ハ取締上監守人ヲ置ク場合ハ此ノ限ニ在ラス

前項但書ノ場合ニ於テハ管掌者ニ報告スヘシ

第二百條 保管者(土木部長及遞信局長ヲ除ク)ハ其ノ保管ニ屬スル官有財産ニ關シ明治四十四年四月一日ヨリ起算シ五年每ニ其ノ年三月三十一日現在ノ目錄竝圖面ヲ調製シ四月三十日迄ニ第百七十二條ノ官署ノ長ニ提出スヘシ

第二百一條 保管者(土木部長及遞信局長ヲ除ク)ハ其ノ保管ニ屬スル官有財産ニ關シ每會計年度ニ於ケル增減報告書竝圖面ヲ左ノ二期ニ分チ調製シ翌月三十日迄ニ第百七十二條ノ官署ノ長ニ提出スヘシ
第一期 四月一日ヨリ九月三十日迄
第二期 十月一日ヨリ翌月三月三十一日迄

增減ナキトキハ前項ノ期日迄ニ其ノ旨報告スヘシ

第二百一條ノ二 朝鮮醫院及濟生院特別會計ニ屬スル官有財産ニ付テハ前條ノ增減報告書及圖面ハ二通提出スヘシ

第二百二條 遞信局長ハ其ノ管掌スル官有財産ニ關シ朝鮮官有財産管理規則第十五條ノ目錄及同規則第十六條ノ增減報告書ヲ調製シ其ノ年六

月三十日迄ニ之ヲ朝鮮總督ニ提出スヘシ

第二百三條　土木部長ハ本府及遞信局ニ於テ管掌スル官有財產ノ目錄及增減報告書ヲ總括シ朝鮮官有財產管理規則第十五條及第十六條ニ依ル報告ノ手續ヲ爲スヘシ

第十一章　貸付金

第二百四條　租稅外收入金ニシテ明治四十四年法律第五十八號第一條ニ依リ貸付金ニ編入スルノ必要アルトキハ歲入徵收官ヲ置キタル各廳ノ長ハ債務額、債務原因、辨濟期限、債務者及保證人ノ住所氏名並貸付金ニ編入ヲ要スル事由ヲ詳具シ左ノ書類ヲ添付シ其ノ處分方ヲ本府ニ申請スヘシ　但シ本府ニ關スルモノニ在リテハ庶務部長ヨリ之ヲ財務局長ニ通告スヘシ

一　第三十五號書式ノ二ニ依リタル債務者ノ願書

二　官公吏ノ證明ニ係ル資力調書及戶籍謄本其ノ他貸付金ニ編入ヲ要スル事由ヲ證明スル書類

前項ノ場合ニ於テ府郡島ニ關スルモノハ道知事ヨリ之ヲ申請スヘシ

第二百五條　前條ノ申請又ハ通告アリタルトキハ財務局長ハ其ノ事由ヲ審査シ定期貸又ハ据置貸ノ區別、其ノ金額、辨濟期限其ノ他契約條件ヲ定メ朝鮮總督ノ決裁ヲ受ケ關係書類ヲ添ヘ其ノ旨ヲ債務者住所地ノ道知事ニ通知スヘシ其ノ變更ヲ要スルトキ亦同シ

道知事ハ前項ノ通知ヲ受ケタルトキハ債務者ヨリ第三十五號書式ノ三ノ債務證書ヲ徵シ之ヲ保管スヘシ

第二百六條　朝鮮總督府及所屬官署以外ノ官廳ヨリ貸付金ノ引繼アリタルトキハ財務局長之ヲ調査シ左ノ事項ヲ記載シタル書面ヲ作リ關係書類ト共ニ之ヲ債務者住所地ノ道知事ニ交付スヘシ

一　前管理廳名

二　貸付金ノ種類及金額

三　債務ノ原因

四　編入ノ年月日

五　辨濟期限

六　債務者及保證人ノ住所氏名

第二百七條　明治四十四年法律第五十八號施行ノ際現存セル貸付金及明治四十四年大藏省令第十七號貸付金取扱規程第七條ニ依朝鮮總督府及所屬官署以外ノ官廳ヨリ引繼ヲ受ケタル貸付金ハ一般會計所屬トシ本府ニ於テ新ニ貸付金ニ編入シタルモノハ朝鮮總督府特別會計所屬トシ、朝鮮總督府特別會計所屬ニ非サル所屬官署ノ歲入トナルヘキモノハ其ノ特別會計ノ所屬トシ各別ニ整理スヘシ

第二百八條　道知事第二百五條ノ通知又ハ第二百六條ノ書類ノ交付ヲ受ケタルトキハ貸付金取扱規程ニ依リ其ノ取扱ヲ爲シ同規程第八條及第十條ニ揭クル事項ニ付テハ報告書ヲ作リ其ノ報告ヲ爲スヘキ月ノ十日迄ニ本府ニ提出スヘシ

財務局長ハ前記ノ報告書ヲ取纏メ大藏省ニ送付スヘシ

第二百九條　貸付金ノ契約條件ニ變更ヲ要シ又ハ債權ノ喪失ニ關スル事項アルトキハ道知事ハ事由ヲ詳具シ本府ニ申請スヘシ　但シ辨濟期ノ短縮ニ付テハ此ノ限ニ在ラス

前項ノ場合ニ於テ期限ノ延長又ハ債權ノ喪失ニ係ルモノニ付テハ收納ノ困難又ハ資力回復ノ見込ナキ事實ヲ證明スルニ足ルヘキ書類ヲ添付

スヘシ

第二百九條ノ二　第二百四條及前條第二項ノ場合ニ於テ滯納處分又ハ強制執行ヲ爲シタルモノモ債務額ヲ辨濟スルニ足ラサルモノニ付テハ無資力證明ノ書類ノ添付ヲ省略スルコトヲ得

第二百十條　朝鮮内ニ在リテハ債務者ノ住所地ヲ他ノ道ニ移轉シタルトキハ舊住所地ノ道知事ハ新住所地ノ道知事ニ其ノ旨ヲ通知シ第二百五條及第二百六條ノ書類ヲ引繼キ其ノ旨本府ニ報告スヘシ

第二百十一條　債務者朝鮮外ニ住所ヲ移轉シタルトキハ道知事ハ第二百六條ノ事項ヲ記載シタル書面ニ關係書類ヲ添ヘ本府ニ提出スヘシ

前項ノ書類ヲ受ケタルトキハ財務局長ハ之ヲ審査シ其ノ債權カ一般會計ニ屬スルモノニ付テハ債權者ノ所轄廳ニ貸付金管理ノ引繼ヲ爲スヘシ

第二百十二條　貸付金ニ關スル證書類ハ堅牢ナル金櫃ニ藏置シ鄭重ニ保管スヘシ

第二百十三條　朝鮮總督府特別會計其ノ他ノ特別會計ニ屬スル貸付金ニシテ一般會計ニ移屬セシムルコトヲ要スルモノアルトキハ財務局長ハ朝鮮總督ノ裁決ヲ受ケ大藏大臣ニ引繼ノ手續ヲ爲スヘシ

第十二章　帳簿及證明

第二百十四條　財務局長ハ歳入簿、歳出簿及豫算差引簿ヲ備フヘシ

第二百十五條　歳入徴收官及歳入徴收事務分掌者ハ大正十一年大藏省令第二十號ニ依ル徴收簿ヲ備フル外税外收入ニ付テハ第三十六號書式ノ調定原簿ヲ備フヘシ

第二百十六條　出納官吏ハ大年十一年大藏省令第二十號ノ現金出納簿ヲ備フヘシ

收入官吏ニシテ他ノ出納官吏ヲ兼ヌルトキハ前項ノ帳簿ノ外第三十七號書式ノ收入簿ヲ備フヘシ

第二百十七條　庶務部長ハ第三十八號書式ノ豫算配付簿ヲ備フヘシ

第二百十八條　支出官ヲ置キタル各廳ノ長及庶務部會計課長ハ第三十九號書式ノ經費推算簿ヲ備フヘシ

第二百十九條　支出官ハ大正十一年大藏省令第二十號ニ依ル支出簿ノ外左ノ帳簿ヲ備フヘシ

一　目整理支出簿　第四十一號書式ノ乙
一　概算渡整理簿　第四十二號書式
一　前渡金整理簿　第四十三號書式

朝鮮醫院及濟生院特別會計ノ支出官ハ前項ノ帳簿ノ外大正十一年大藏省令第二十號ニ依ル支拂元受高差引簿ヲ備フヘシ

支出簿ノ記載方ハ第四十一號書式ノ甲ニ依ルヘシ

第二百二十條　資金前渡官吏ハ第二百十六條第一項ノ帳簿ノ外第四十二號書式ノ概算渡整理簿及第四十四號書式ノ經費内譯簿ヲ備フヘシ

第二百二十一條　歳入歳出外現金出納官吏ニシテ他ノ出納官吏ヲ兼ヌルトキハ第二百十六條第一項ノ帳簿ノ外第四十六號書式ノ現金出納内譯簿ヲ備フヘシ

監獄又ハ監獄分監歳入歳出外現金出納官吏ハ前項ノ外第四十七號書式ノ領置金及作業賞與金計算高基帳及第四十七號書式ノ二ノ假留金書留簿ヲ備フヘシ

第二百二十二條　有價證券取扱主任ハ第四十八號書式ノ有價證券受拂簿

ヲ備フヘシ

第二百二十三條　裁判所ノ領置物取扱主任ハ左ノ帳簿ヲ備フヘシ

一　領置物出納簿　第四十九號書式

一　領置物假渡簿　第五十號書式

第二百二十四條　監獄又ハ監獄分監ノ領置物取扱主任ハ左ノ帳簿ヲ備フヘシ

一　領置品臺帳　第五十一號書式

一　假留品書留簿　第五十二號書式

第二百二十五條　物品會計官吏ハ第五十三號書式ノ物品出納簿及第五十五號書式ノ供用備品內譯簿ヲ備フヘシ

前項ノ帳簿ノ外物品內譯簿、物品受拂內譯簿等必要ナル補助簿ヲ備フルコトヲ得

第二百二十六條　物品取扱主任ハ左ノ帳簿ヲ備フヘシ

一　備品受拂簿　第五十四號書式

一　消耗品受拂簿　第五十六號書式

一　郵便切手類受拂內譯簿　第五十七號書式

前項ノ外必要ニ依リ供用備品內譯簿ニ準シタル補助簿ヲ設クルコトヲ得

第二百二十七條　歲入徵收官ハ計算證明規程ニ依リ每月歲入徵收額計算書ヲ調製シ翌月十日限之ヲ本府ニ提出スヘシ但シ會計檢查院ニ於テ特ニ指定シタルモノ又ハ其ノ承認ヲ經タルモノニ付テハ此ノ限ニ在ラス

第二百二十八條　收入官吏ハ計算證明規程ニ依リ收入金現金出納計算書ヲ調製シ翌年度四月十五日限歲入徵收官ヲ經テ之ヲ本府ニ提出スヘシ

收入官吏交替シタルトキハ交替後十五日內ニ前項ノ手續ヲ爲スヘシ

第二百二十九條　分任收入官吏ハ主任收入官吏ニ準シ收入金現金出納計算書ヲ作リ證憑書類ヲ添ヘ翌年度四月十日迄ニ主任收入官吏ニ送付スヘシ

主任收入官吏前項ノ計算書ヲ受ケタルトキハ自己ノ計算書ニ併算シテ證明ノ手續ヲ爲スヘシ

第二百三十條　支出官ハ計算證明規程ニ依リ每月支出計算書ヲ作リ證憑書類ヲ添ヘ翌月十日迄本府ニ提出スヘシ

第二百三十一條　資金前渡官吏ハ計算證明規程ニ依リ每月資金出納計算書ヲ調製シ證憑書類ヲ添ヘ翌月十日限支出官ヲ經テ之ヲ本府ニ提出スヘシ

資金前渡官吏月ノ中途ニ交替シタル場合ニ於テ前任官吏ノ計算ハ成ルヘク後任官吏ノ計算書ニ併算シ連名ヲ以テ之ヲ證明スヘシ

第二百三十二條　（削除）

第二百三十三條　分任資金前渡官吏ハ主任資金前渡官吏ニ準シ計算書ヲ作リ證憑書類ヲ添ヘ翌月五日迄ニ主任資金前渡官吏ニ送付スヘシ

主任資金前渡官吏前項ノ計算書ヲ受ケタルトキハ自己ノ計算書ニ併算シテ證明ノ手續ヲ爲スヘシ

第二百三十四條　歲入歲出外現金出納官吏ハ計算證明規程ニ依リ歲入歲出外現金出納計算書ヲ調製シ證憑書類ヲ添ヘ翌年度四月十五日限其ノ廳ノ長ヲ經テ之ヲ本府ニ提出スヘシ

歲入歲出外現金出納官吏交替シタルトキハ遲滯ナク前項ノ手續ヲ爲ス

ヘシ

第二百三十五條　物品會計官吏ハ計算證明規程ニ依リ物品出納計算書ヲ調製シ證憑書類ヲ添ヘ翌年度五月十五日限其ノ廳ノ長ヲ經テ之ヲ本府ニ提出スヘシ

物品會計官吏交替シタル場合ニ於テ後任官吏ノ計算ニ併算セサルモノニ付テハ交替後二箇月限前項ノ手續ヲ爲スヘシ

第二百三十六條　物品會計規則第十八條ノ二ニ依リ委託ニ依ル檢査ヲ帳簿ニ依リ執行シタル場合ニ於テハ檢査官吏該帳簿ノ末尾ニ檢査濟ノ旨及其ノ年月日ヲ記入シ署名捺印スヘシ

第十三章　檢査及監督

第二百三十七條　會計規則第百三十六條ニ依リ出納官吏ノ檢査ヲ爲シタルトキハ檢査員ハ卽日第六十二號書式ノ檢定書二通ヲ作リ一通ハ出納官吏ニ交付シ他ノ一通ハ本府ニ在リテハ庶務部長ニ其ノ他ニ在リテハ本府ニ提出スヘシ

第二百三十八條　各廳ノ長（本府ニ在リテハ庶務部會計課長）ハ三年每ニ檢査官吏ヲ命シ物品會計官吏ノ保管スル物品全部ノ檢査ヲ行フヘシ

朝鮮總督ハ必要ト認ムルトキハ前項ノ規定ニ拘ラス檢査ヲ命スルコトアルヘシ

第二百三十九條　前條ニ依リ檢査ヲ行ヒタル場合ニ於テハ第六十三號書式ノ檢査調書ヲ作リ本府ニ在リテハ庶務部長ニ其ノ他ニ在リテハ本府ニ提出スヘシ

第二百四十條　物品會計官吏ハ每年三月及特ニ必要ト認メタルトキハ其ノ所管ノ物品取扱主任及專用者ノ物品ノ檢査ヲ爲スヘシ

物品會計官吏前項ノ檢査ヲ爲シタルトキハ第六十三號書式ニ準シタル調書ヲ作リ之ヲ其ノ廳ノ長ニ報告スヘシ

第二百四十一條　物品取扱主任ハ每年二回物品ノ狀況、使用ノ適否、現在數ヲ檢査シ物品會計官吏ニ報告スヘシ

第二百四十二條　領置物取扱主任ヲ置キタル廳ノ長ハ每年一回領置物ニ關スル帳簿書類及現品ノ檢査ヲ行ヒ又ハ部下ノ官吏ニ命シ檢査ヲ行ハシムヘシ

領置物取扱主任交替ノトキ亦前項ノ手續ヲ爲スヘシ

第二百四十條第二項ノ規定ハ前二項ノ場合ニ之ヲ準用ス

第二百四十三條　左記ノ各官ハ其ノ廳及所轄廳ノ物品會計官吏ノ取扱ニ係ル物品出納計算ノ檢査ヲ執行シ其ノ責任ヲ解除スヘシ但シ第三號表ニ揭クル物品ニ付テハ此ノ限ニ在ラス

觀測所長
遞信局長
專賣局長
道知事
濟生院長
醫院長
官立學校長
稅關長
營林廠長
【平壤鑛業所長】
勸業模範場長

中央試驗所長
高等法院長
覆審法院長
地方法院長（覆審法院所在地ノ地方法院長ヲ除ク）
典　獄

遞信局長ハ遞信官署ニ於ケル現金及歲入歲出外現金ノ出納計算ノ檢查ヲ執行シ其ノ取扱者ノ責任ヲ解除スヘシ　但シ主任出納官吏ノ取扱フ現金ニ付テハ此ノ限ニ在ラス

前二項ノ各官檢查ヲ執行シタルトキハ第六十三號書式ノ二又ハ第六十四號書式及第六十五號書式ノ檢查成績報告書各二通ヲ作リ年度經過後六月以內ニ本府ニ提出スヘシ

庶務部長ハ前項ノ報告書ヲ審查シ會計檢查院ニ送付スヘシ

第二百四十四條　會計檢查院ノ委託ニ係ル檢查ニシテ前條各官ニ委任セルモノノ外ハ庶務部長之ヲ執行シ第六十四號又ハ第六十五號書式ノ檢查成績報告書ヲ作リ年度經過後八月以內ニ會計檢查院ニ送付スヘシ

第二百四十五條　第二百四十三條ノ檢查ニシテ同條ニ定メタル期限ニ至ルモ檢查完了セサルモノアルトキハ其ノ事由及完結セシムヘキ期限ヲ定メ之ヲ本府ニ報告シ其ノ結了ニ從ヒ檢查成績報告書ヲ提出スヘシ

庶務部長ハ前項ノ報告書ヲ審查シ之ヲ會計檢查院ニ送付スヘシ

第二百四十六條　第二百四十四條ノ檢查ニシテ同條ニ定メタル期限ニ檢查ヲ完了セサルモノアルトキハ前條ニ準シ之ヲ會計檢查院ニ報告又ハ送付ノ手續ヲ爲スヘシ

第二百四十七條　第二百四十三條及第二百四十四條ノ檢查ヲ執行シタル場合ニ於テハ左ノ各號ノ一ニ該當スルモノアルトキハ第二百四十三條ノ廳ノ長又ハ庶務部長ハ第六十六號書式ノ認可狀ヲ當該官吏ニ交付スヘシ

一　計算書ニ對シ全部正當ナリト判決シタルトキ
一　辨償ノ責任アリト判決セラレタル者其ノ辨償ヲ了シタルトキ

第二百四十八條　第二百四十三條又ハ第二百四十四條ノ檢查ニ關シ會計檢查院法第二十四條ニ依ル再審事項アリタルトキハ其ノ事由ヲ詳記シタル申報書ニ關係書類ヲ添ヘ會計檢查院ニ送付スヘシ

前項ノ申報書ハ第二百四十四條ノ廳ノ長ニ在リテハ二通ヲ作リ其ノ送付ニ付テハ本府ヲ經由スヘシ

第二百四十九條　左記各官ハ其ノ所管事業ニ就キ第六十八號書式ノ收支計算表及第六十九號書式ノ資本金額表並第七十號書式ノ資本現在額調書二通ヲ作リ翌年度七月三十一日迄ニ本府ニ提出スヘシ

庶務部印刷所長
殖產局商工課長
專賣局長
營林廠長
獸疫血清製造所長
京城監獄典獄
永登浦監獄典獄

第二百五十條　出納官吏定期內ニ計算書ヲ送付セサルトキハ遲滯ナク其ノ廳ノ長ハ他ノ官吏ニ命シテ之ヲ調製提出セシムヘシ

前項ノ場合ニ於テ其ノ廳ノ長ハ直ニ出納官吏ノ事務處理ノ情況ヲ監查

シ相當措置ヲ爲スヘシ

第二百五十一條　庶務部長ハ第六十七號書式ノ檢査濟否原簿ヲ備ハ計算書及證憑書類ノ接受、査了、會計檢査院ヘ提出等ノ關係ヲ明ニシ及推問其ノ他參考ト爲ルヘキ事項ヲ記載スヘシ

第二百五十二條　各廳ヨリ提出ニ係ル計算書及證憑書類ハ庶務部長之ヲ調査シ左ノ區分ニ依リ取扱フヘシ

一　會計檢査院ニ送付ヲ要スルモノハ速ニ發送ノ手續ヲ爲スヘシ

二　本府ニ留置クヘキモノハ適宜分類編綴シテ之ヲ整理スヘシ

前項ノ書類ハ已ムヲ得サルモノヲ除クノ外總テ一月以内ニ査了スルコトヲ要ス

附　則

本規程ハ大正三年九月一日ヨリ之ヲ施行ス

本規程施行ノ際現ニ本規程第十一條ニ規定シタル職ニ在ルモノハ本規程ニ依リ其ノ職ヲ命セラレタルモノト看做ス

本規程施行前現金前渡官吏カ現金手許保管ノ認可ヲ受ケタル者ハ本規程ニ依リ認可セラレタルモノト看做ス

第二百三十八條ノ物品ノ檢査期ハ大正三年四月一日ヨリ起算ス

朝鮮官有財産管理規則附則ニ規定シタル第一回ノ目錄ハ大正八年三月三十一日現在ニ依リ調製シ同年六月三十日迄ニ本府ニ提出スヘシ

本規程第二百一條ニ規定スル第一期ノ增減異動報告及圖面ハ大正三年度ニ限リ其ノ提出ヲ要セス

本規程施行ノ際本規程ノ樣式ニ依ルヘキ帳簿及諸用紙ノ類ニシテ從前規定ノ樣式ニ依リ作成シタルモノハ適宜修正ノ上之ヲ使用スルコトヲ得

附　則　（大正七年十二月改正）

本令ハ大正八年一月一日ヨリ之ヲ施行ス

本令施行ノ際現ニ使用スル帳簿及諸用紙ノ類ハ大正七年度ニ限リ引續キ使用スルコトヲ得

附　則　（大正九年三月改正）

本令ハ大正九年四月一日ヨリ之ヲ施行ス　但シ大正八年度所屬ノ會計事務ニ付テハ從前ノ規定ニ依ル

附　則　（大正十一年四月改正）

本令ハ發布ノ日ヨリ之ヲ施行ス

大正十年度分ノ歲入ニ付テハ仍從前ノ規定中第四條及第五十五條ヲ適用ス

本令施行ノ際現ニ現金前渡官吏及保管物取扱主任ノ職ニ在ルモノハ本令ニ依ル資金前渡官吏及有價證券取扱主任トス本令施行前調製シタル支出官ノ印章ハ第七十八條ノ規定ニ拘ラス當分ノ間之ヲ使用スルコトヲ得

本令ノ樣式ニ依ルヘキ帳簿及諸用紙ノ類ニシテ從前ノ規定ニ依リ作製シタルモノハ當分ノ間適宜修正シ之ヲ使用スルコトヲ得　但シ第五十二條ノ規定ニ依ル用紙ニ付テハ此ノ限ニ在ラス

（書　式）

第一號書式　豫算各目流用申請書

第二號書式　（削　除）

第三號書式　豫算科目新設申請書

第四號書式　經費豫算增額申請書

第五號樣式　經　費　現　計　書

第六號書式ノ甲	(削 除)
同 ノ乙	(削 除)
第七號書式ノ甲	歳入增減計算書
同 ノ乙	同 內譯書
同 ノ丙	歳入增減事由表
第八號書式	經費決算報告書
第九號書式	醫院(濟生院)收入支出計算書
第十號書式	支出未濟額繰越計算書附屬明細書
第十一號書式	(削 除)
第十二號書式ノ甲	收入明細書
同 ノ乙	同(學校職員國庫納金)
同 ノ丙	現金受拂仕譯書
同 ノ丁	(削 除)
第十三號書式	歳入徵收官口座更正請求書
第十四號書式ノ甲	(削 除)
同 ノ乙	(削 除)
第十五號書式	(削 除)
第十六號書式	(削 除)
第十六號書式ノ二	歳入現計表(大藏省所管)
第十七號書式	過誤納金拂戾要求書
第十八號書式ノ甲	支出決議書(諸支拂)
同 ノ乙	同 (俸 給)
同 ノ丙	同 (俸給仕譯書)
同 ノ丁	同 (旅 費)
同 ノ戊	同 (工 事)
同 ノ己	同 (物 品)
第十九號書式	繰替拂通知書裏面記載例
第二十號書式	繰越拂通知電報文例
第二十一號書式	定額戾入(回收)決議書
第二十二號書式	缺損補塡金要求書
第二十三號書式	資金前渡請求計算書
第二十四號書式	(削 除)
第二十五號書式	(削 除)
第二十六條書式	支拂誤謬(處分完了)報告書
第二十七條書式ノ甲	(削 除)
同 ノ乙	(削 除)
第二十八號書式	(削 除)
第二十九號書式	(削 除)
第三十號書式	前渡金受拂明細書
第三十一號書式	外國貨幣交換仕譯書
同 ノ二	支拂元金移換申請書
同 ノ三	支拂元金移換請求書
同 ノ四	同
同 ノ五	指名競爭契約(隨意契約)報告
第三十二號書式ノ甲	工事既濟部分檢查調書
同 ノ乙	同 內 譯 書
第三十三號書式	物品既納部分檢查調書
同 ノ二ノ甲	納付命令書
同 ノ二ノ乙	受入通知書
同 ノ三	(削 除)

同　ノ四	保管票
同　ノ五	(削除)
第三十四號書式	差入品領收證書
第三十五號書式	保管轉換引繼書
同　ノ二	据置(定期)貸編入額
同　ノ三	債務證書
第三十六號書式	調定原簿
第三十七號書式	收入簿
第三十八號書式	豫算配付簿
第三十九號書式ノ甲	經費推算簿
同　ノ乙	同
第四十號書式	(削除)
第四十一號書式ノ甲	支出簿記載例
同　ノ乙	目整理支出簿
第四十二號書式	概算渡整理簿
第四十三號書式	前渡金整理簿
第四十四號書式	經費內譯簿
第四十五號書式	(削除)
第四十六號書式	歲入歲出外現金出納內譯簿
第四十七號書式	領置金及作業賞與金計算高基帳
同　ノ二	假留金書留簿
第四十八號書式	政府保管有價證券受拂簿
第四十九號書式	領置物出納簿
第五十號書式	領置物假渡簿
第五十一號書式	領置品臺帳
第五十二號書式	假留品書留簿
第五十三號書式ノ甲	物品出納簿(備品)
同　ノ乙	同　(消耗品)
同　ノ丙	同　(生產品)
同　ノ丁	(削除)
同　ノ戊	物品出納簿(備品)
同　ノ己	同　(消耗品)
第五十四號書式	備品受拂簿
第五十五號書式	供用備品內譯簿
第五十六號書式	消耗品受拂簿
第五十七號書式	郵便切手類受拂內譯簿
第五十八號書式	(削除)
第五十九號書式	(削除)
第六十號書式	(削除)
第六十一號書式	物品會計官吏保證書
第六十二號書式ノ甲	檢定書
同　ノ乙	同(現在金ナキ場合ノ例)
第六十三號書式	物品檢査調書
同　ノ二	現金出納計算檢査成績報告書
第六十四號書式	歲入歲出外現金出納檢査成績報告書
第六十五號書式	物品出納檢査成績報告書
第六十六號書式	認可狀
第六十七號書式ノ甲	檢査濟否原簿(月證明)
同　ノ乙	同(年證明)
第六十八號書式	收支計算表
第六十九號書式	資本金額表
第七十號書式	資本現在額調書

附表

第一號表	物品種類別
第二號表	職員專用品及定數表
第三號表	委託檢査除外物品

第一號書式

大正　年度經常（臨時）部豫算各目流用申請書

（△印ハ朱書）

科目 款	科目 項	科目 目	豫算額	支拂濟額	豫算殘額	將來所用額	流用増減額	事由
何何	何何	何何	100,000	50,000	50,000	10,000	△40,000	何何ニ依リ剰餘ヲ生ス
		何何	50,000	10,000	40,000	60,000	20,000	何何ニ依リ何費ヨリ
		何何	80,000	70,000	10,000	30,000	20,000	何何ニ依リ何費ヨリ

右申請候也

年　月　日

官　氏　名　印

政務總監宛

第二號書式（削除）

第三號書式

大正　年度歳入（歳出）經常（臨時）部豫算科目新設申請書

款	項	新設目	事由

右申請候也

年　月　日

官　氏　名印

政務總監宛

第四號書式

大正　年度何廳經費豫算增額申請書

科目	豫算額	支拂濟額	差引豫算殘額	將來所要額	要求增額
經常（臨時）部					
款					
項					
目					
目					

事由

（一）

（二）

（三）

右申請候也

年　月　日

官　氏　名　印

政務總監宛

記載例

一　本書ハ一款毎ニ別葉ニ認ムヘシ

二　將來所要額ニ對シテハ内譯明細書仕樣設計書圖面ヲ添附スヘシ

第五號書式

大正　年度何廳經費現計書

（△印ハ朱書）

科目	豫算額	十二月迄支拂濟額	一月以降支拂見込額	過（△不足）額	備考
經常（臨時）部					
款					
項					
目					
目					

右ノ通ニ候也

年 月 日

官 氏 名 印

政務總監宛

記載例

一 本書ハ一款毎ニ別葉ニ認ムヘシ

第六號書式ノ甲 （削除）

第六號書式ノ乙 （削除）

第七號書式ノ甲

大正 年度歳入増減計算書

（△印ハ朱書）

科目	豫算額	調定済額	收入済額	不納缺損額	翌年度ヘ繰越額	豫算額ニ對シ調定増△減	豫算額ニ對シ收入済額増△減
歳入經常部							
何（款）							
何（項）							
何（目）							
細別（何）							
經常部計							

歳入臨時部								
何(款)								
以下經常部ニ倣フ								
合計								

右ノ通ニ候也

年　月　日

何廳歳入徴收官　官　氏　名印

政務總監宛

第七號書式ノ乙

大正　年度歳入増減計算書内譯書

科目	調定濟額 本年度調定	調定濟額 前年度調定	收入濟額 本年度調定	收入濟額 前年度調定	不納缺損額 本年度調定	不納缺損額 前年度調定	翌年度ヘ繰越額 本年度調定	翌年度ヘ繰越額 前年度調定
歳入經常部								
(款)何								
(項)何								
(目)何								

細別（何）	
以下此例ニ倣フ	

第七號書式ノ丙

大正　年度歳入増減事由表（減ハ朱書、細別毎ニ別紙ニ調製スヘシ）

區別	事由	金額	
市街	調定濟額増減ノ部		
	前年度調定繰越額		
	既往年度分賦課額		
	調定外誤納額		
	調定内誤納額		
	過誤納外ノ下戻相當額		荒地其他土地ノ異動ニヨリ減免トナルモノニシテ其ノ減免處分前當時ノ現況ニ依リ賦課セルモノ（又ハ何何ニ）アリシニ依ル
	何　何		
	計　増		

地税								
調定未濟額	何何	計減	差引（增又ハ減）	收入濟額增減ノ部	缺損額	翌年度ヘ繰越額	計減	再差引（增又ハ減）
何何ニ依ル			（本欄金額ハ甲表ノ豫算額ニ對シ調定增（減）額ニ符合スルヲ要ス）		時効完成（又ハ貸付金ニ編入シタル）ニ依ル	滯納處分未濟（又ハ何何）ニ依ル		（本欄金額ハ甲表ノ豫算額ニ對シ收入濟增（減）額ニ符合スルヲ要ス）

備考　様式ハ一部ノ例ニシテ其ノ大要ヲ示シタルモノナルヲ以テ其ノ科目及事由ノ異ナル毎ニ各別ニ掲載シ摘要ハ可成詳細ニシテ遺漏ナキヲ要ス

第八號書式

大正　年度經費決算報告書

科目	豫算額	豫算決定後增加額 前年度繰越額	豫算決定後增加額 豫備金支出額	流用增減額（減ハ朱書）	豫算現額	小切手振出濟額	翌年度繰越額	不用額	備考
歳出經常（臨時）部									
何何（款）									
何何（項）									不用額ヲ生シタル事由ヲ詳記スヘシ
何何（目）									目ニ於ケル流用增減ハ何費ヘ流用セシニ由ル
何何（項）									
何何（目）									

右ノ通ニ候也

年　月　日

支出官官　氏　名　印

政務總監宛

第九號書式

年　月　日

政務總監宛

大正　年度朝鮮醫院及濟生院特別會計何院收入支出計算書

收入

科目	金額	
經常部		
款		
項		
目		
經常部合計		
臨時部		
款		
項		
目		
臨時部合計		
歲入合計		

支出

科目	金額	
經常部		
款		
項		
目		
經常部合計		
臨時部		
款		
項		
目		
臨時部合計		
歲出合計		

道知事　氏　名印

備考

記載例

一　本府ヨリ支拂元金トシテ日本銀行移換ニ係ル收入ハ前年度繰入金ヲ差引キタル殘額ヲ政府支出金受入ノ欄ニ計上スヘシ

二　翌年度繰越金アル場合ハ備考欄ニ「金何何圓何錢翌年度ヘ繰越」「金何圓維持資金編入」等科目別ニ其ノ金額ヲ記載スヘシ

三　本計算書ハ翌年度五月三十一日現在ヲ以テ調製スルモノトス

第十號書式

大正　年度支出未濟額繰越計算書附屬明細書　（△印朱書）

前年度科目	繰越ノ依ルヘキ條項	豫算額	流用増(△)減額	計	小切手振出濟額	小切手ヲ振出スヘキ額	不用額	翌年度へ繰越額	翌年度科目
何何會計 歳出經常(臨時)部									
何何(款)									何何(款)
何何(項)									何何(項)
何何(目)									何何(目)

第十一號書式（削除）

第十二號書式ノ甲

年　月　日

何廳收入官吏　官　氏　名　印

何廳歳入徴收官宛

收入明細書

大正　年度歳入經常(臨時)部何何(款)(項)(目)

一金　何　程

内譯

種目	數量	單價	金額

記載例

一　記載事項僅少ナルトキハ領收濟報告書ノ裏面ニ該事項ヲ記載シ本書ノ添付ヲ省略スルコトヲ得

第十二號書式ノ乙

年　月　日

何廳收入官吏　官　氏　名　印

何廳歳入徴收官宛

收入明細書

大正　年　月分學校職員國庫納金收入仕譯書

金何程

内譯

國庫納金額	等級俸	給	官氏名	備考
七五円	六級俸	七五円〇〇	訓導何某	何月何日任官

記載例

一　記載事項僅少ナルトキハ領收濟報告書ノ裏面ニ記載シテ本書ノ添付ヲ省略スルコトヲ得

第十二號書式ノ丙

現金受拂仕譯書

區別	前月迄拂込未濟額	本月中現金領收額	本月中現金拂込額 日本銀行代理店	本月中現金拂込額 遞信官署へ	差引翌月越高	備考
收入官吏	100,000	300,000	200,000	100,000	100,000	

遞信官署出納官吏	—	—	二〇〇,〇〇〇	—	—	—	内百圓ハ收入官吏ヨリ納入

第十二號書式 (削除)

第十三號書式

歳入徴收官口座更正請求書

大正　年度何何會計歳入

一金　何程

何廳歳入徴收官官氏名取扱ノ分

何年何月何日發行第何號

何年何月何日何遞信官署領收

此更正口座何廳歳入徴收官官氏名

前記ノ通歳入徴收官口座更正ノ上其ノ旨御通知相成度此段請求候也

年　月　日

何廳歳入徴收官　官　氏　名印

何廳歳入徴收官　官　氏　名印

日本銀行何地代理店宛

第十四號書式ノ甲 (削除)

第十四號書式ノ乙 (削除)

第十五號書式 (削除)

第十六號書式 (削除)

第十六號書式ノ二

年　月　日

何廳歳入徴收官　官　氏　名印

政務總監宛

大正　年度三月以降歳入現計表

大藏省所管

科目	前月未納額	三月分調定濟額	收入濟額 三月分	收入濟額 四月以降見込額	不納缺損額 三月分	不納缺損額 四月以降見込額	收入未濟額
（款）							
（項）							
（項）							
（款）							
（項）							
（項）							
經常部合計							

備考

記載例

一 經常部ト臨時部トハ各別表ニ調製スヘシ
二 本表ハ歳入現計調査上急速ヲ要スルモノナルヲ以テ必ス期日内ニ發送スヘシ
三 四月以降見込額ハ實收額ニ比シ不足スルモ超過スルノ結果ニ陷ラサル樣注意スヘシ
四 報告未達又ハ其ノ他ノ事由ノ爲金額未確定若ハ不判明ノモノハ推算額ヲ以テ本表ヲ作リ其ノ要領ヲ備考ニ明記スヘシ
五 三月分ノ歳入ニシテ推算額ヲ以テ計算調査シタル金額ニ付テハ別ニ推算額ヲ作リ本表ニ添付スヘシ

第十七號第式

歳入過誤納金拂戻要求書

大正　年度（經常部）

款	項	目	金額	事由	納人住所氏名
官業及官有財産收入	官有物貸下料	建物貸下料	一〇〇〇	何年何月分何何貸下料徴收ノ處已ニ前月ニ於テ契約解除ニ付誤納	何町何　某

右過誤納金拂戻御取計相成度候也

年　月　日

歳入徴收官　官　氏　名　印

支出官　宛

第十八號書式ノ甲

支出決議書

部局長	支出官	小切手第　　號
	部(課)長	推算第　　號
掛	掛	大正　年度歳出(經常/臨時)部
		款
		項
		目
		發議　年　月　日
		推算簿登記　年　月　日
		小切手振出　年　月　日
		支出簿登記　年　月　日

一金

本書ノ金額領收ス

大正　年　月　日

摘要

債主

住所

記載例

一　資金前渡官吏ノ支拂ニ係ルモノニ付テハ本書式中左ノ如ク改メ使用スヘシ
「支出簿」ヲ「出納簿」トス
「支出官」「部(課)長」ヲ「何廳長」「資金前渡官吏」トス

二　必要ニ依リ支拂店タル日本銀行代理店名、繰替拂渡局所名等ノ欄ヲ增設スルコトヲ得

三　債主カ官廳又ハ公私法人ナルトキハ小切手振出上便宜ノ爲其ノ官廳名又ハ法人名ノミヲ債主欄ニ記載スヘシ
但シ日本銀行代理店所在地ノ支拂ニ在リテハ金額領收欄ニハ官廳又ハ法人代表者若ハ其ノ代理者ヲシテ署名セシムルモノトス

四　「部局長」及「掛」ノ欄ヲ設クルハ支拂機關ナキ支署出張所等ヨリ上級官廳ニ提出スル場合ニ限ル

五　支出官事務規程第十四條ノ場合ニ於テハ其ノ各支拂金額、債主名、住所等便宜各欄ヲ設ケタル樣式ヲ使用添付スヘシ

第十八號書式ノ乙

俸給支出決議書

支出官	
掛	
本書ノ金額領收ス	大正　年　月　日

小切手第　號	
大正　年度歳出(經常/臨時)部	
款	
項	
目	
發議	年　月　日
推算簿登記	年　月　日
小切手振出	年　月　日
支出簿登記	年　月　日
摘要	

一金	現金支給高
一金	國庫納金控除高
內譯	
債主	

記載例

一　第十八號書式ノ甲ノ記載例第一號第二號及第五號ハ本書式ニ之ヲ適用ス

二　小切手番號欄ニハ現金支給ノ小切手及國庫納金小切手ノ番號ヲ併記スヘシ

第十八號書式ノ丙

金	額	目	備考
金		勅任俸給	
金		奏任俸給	
金		判任俸給	

大正　年　月分俸給仕譯書

勤務廳

受領代人

官職	等級	氏名	本俸	加俸	計	現金支給高	國庫金納控除高	備考
	等　級		円	円	円	円	円	
	等　級							
	等　級							
	等　級							
	等　級							
	等　級							
	等　級							

記載例

一　本官以外ノ者ノ給料、手當及其ノ他給與ニ在リテハ本書式ノ各欄ヲ便宜訂正使用スヘシ
二　本書式ハ第十八號書式ノ乙ノ裏面トナスコトヲ得

第十八號書式ノ丁

旅費支出決議書

部局發議 年 月 日

部局長

掛

支出官

部(課)長

掛

大正 年度歳出經常(臨時)部

推算 第 號

發議	年	月	日
推算簿登記	年	月	日
小切手振出	年	月	日
支出簿登記	年	月	日

小切手第 號

款	
項	
目	

概算渡ニ對スル精算

概算渡 円

精算額 円

在勤廳又ハ住所

大正 年 月 日

請求若ハ返納高 金

請求 大正 年 月 日 請求者官氏名印

領收 大正 年 月 日 領收者官氏名印

出張地名

用務

官等 俸給

內譯

朝鮮又ハ內地

種別	朝鮮	內地
鐵道賃	哩 円	哩 円
船賃	浬	浬
車馬賃	里	里
日當	日	日
宿泊料	夜	夜

移轉料金

赴任手當金

（裏面）

旅行明細

年月日	出發地	經過地	到着地	里程 鐵道	里程 水路	里程 陸路	日數	夜數	備考

記載例

一 本拂ノ場合ニ在リテハ概算渡及精算額ノ欄ニ斜線ヲ劃スヘシ
二 日額旅費等ニシテ特別ノ様式ニ依ルヲ便トスルモノハ其様式ヲ定メ庶務部長ノ承認ヲ受クヘシ
三 第十八號書式ノ甲ノ記載例第一號第二號及第四號ハ本書式ニ之ヲ適用ス

第十八號書式ノ戊

承諾事項

仕樣書圖面ニ基キ：：

（承諾事項ハ便宜左ニ記載セリ參看ノコト）

工事執行及支出決議書

執行		支出	
長官		支出官	
部（課）長		部（課）長	
掛		掛	
		請求	年 月 日
發議	年 月 日	發議	年 月 日
推算簿登記	年 月 日	推算簿登記	年 月 日
決議	年 月 日	小切手振出	年 月 日
竣功	年 月 日	支出簿登記	年 月 日
官有財產臺帳登記	年 月 日	小切手第　號	
本工事拙者ヘ請負御下命ニ付請負人心得書及頭書（裏書）ノ事項ヲ承諾仕候也 大正　年　月　日 住所 請負人 電話　番		本書ノ金額領收ス 大正　年　月　日	

大正　年度 歲出經常（臨時）部	
款	
項	
目	

一金
內譯裏面ノ通（別紙ノ通）

工事名	
備考	

内譯 （裏面）

名稱	品質	寸法容量	數量		單價	金額	備考
			數量	稱呼數量			

承諾事項

一　仕様書、圖面ニ基キ大正年月日ヨリ起工シ大正年月日迄ニ完全ニ竣功スルコト

二　官ノ都合ニ依リ一時工事ヲ中止シ又ハ工事ノ設計ヲ變更セラルコトアルトモ之ニ對シテ異議ヲ申立又ハ何等ノ請求ヲ爲サヽルコト但シ設計變更ノ爲請負金額ニ増減ヲ來ス場合ニ於テハ工費内譯書ノ單價ニ基キ之ヲ増減ス若シ内譯書ノ單價ニ依リ難キモノアルトキハ官ニ於テ相當ト認メタル所ニ依ルコト

三　期限内ニ工事ヲ完成セサルトキハ其ノ遲延日數ニ應シ一日ニ付請負金總額ノ千分ノ五ニ相當スル遲滯償金ヲ請負金額ノ内ヨリ控除セラルルモ異議ナキコト

四　請負金ハ全部竣功檢查濟ノ上支拂ハルルコト

五　請負人ハ工事竣功引渡ノトキヨリ一年間其ノ工作物ノ瑕疵ニ付擔保ノ責ニ任スルコト

記載例

一　本書式ハ參千圓ヲ超エサル工事ノ指名競爭又ハ隨意契約ノ場合ニ使用スヘキモノトス

二　第十八號書式ノ甲ノ記載例第一號乃至第三號ハ本書式ニ之ヲ準用ス

三　頭書ノ事項ハ之ヲ裏書ト爲スモ妨ナシ

第十八號書式ノ己

承諾事項

一大正　年　月　日

迄…………

二…………

「承諾事項及記載例ハ便宜上左ニ記載セリ參看ノコト」

購入及支出決議書

購入		支出	
長官		支出官	
部(課)長		部(課)長	
掛		掛	
發議	年　月　日	請求	年　月　日
推算簿登記	年　月　日	發議	年　月　日
註文	年　月　日	推算簿登記	年　月　日
現品持込	年　月　日	小切手振出	年　月　日
檢査濟	年　月　日	支出簿登記	年　月　日
出納簿登記	年　月　日	小切手第　號	
本物品拙者ヘ供給御下命ニ付頭書(裏)書ノ事項ヲ承諾仕候也 大正　年　月　日 住所 供給者 電話　番		本書ノ金額領收ス 大正　年　月　日	

大正　年度歲出經常(臨時)部
款
項
目

一金

內譯裏面ノ通(別紙ノ通)

（裏面）

細別	品目	數量	單價	金額	備考

承諾事項

一　大正年月日迄ニ（場所）ニ納付スルコト若シ納品ニシテ檢査不合格ノモノアルトキハ御指定ノ期限内ニ之カ引換ヲ爲スコト

二　納付期限内ニ完納セサルトキハ其ノ遲延日數ニ應シ一日ニ付未納物品ニ對スル代價ノ百分ノ一ニ相當スル遲滯償金ヲ徵セラルルモ異議ナキコト

三　納付期限若ハ引換期日ノ遲延日數十日ニ及フモ尙完納セサルトキ、納付ノ物品カ仕樣書見本等ニ適合セサルトキ又ハ官ニ於テ契約ヲ履行スルコト能ハスト認メタルトキハ契約ヲ解除セラルルモ之ニ對シテ異議ヲ申立又ハ何等ノ請求ヲ爲ササルコト

四　前號ニ依リ契約ヲ解除セラレタル場合ニ於テハ損害ノ賠償トシテ解除物品ノ代價ニ應シ納付期限内ニ在リテハ百分ノ五納付期限後ニ在リ在リテハ百分ノ十五ニ相當スル金額ヲ納付スルコト

五　第二號及前號ニ依リ納付スヘキ金額ハ物品代金ト相殺セラルルモ異議ナキコト

記載例

一　本書式ハ參千圓ヲ超エサル指名競爭又ハ隨意契約ノ場合ニ使用スヘキモノトス

二　運搬、備入等ノ場合ハ「購入」ヲ相當名稱ニ改メ使用スヘシ

三　支局、出張所等ニ於テ執行スルモノニ在リテハ「長官」「部（課）長」ノ區劃ヲ相當名稱ニ改ムヘシ

四　第十八號書式ノ甲ノ記載例第一號乃至第三號ハ本書式ニ之ヲ準用ス

五　本書式ニ依リ難キモノアルトキハ適宜區劃ヲ増設スルコトヲ得

六　各廳所在地外ニ於テ購入ヲ爲ストキ又ハ其ノ他ノ事由ニ依リ本決議ヲ用ウルコト能ハサルトキハ供給人ヨリ別ニ承諾書、請求書及領收證書ヲ徵スヘシ但シ電報注文等ノ場合ニ於テ承諾書ヲ徵スル能ハサルトキハ之ヲ徵セサルコトヲ得

第十九に書式

繰替拂通知書裏面記載例

注意事項

一 受取人ハ表面領收書ノ部ニ年月日及住所ヲ記入シ署名捺印シ現金領收ノ證トシテ之ヲ指定ノ郵便局所ニ差出シ現金ノ拂渡ヲ受クヘシ　但シ官公吏ノ資格ヲ以テ官公金ヲ領收スル場合ニ在リテハ官廳名府面名又ハ公共團體名ヲ肩書シ官職名ヲ記シ記名捺印スヘシ
若シ受取人ノ住所カ請求書ニ記載ノ住所ト符合セサルトキハ其ノ拂渡ヲ拒絶セラルヘシ

二 受取人ノ印章ハ請求書ニ押捺シタルモノト同一ノモノニ限ル

三 受取人カ代理人ヲ以テ現金ノ拂渡ヲ受ケムトスルトキハ本人ニ於テ本書ノ委任欄內ニ適當ノ記入ヲ爲シ記名捺印スルカ又ハ別ニ委任狀ヲ差出スヘシ此ノ場合ニ於テハ本書ニ代理人タルノ肩書ヲ附シ記名捺印シ本書又ハ委任狀ニハ委任狀ニ對スル收入印紙ヲ貼用スヘシ
代理人カ復代理人ヲ以テ現金ノ拂渡ヲ受ケムトスルトキハ前項ニ準スヘシ　但シ此ノ場合ニ於テ本人ノ許諾ヲ要スルモノハ其ノ許諾書ヲ添付スヘシ

四 本通知書ヲ受領シタル後少クトモ二日ヲ經過スルニアラサレハ案內未達ニ因リ郵便局所ニ於テ現金ノ拂渡ヲ爲ササルコトアルヘシ

五 本通知書發行ノ日ヨリ六十日以內ニ現金拂渡ノ請求ヲ爲スヘシ

六 前項ノ期間ヲ經過スルトキハ直ニ拂渡ヲ受クル能ハサルニ依リ指定ノ郵便局所ニ就キ之カ手續ヲ爲スヘシ

七 受領金五圓以上ノモノニ在リテハ受取人ハ規定ノ收入印紙ヲ貼附消印スヘシ　但シ營業ニ關セサルモノハ此ノ限ニ在ラス

委任狀

委任狀ニ對スル印紙貼用欄

表書金額ノ受取方ヲ　　　　ニ委任致候也

大正　　年　　月　　日

住所

第二十號書式

繰替拂通知電報文例

ク一五、〇〇〇テンアン

譯　繰替拂金一萬五千圓天安局ヲ指定シ發行セリ

第二十一號書式（用紙刷色赤）

定額戻入（回收）決議書

一金	大正　年度歳出（經常臨時）部		支出官
	款		部（課）長
	項		掛
	目		
			支拂　年　月　日
	發議	年　月　日	小切手第　號
	推算簿登記	年　月　日	推算第　號
	告知書發行	年　月　日	返納告知書第　號
	支出簿登記	年　月　日	納入濟　年　月　日

返納人住所氏名	摘要	納付期限
		大正　年　月　日

記載例

一　摘要欄ニハ算出ノ根據ヲ記載スヘシ

二　第十八號書式ノ甲ノ記載例第一號乃至第三號ハ本書式ニ之ヲ準用ス

第二十二號書式

缺損補塡金要求書

大正　年度歲入(歲出)

何何(款)何何(項)何何(目)

一金

右ハ何何金保管中何何(事由)ニ依リ竊取(又ハ何何)セラレタルニ付キ該金額缺損補塡御取計相成度候也

年　月　日

何廳收入官吏

債主　官　氏　名

右　官　氏　名　印

政務總監宛

第二十三號書式

大正　年度何廳經費貸金前渡請求計算書

科目	豫算額	貸金前渡受領濟額	支拂濟額	差引現金殘額	今回前渡請求額
經常(臨時部)					
(款)					
(項)					

事由

(一)

(二)

（三）

右請求候也

年　月　日

支出官宛

何廳資金前渡官吏　官　氏　名　印

第二十四號書式（削除）

第二十五號書式（削除）

第二十六號書式

支拂誤謬事項（處分完了）報告書

大正　年度歳出經常部（臨時部）

（款）（項）（目）

一金

但大正　年　月　日何某ニ支拂ノ分

理由

何程支拂フヘキノ處何程支拂ヒタルニ因リ前記ノ通過渡トナル（何程支拂フヘキノ處何程支拂タルニ因リ過渡金前記ノ通何年何月何日何年度歳入ニ納付セリ又ハ何）

右及報告候也

年　月　日

何廳資金前渡官吏　官　氏　名　印

會計檢査院長宛

第二十七號書式ノ甲（削除）

第二十七號書式ノ乙（削除）

第二十八號書式（削除）

第二十九號書式（削除）

第三十號書式

年 月 日

支出官宛

大正 年度前渡金受拂明細書

何廳

資金前渡官吏官 氏名印

科目	前渡金	支拂額	殘額	備考
何				
何				
何				
何				
何				
何				
合計				

記載例

前渡金及殘額欄ハ項ノ金額ノミヲ記載スヘシ

第三十一號書式

大正　年度歳出資金前渡金（又ハ何何）外國貨幣交換仕譯書

（　　）

支出官 氏名

受取人 職官 氏名

區分／種類	外國貨幣ニ交換スヘキ本邦通貨額	交換相場及年月日	外國貨幣	同上支出額	本邦通貨ニ換算額	外國貨幣殘額	同上ノ内 賣拂（交換）相場及年月日	同上ノ内 賣拂（交換）本邦通貨額	同上ノ内 支出額	差引殘額	返納額	交換差△（増減）
米貨	一、五〇〇円〇〇〇	大正元年十一月十日 壹弗 二.〇〇〇	七五〇弗〇〇	七〇〇弗〇〇	一、四〇〇円〇〇〇	五〇弗〇〇	—	—	—	—	—	—
露貨	一、〇五〇〇〇〇	大正二年一月十一日 壹留 一.〇五〇	一、〇〇〇留〇〇	五〇〇留〇〇	五二五円〇〇〇	五〇〇留〇〇	大正二年三月十日 壹圓ニ付 九九哥	五〇〇円〇五〇	五〇五円〇五〇	〇	一九円九五〇	△一九九五〇

備考（イ）第一例（米貨）ハ第百六條第一項、第二例（露貨）ハ同第二項ノ場合ヲ示ス而シテ第二例ハ卽チ不足金補塡ヲ爲ス場合ニシテ其ノ計算ノ詳細ハ左ノ如シ

外國貨幣受入額ハ　一、〇五〇圓（換算額）ニシテ此ノ支出額（換算額五二五圓）及交換通貨殘額（換算額五〇五圓〇五〇）ノ合計ハ一、〇三〇圓〇五〇ナリ依テ其ノ差一九圓九五〇ハ國庫ヨリ補塡セラルヘキモノトス

（ロ）前渡金受入數口アルトキハ一口毎ニ掲記シ其ノ受入相場ヲ以テ支出換算受拂ヲ爲スヘシ

（ハ）一口ノ受入額ニ對シ外國貨幣ヲ數口ニ分割シテ支拂ヒタルモノハ其ノ合計額ヲ掲記シテ之ヲ本邦通貨ニ換算シ其ノ差額ヲ生シタルモノハ該事由ヲ記入スヘシ

第三十一號書式ノ二

年 月 日

政務總監宛

支拂元金移換申請書

何道知事 氏 名印

醫院名	豫算額	醫院收入豫算額	支拂元金移換ヲ爲スヘキ額	支拂元金受入濟額	支拂元金移換申請額	備考

事由

一 何何

記載例

一 豫算額ニハ醫院收入、雜收入、豫算額及豫算配付後ノ增加額ヲ含ム

二 支拂元金ノ移換ヲ受クヘキ額ハ豫算額ヨリ醫院收入豫算額ヲ控除シタルモノヲ計上スヘシ

第三十一號書式ノ三

支拂元金移換請求書

一 金何圓也

某年度朝鮮醫院及濟生院特別會計何何（施行豫算別）支拂元金ノ內

右何廳支出官何某ノ支拂元金ニ移換取計有之度候也

年 月 日

何廳支出官 官 氏 名印

日本銀行何地代理店宛

第三十一號書式ノ四

支拂元金移換請求書

一金何圓也

某年度朝鮮醫院及濟生院特別會計何何（施行豫算別）支拂元金ノ内

右日本銀行何地代理店ニ於ケル何廳支出官何某ノ支拂元金ニ移換取計有之度候也

年　月　日

何廳支出官　官　氏　名　印

何廳長　官　氏　名　印

日本銀行何地代理店宛

第三十一號書式ノ五

大正　年　月　日

朝鮮總督宛

指名競爭契約（隨意契約）報告

會計法第三十一條第二項ニ依リ別紙ノ通契約ヲ締結候條此段及報告候也

（別紙）

一　契約ノ目的（請負工事名購入又ハ賣拂物品名等）及數量（何何何點又ハ何何外何點）

二　契約金額並豫定價格

三　契約擔任官氏名

四　歲出又ハ歲入科目（款、項、目）

五　契約者及指名者ノ氏名、資力、經歷、營業場所

六 入札及契約年月日竝入札金額
七 一般競爭ニ付スルヲ不利トスル理由

記載例

一 第百九條第一項第一號及第二號ノ場合ニハ不當競爭ヲ爲スノ虞アリト認メタル事由
二 同條第三號ノ場合ニハ構造又ハ品質ノ特種ナル點及檢査ノ困難ナル事由
三 同條第四號ノ場合ニハ契約違背ニ因リ政府ノ事業ニ著シキ支障ヲ來スノ虞アル事由
四 第百十八條ノ二第一項第一號ノ場合ニハ前契約事項トノ關聯程度及之ヲ分割履行セシムルヲ不利トスル事由
五 同條第二號ノ場合ニハ調査シタル時價
六 同條第三號ノ場合ニハ所要總數量及時價竝價格ヲ騰貴セシムルノ虞アリト認メタル事由
七 同條第四號ノ場合ニハ契約ノ機會ヲ失シ又ハ著シク不利ト爲ルヘキ虞アリト認メタル事由
八 同條第五號ノ場合ニハ指名競爭ニ付スルヲ不利トスル特別ノ事由
九 第百九條第二項及第百十八條ノ二第二項ノ場合ニハ一般競爭ニ附スルヲ不利ト認ムヘキ特殊ノ事由

備考 別紙ハ三通添附スヘシ

第三十二號書式ノ甲

工事既濟部分檢査調書

一何何工事

大正 年 月 日請負人何某ト契約ノ分

右工事既濟部分ニ就キ檢査ヲ遂ケ候處別紙出來形內譯書ノ通ニシテ全工事ニ對スル何步ノ出來形ニ相違無之候也

大正 年 月 日

第三十二號書式ノ乙

工事既濟部分內譯書

一金何程　何何工事總請負高

此ノ內

一金何程　既濟部分金高

內　譯

工種	請負金高	出來形步合	出來形金額	摘要
	円		円	

檢查官吏　官　氏　名印

第三十三號書式

物品既納部分檢查調書

一何何（品目）何程（又ハ何何外何點）

大正　年　月　日請負人何某請負ニ係ル何何（品目）

供給契約總額何程（總數量）ノ內（第何回）既納部分

右既納部分ノ檢查ヲ遂ケ候處現品ハ契約見本ノ通ニシテ前記ノ數量（又ハ別紙內譯書ノ通）納入シタルコト相違無之候也

大正　年　月　日

檢查官吏　官　氏　名印

備考　內譯書ヲ要スル場合ハ適宜作製スヘシ

第三十三號書式ノ二甲

納付命令書

事件番號	大正　年　第　號
納人氏名	
種目	
納付金額	金
保管義務解除期限	

上記金額納付ヲ要ス
大正　年　月　日
何　地方法院
朝鮮總督府判事

上記金額　ヲ以テ納付候也
大正　年　月　日
住所

進行番號	第　號	納付年月日	大正　年　月　日		
命令又ハ通知受年月日	摘要	支拂高	殘高	支拂年月日	
大正　年					

第三十三號書式ノ二乙

受入通知書

事件番號	大正　年　第　號
納人氏名	
種目	
納付金額	金
保管義務解除期限	

上記金額受入ヲ要ス
大正　年　月　日
何　地方法院
朝鮮總督府判事

移送廳名
移送廳事件番號　大正　年　第　號

進行番號	第　號	受入年月日	大正　年　月　日		
命令又ハ通知受年月日	摘要	支拂高	殘高	支拂年月日	
大正　年					

第三十三號書式ノ三（削除）

第三十三號書式ノ四（用紙厚紙）

保管票		納付年月日	年　月　日印
進行番號	第　　號	納人氏名	何誰
事件番號	第　　號	納付金額	現金又ハ振換拂通知書或ハ何公債證書 額面何圓何枚何號何號分
種目	民事豫納金又ハ何何		

受入又ハ通知受年月日	事件主任官印	摘要	歳入歳出外現金出納官吏又ハ有價證券取扱主任印	支拂高	殘高
何年 何 何	印	證人何誰ヘ支拂	印	円 三〇〇〇	円 四〇〇〇
何 何	印	何廳ヘ移送	印	一〇〇〇	三〇〇〇
何 何	印	納人ヘ還附	印	三〇〇〇	〇
		計		七〇〇〇	

記載例

一　第百二十八條ノ六ノ通知アリタルトキハ歳入徴收官又ハ歳入徴收事務分掌者ハ本書適宜ノ場所ニ通知受ノ認印ヲ爲スヘシ

二　事件主任官保管金又ハ有價證券ノ拂出ヲ爲サムトスルトキハ本書ヲ以テ歳入歳出外現金出納官吏又ハ有價證券取扱主任ニ通知スヘシ

第三十三號書式ノ五（削除）

第三十四號書式

差入品領收證書

在監者氏名　　　　　　　　差入人氏名

一 何品　　　　　　　　何箇

右差入品領收ス

何監獄領置物取扱主任

年　月　日　　　　　　官 氏　名印

第三十五號書式

拂出票

第　　號　　　　月　日　便ヲ以テ發送

何廳ノ長　　　　物品會計官吏

品名員數	單價	金額	摘要
	円	円	

送先

右保管轉換トシテ拂出ヲ要ス

大正　年　月　日　　　　年　月　日出納簿登記濟

保管轉換引繼書

第　　號　　　　月　　日便ヲ以テ發送

品名	員數	單價	金額	摘要
		円	円	

右保管轉換ヲ以テ及引繼候也

大正　年　月　日

何廳物品會計官吏　官氏名宛

何廳物品會計官吏　官　氏　名　印

右受入ヲ命ス

何廳ノ長

物品會計官吏

大正　年　月　日出納簿登記濟

受領書

第　　號

品名	員數	單價	金額	摘要
		円	円	

右保管轉換ヲ以テ御引繼相成正ニ領收候也

大正　年　月　日

何廳物品會計官吏　官氏名宛

何廳物品會計官吏　官　氏　名　印

備考　專賣局ノ煙草ニ限リ本府ノ認可ヲ受ケ本書式ニ依ラサルコトヲ得

第三十五號書式ノ二

据置（定期）貸編入願

一金 何程

但シ何何（債務ノ原因ヲ記載スルコト）

右ハ拙者無資力ニシテ直ニ納付難致候間資力囘復ノ時期ニ辨濟スヘキ据置貸（左記ノ通分賦辨濟スヘキ定期貸）ニ御編入相成度此段願上候也

年 月 日

住所

何 某 印

朝鮮總督宛

記載例 定期貸ニ付テハ分賦辨濟金額及期限ヲ左ニ記載セシムルコト

第三十五號書式ノ三

債務證書

一金 何程

但シ何何（債務原因ヲ記載セシムルコト）

右債務金額何年何月何日据置（定期）貸ニ御編入相成候ニ付テハ資力囘復ノ上ニ無相違（左記ノ通無相違分賦）辨濟可致候也

年 月 日

住所

何 某 印

朝鮮總督宛

記載例 定期貸ニ付テハ分賦辨濟額及期限ヲ左ニ記載セシムルコト

第三十六號書式　（用紙美濃紙）

調定原簿

歲入徴收官印	主任印	納入告知書發行月日 番號	納期	顚末	科目 款	科目 項	科目 目	金額	摘要	納人住所氏名
		四月一日 第一號	四月十日	四月五日收入	臨時部官有物拂下代	物品拂下代	物品拂下代	五〇〇〇	不用物品箱外十點拂下代	何町 何某
		同 第二號	四月十一日		經常部官業及官有財產收入	官有物貸下料	地所貸下代	三〇〇〇	何町宅地何坪貸下料何月分	何町 何某
		四月五日 第三號	四月十五日	何年何月何日不納缺損据置貸ニ編入	經常部雜收入	辨償及違約金	辨償金	一〇〇〇〇〇	何某何物品毀損辨償金	何町 何某

記載例

一　納入告知書ヲ發セスシテ現金ヲ收入官吏ニ納付セシムルモノハ本簿ニ登錄ヲ要セス

二　調定ヲ取消シタル場合ニ於テハ顚末欄ニ其旨朱書シ主任者捺印スヘシ

三　證明上定額戾入決議書ニ準シタル歲入決議書ヲ作製スルヲ便宜トスルトキハ該決議書ヲ以テ本簿ニ代フルコトヲ得

第三十七號書式

收入簿

科目（目別）

年月日	書證知收告入納番號日月年	收入額	拂込額	拂込未濟額	摘要

第三十八號書式

豫算配付簿

年月日	摘要	豫算額	配付額							豫算殘額
			何	廳	何	廳	何	廳	計	

第三十九號書式ノ甲

經費推算簿

（款）（項）（目）

年月日	債主	番號	摘要	豫算額	推算額	豫算ト推算トノ額差	精算月日	支出額	推算ト支出トノ額差	備考

記載例

一 本簿ハ支出官ヲ置キタル各廳、覆審法院、地方法院、監獄及勸業模範場ニ於テ之ヲ備フヘシ

二 各廳ニ於テ必要ナシト認ムルトキハ「支出額」及「推算額ト支出額トノ差」ノ欄ヲ省略スルコトヲ得此ノ場合ニ於テハ「精算月日」欄ヲ「支拂月日」ニ改メ「豫算ト推算額トノ差」ノ次ニ之ヲ置クヘシ

三 支拂ノ複雜ナラサル科目ニ付テハ推算ヲ省略スルコトヲ得

第三十九號書式ノ乙

經費推算簿（項）（目）

年月日	摘要	豫算額	支拂額	豫算殘額	備考

記載例

一 本簿ハ甲號書式ノ經費推算簿ヲ備ヘサル各廳ニ於テ之ヲ備フヘシ

二 本簿ハ便宜横式トスルコトヲ得

三 豫算額ヲ減額セラレタルトキハ豫算額欄ニ朱書スヘシ

四 備考欄ニハ「傳票提出濟」「現金交付濟」等ノ區劃ヲ設ケ其ノ月日ヲ記入シテ之ヲ整理スルモ妨ケナシ

五 道慈惠醫院ニ在リテハ總括ノ口座ヲ設ケ「豫算額」ノ次ニ「支拂元金受領額」「豫算殘額」ノ次ニ「支拂元金受領額ト支拂額トノ差」ノ各欄ヲ設クヘシ

六 支拂ノ複雜ナラサル科目ニ付テハ推算ヲ省略スルコトヲ得

第四十號書式（削除）

第四十一號書式ノ甲

支出簿記載例

（△印ハ朱書）

款　　項

年月	日	摘要	支拂豫算額		支出濟額		支拂豫算殘額	
			円				円	
11,4	1	豫算令達額	5,000	00				
	△4	△豫算減額	△150	00				
	7	奏任俸給			285	00		
	〃	判任俸給			180	00		
	〃	賞　與			100	00		
	9	前　渡　　何　某			1,000	00		
	△30	△定額戻入奏任俸給			△15	70		
	〃	△科目更正減地方廳俸給ヘ			△24	00		
	〃	科目更正增　同　上ヨリ			17	60		
		4月分本拂合計	4,850	00	565	00		
		△定額戻入			△15	70		
		△科目更正減			△24	00		
		科目更正增			17	60		
		改4月分本拂合計			542	90		
		4月分前渡合計			1,000	00		
		累　計	4,850	00	1,542	90	3,307	10
5	10	奏任俸給			285	00		
	〃	判任俸給			180	00		
	15	前　渡			1,500	00		
		5月分本拂合計			465	00		
		〃　前渡合計			1,500	00		
		累　計	4,850	00	3,507	90	1,342	10

第四十一號書式ノ乙

目整理支出簿

項　　　目

（△印ハ朱書）

年	月日	摘要	債主名	推算番號	小切手番號	支拂豫算額		支出濟額 本概算拂及渡		支出濟額 前渡金		支拂豫算額ト支出濟額トノ差	
4	1	豫算令達額				3,000	00						
	20	何月分俸給	何　某	1	107			125	00				
	20	同	同	2	108			160	00				
	△30	△定額戻入	同		△　107			△　18	00				
	△30	△科目更正減道路修築費俸給						△　20	00				
		4月分合計				3,000	00	285	00				
		△定額戻入						△　18	00				
		△科目更正						△　20	00				
		改 4月分合計				3,000	00	247	00			2,753	00

第四十二號書式

概算渡整理簿

年月日	摘要		概算支出額	精算額		精算未濟
	顚末月日	小切手番號		支拂額	返納額	

記載例

本簿ハ概算渡ヲ爲シタル月別ニ口座ヲ設クヘシ

第四十三號書式

前渡金整理簿

廳名　　　　項目

年月日	摘要	前渡金受領者	小切手番號	前渡額	精算額	未精算額

記載例

前渡金返納ノ場合ニハ摘要欄ニ其ノ事由ヲ記シ前渡額欄ニ返納額ヲ朱記スヘシ

第四十四號書式

經費內譯簿

（△印ハ朱書）

（項）（目）

年月日		摘要		資金前渡受領額	支拂額	殘額	備考
4	1	通知書一枚		1,000,000			
	5	何外何點代	何某		10,000	990,000	
	10	何何何點代	何某		20,000	970,000	
	△15	同上支拂ノ內何何ハ何何ノ誤ニ付過渡ノ分回收			△ 1,000	971,000	
		四月分計		1,000,000	29,000		
5	1	何地出張旅費	何某		5,000		
	1	何々代	何某		800,000	166,000	
	10	通知書一枚		1,000,000			
	△10	△何月何日何某渡何何代ノ內何何ニ付過渡ノ分回收			△ 10,000		
	10	四月分計算書何分任官吏			100,000		
		同何分任官吏			100,000	976,000	
		五月分計		1,000,000	1,005,000 △ 10,000		
		累計		2,000,000	1,024,000	976,000	
6	1	何々代	何某		500,000	476,000	
	△30	△前渡金不用額返納		△ 476,000			
		六月分計		△ 476,000	500,000		
		累計		1,524,000	1,524,000	0	

記載例

一　分任官吏ニ對シ前渡金ヲ分付シタルトキハ適宜補助簿ヲ設ケテ整理シ其ノ計算書ヲ受ケタルトキハ本簿ニ記載スヘシ

二　當月分ノ支拂ニ對シ回收ヲ爲シタルトキハ月計ニ於テ差引記載シ前月迄ノ支拂額ニ對シ回收ヲ爲シタルトキハ當月分支拂額ト回收額トニ之ヲ區分シテ記載スヘシ

三　本簿ヲ推算簿ニ兼用スル場合ニハ適用區劃ヲ增設スヘシ

四　分任資金前渡官吏ノ「經費內譯簿」ハ本簿ニ準シテ調製スヘシ

第四十五號書式

第四十六號書式（削除）

歳入歳出外現金出納内譯簿

年月日	摘要	受			拂			殘		
		現金	預金	計	現金	預金	計	現金	預金	計
		円	円	円	円	円	円	円	円	円

記載例

一　本簿ハ保管金取扱規程ニ依リ取扱フ保管金ノ受拂ヲ登記スルモノトス

二　本簿ハ保證金、豫納金、拾得金等種類毎ニ口座ヲ設ケ始メニ總括ヲ附スヘシ

三　現金ヲ預入シタル場合ニ於テハ現金ハ之ヲ拂ノ部ニ掲ケ同時ニ預金ニ受入ノ手續ヲ爲スヘシ

第四十七號書式

領置金及作業賞與金計算高基帳

收監年月日	刑名	刑期又ハ留置期	氏名
			稱呼番號

年月日	摘要	領置金			作業賞與金計算高			備考
		受	拂	殘	受	拂	殘	
大正 年		円 厘		円 厘	円 厘		円 厘	
月 日								

備考

一 受及殘ハ墨書、拂ハ朱書

二 本簿ハ之ヲ「カード」式ト爲スコトヲ得

第四十七號書式ノ二

假留金書留簿

年月日	事由	在監人氏名	金額 受	金額 拂	金額 殘	顛末
何年何月何日	何某ヨリ送致	何某	五〇〇〇		五〇〇〇	
同	何某ヨリ送致	同	二〇〇〇		七〇〇〇	
同	何何ニヨリ領置金ニ編入	同		五〇〇〇	二〇〇〇	
同	何何ニ付沒入	同		二〇〇〇	〇	

備考

本簿ハ之ヲ「カード」式ト爲スコトヲ得

第四十八號書式

政府保管有價證券受拂簿

年月日	摘要	受入	拂出	現在	番號	顚末	權利者氏名

記載例

一　本簿ハ政府保管有價證券取扱規程ニ依リ取扱フ有價證券ノ受拂ヲ登記スルモノトス

第四十九號書式

領置物出納簿

預リ年月日	領置番號及氏名	品目	員數	取扱主任印	顚末	受領者印	備考

第五十號書式

領置物假渡簿

假渡年月日	領置番號及氏名	品目	受領者印	返還年月日

第五十一號書式

領置品臺帳

入監	出監	刑名	刑期	番號	氏名
明治何年何月何日	大正何年何月何日	何刑	何年	第何號	何某

年月日	品目形質	受 數量	受 評價	拂 數量	拂 評價	殘 數量	殘 評價	假出	事由及顛末
何年何月何日	黑紗羅外套	一	一 〇〇円	一	一 〇〇円	—	—		何年何月何日賣却(壽印)
何月何日	洋傘	一	五〇	一	五〇	—	—		何年何月何日差入人氏名下領收印(壽印)
何月何日	縞木綿入	二	二 〇〇					還納 一	
何月何日	ネル肌着	一	一 三〇					還納 一	
何月何日	木綿帶三尺	一	一〇					還納 一	
何月何日	銀側時計	一	三 〇〇						特別保管
									以上承拜 在監人氏名印證(壽印)
何月何日	足袋	一	一〇					還納 一	何某ヨリ差入(壽印)
									何年何月何日出監ニ付全部下附 右領收證 氏名印(壽印)

取扱例

一 本帳ハ郵便切手類其ノ他ノ物品ノ二種ニ區別スヘシ、郵便切手類ハ其ノ額面金額ニ依リ整理スルコトヲ得
二 書類及閲覽濟ノ信書類出納ハ便宜ノ帳簿ヲ設ケテ之ニ登錄シ本帳ノ登錄ヲ略スルコトヲ得
三 領置物ノ數量、評價ニ對スル認證並下付シタル物品ニ對スル領收ノ證明ハ他ノ書類ヲ以テ之ニ代フルコトヲ得
四 領置物中有價證券貴金屬其ノ他貴重品ニシテ特別ノ取扱ヲ爲スモノニ付テハ本帳當該品ノ欄ニ特別保管ノ印ヲ押捺シ別ニ適宜ノ書類簿ヲ設ケテ品目、數量、氏名及顛末其ノ他ノ要件ヲ登錄スヘシ
五 假出品ニ付テハ其ノ員數ヲ當該欄ニ登錄シ還納シタルトキ還納ノ印ヲ押捺スヘシ
六 領置物ノ評價額ハ本人又ハ差入人ノ申立ヲ參酌シテ之ヲ評定スヘシ但シ在監中購買シタル物品ハ其ノ購買價額ニ依ル
七 死亡者又ハ逃走者ノ遺留品ニシテ國庫ニ歸屬シタルモノアルトキハ其ノ年月日及事由ヲ記入スヘシ

第五十二號書式

假留品書留簿

年月日	品目	數量	在監者氏名	事由	處分決裁	顛末
何年何月何日	木綿袷羽織	一枚	何某	差出人不明ニ付差入ヲ許可セサルモノ	㊞	沒入 何年何月何日物品會計官吏ニ引繼ク（受領印）
何月何日	卷莨	一函	何某	何某ヨリ送致シ來レルモ差入ヲ許サヽルモノ	㊞	廢棄 何年何月何日燒却

取扱例

本簿ニハ在監者ノ携帶若ハ差入ニ係ル物品ニシテ領置ヲ爲サス若ハ領置品ニシテ其ノ領置ヲ解キタルモノ又ハ領置スヘキヤ否ヤ未定ノモノヲ登錄シ其處分顛末ヲ明ニスヘシ

第五十三號書式ノ甲

物品出納簿（備品）（作業品器具機械）

品目　　　　單位ノ稱呼

年月日	摘要	單價	受入						拂出							現在			備考
			數量				計		數量					計		數量		價格	
			越	買入	保管轉換	其他	數量	價格	亡失	毀損	賣却	保管轉換	其他	數量	價格	共用	在庫		

記載例

一　廳用品、獄用品中器具機械ノ價格ハ受入ノトキ單價ノミヲ記載スルモノトス

二　動物出納簿ハ本簿ニ準ス但シ便宜本簿ヲ用ヰ適當ノ欄ニ登記スルモ妨ケナシ

三　〔平壤鑛業所作業品中ノ器具機械〕及動物ノ外本簿ニ依ラサルコトヲ得

四　專賣局ニ於テハ本府ノ認可ヲ受ケ本書式ニ依ラサルコトヲ得

第五十三號書式ノ乙

物品出納簿（消耗品）（作業品材料素品）

品目　　　　單位ノ稱呼

年月日	摘要	單價	受入						拂出						現在		備考
			數量				計		數量				計				
			越	買入	保管轉換	其他	數量	價格	消耗	賣却	保管轉換	其他	數量	價格	數量	價格	

記載例

一　廳用品及獄用品消耗品ノ價格ハ受入ノ時單價ノミヲ記載スルモノトス

二　中央試驗所作業品中材料素品消耗品ハ價格ノ登記ヲ要セス

三　〔平壤鑛業所ノ作業品〕及監獄備品中ノ材料素品竝工事材料品（一工事三千圓未滿ノ建築材料ヲ除ク）ノ外本簿ニ依ラサルコトヲ得

四　專賣局ニ於テハ本府ノ認可ヲ受ケ本書式ニ依ラサルコトヲ得

第五十三號書式ノ丙

物品出納簿（生産品）

品目　　　　　　　　　　　　　　　　呼稱ノ單位

年月日	摘要	單價	受入							拂出									現在		備考
			越		生産		差增賣却	計		賣却		亡失毀損		何何		差減賣却	計				
			數量	價格	數量	價格		數量	價格	數量	價格	數量	價格	數量	價格		數量	價格	數量	價格	

記載例

一　價格ハ材料素品代及間接費用ヲ含ミタルモノ卽チ原價ヲ掲クルモノトス

二　勸業模範場及中央試驗所ニ於テハ價格ヲ掲クルヲ要セス

三　勸業模範場及中央試驗所及監獄作業品中ノ生産品ノ外本簿ニ依ラサルコトヲ得

四　專賣局ニ於テハ本府ノ認可ヲ受ケ本書式ニ依ラサルコトヲ得

第五十三號書式ノ丁（削除）

第五十三號書式ノ戊

物品出納簿（備品）

呼稱ノ單位　　品目

年月日	出納命令	受		拂	殘			摘要	物品會計官吏印
		數量	單價		供用		在庫		
					共用	專用			

備考

一　本簿ハ甲、乙、丙書式ニ依ル出納簿ヲ用ヰサル場合ニ使用スヘキモノトス

二　專賣局ニ於テハ本府ノ認可ヲ受ケ本書式ニ依ラサルコトヲ得

第五十三號書式ノ己

物品出納簿（消耗品）

呼稱ノ單位　　品目

年月日	出納命令	受		拂	現在	摘要	物品會計官吏	受領者印
		數量	價格					

備考　戊書式ノ備考ハ本書式ニモ之ヲ適用ス

第五十四號書式

品目　　單位ノ稱呼

備品受拂簿

年月日	物品取扱主任印	受	拂	殘 供用 共用	殘 供用 専用	殘 保管	専用者印	摘要

第五十五號書式

供用備品内譯簿

何課室備付（何官氏名専用）

品目　　單位ノ稱呼

年月日	物品番號	品種	交付	返納	亡失毀損	現在	摘要

記載例

一　本簿ハ品目毎ニ口座ヲ設ケ整理スヘシ

二　共用品及専用品ノ總括ハ適宜補助簿ヲ設ケ整理スヘシ

三　物品ノ少ナキ廳ニ在リテハ品目別ノ區分ヲ爲サス各品目ヲ混記スルモ妨ケナシ

四　便宜上供用品ハ凡テ之ヲ課室備付トシテ整理スルコトヲ得但シ専用者ノ身體ニ帶用スルモノヲ除ク

第五十六號書式

品目　　單位ノ稱呼

消耗品受拂簿

年月日	受	拂	殘	受領者印	摘要

記載例

必要ニ依リ受、拂、殘ノ各欄ヲ數量金額ニ區分スルコトヲ得

第五十七號書式

郵便切手類受拂內譯簿

年月日		發送先	發信者	種類	數量	受	拂	殘	備考
4	1					10 00		10 00	前年度ヨリ繰越
	2	何廳	何課		3匁		03		
	〃	何廳長	何課長	電信	15字		20		
	〃	何所何某	何廳	書留	3匁		10		

備考　郵便切手ノ使用多量ナル廳ニ在リテハ本書式ニ依ラス便宜切手枚數ヲ以テ整理スルコトヲ得

第五十八號書式（削除）

第五十九號書式（削除）

第六　十號書式（削除）

第六十一號書式

保證書

何廳物品會計官吏　官　氏　名

一　大正　年度物品出納計算書　何冊

一　同　上　證憑書　何冊

右調査スルニ出納ハ總テ命令書ニ適合シ其ノ拂ノ部消耗、生産ノ爲及保管轉換ニ係ルモノハ總テ領收證書ニ符合セルコトヲ保證ス

年　月　日

監督ノ責任アル官吏　官　氏　名　印

第六十二號書式ノ甲

檢査書（現在金アル場合）

一金何圓

右ハ何廳收入官吏（何廳主任收入官吏所屬何廳分任收入官吏、歲入歲出外現金出納官吏又ハ資金前渡官吏）官氏名ニ對シ（又ハ轉免死亡ニ付）會計規則第百三十六條ニ依リ帳簿金櫃ノ定期（臨時）檢査ヲ執行候處其ノ受拂ハ正確ニシテ現在金ハ前記ノ通ニ（又ハ何何）候也

年　月　日

檢査員　官　氏　名　印

收入官吏（又ハ何何官吏）　官　氏　名　印

備考　資格ヲ異ニスル毎ニ別紙ニ作成スヘシ

第六十二號書式ノ乙

檢定書（現在金ナキ場合ノ例）

何廳收入官吏（何廳主任收入官吏所屬何廳分任收入官吏、歲入歲出外現金出納官吏又ハ資金前渡官吏）官氏名ニ對シ（又ハ轉免死亡ニ付）會計規則第百三十六條ニ依リ帳簿金櫃ノ定期（臨時）檢査ヲ執行候處其ノ受拂ハ正確ニシテ現在金無之（又ハ現金ヲ取扱タルモノ無之）候也

年　月　日

檢算員　官　氏名　印

收入官吏（又ハ何何官吏）　官　氏名　印

第六十三號書式

物品檢査調書（大正　年　月　日現在）

何廳物品會計官吏ノ物品出納簿及其ノ現況ヲ檢査シ帳簿高ト現在品トノ符合ヲ認ム

年　月　日

檢査官吏　官　氏名　印

立會官吏　官　氏名　印

記載例

檢査上不合規ノ點又ハ事實ニ適合セサル點ヲ發見シタルトキハ其顚末ヲ記載スヘシ

第六十三號書式ノ二

大正何年度現金出納計算檢査成績報告書

一　現金出納計算書　何通

一　檢定書　何通

一　下檢査書　何通

右檢査ノ要領ヲ摘載スルコト左ノ如シ

第一　現金出納

一　別紙計算表ノ如シ

第二　檢査事項

一　審理ノ結果違法又ハ不當ト認メタルモノ何件其要領別紙ノ如シ

二　出納官吏辨償責任ニ關シ判決ヲ爲シタルモノ何件別紙ノ如シ

第三　事故ノ爲認可狀交付未濟ノモノ左ノ如シ

道名	證明廳	出納官吏官氏名	管理期	金額 受高	金額 拂高	金額 殘高	事由

以上

右檢査完了ノ上檢査要項第三ニ記載シタルモノヲ除キ其他ハ總テ當該出納官吏及出納員ニ對シ認可狀ヲ交付セリ依テ竝ニ之ヲ報告ス

年　月　日

受託廳長官　氏　名　印

會計檢査院長宛

第六十四號書式

大正　年度歳入歳出外現金出納檢査成績報告書

廳名	證明者官氏名	管理期	受ノ部 越高	受ノ部 受高	受ノ部 計	拂ノ部 支拂高	拂ノ部 歳入納付高	拂ノ部 計	殘高	認可狀交付年月日

右檢査ノ要領ヲ摘載スルコト左ノ如シ

一　審理ノ結果違法又ハ不當ト認メタルモノ何件其ノ要領別紙ノ如シ

二　出納官吏辨償責任ニ關シ判決ヲ爲シタルモノ何件其ノ要領別紙ノ如シ

右檢査完了セリ依テ竝ニ之ヲ報告ス

年　月　日

受託廳長　官　氏　名　印

會計檢査院長宛

第六十五號書式

大正　年度物品出納檢査成績報告書

廳名	證明者職官氏名	管理期	認可狀交付年月日

右檢査ノ要領ヲ摘載スルコト左ノ如シ

一　審理ノ結果違法又ハ不當ト認メタルモノ何件其ノ要領別紙ノ如シ

二　物品會計官吏辨償責任ニ關シ判決ヲ爲シタルモノ何件其ノ要領別紙ノ如シ

右檢査完了セリ依テ玆ニ之ヲ報告ス

年　月　日

受託廳長　官　氏　名　印

會計檢査院長宛

備考　一　帳簿ニ依リ檢査シタルハ第二段ニ△ノ符號ヲ附スヘシ

二　物品出納檢査成績報告書ニシテ特別ノ樣式ヲ用ユルモノニ付テハ別ニ示達スル所ニ依ルヘシ

第六十六號書式

認可狀

何廳

職　官　氏　名

一　大正年度　自大正　年　月　日　至大正　年　月　日（證明事項）

會計檢査院ノ委託ニ依リ前記證明計算ノ檢査ヲ遂ケ玆ニ其ノ責任ヲ解除ス

年　月　日

受託廳長　官　氏　名　印

第六十七號書式ノ甲

検査濟否原簿（月證明）

款	
證明廳	
證明者	

證明月次	計算書冊數	附屬書類 枚數	附屬書類 冊數	證憑書 枚數	證憑書 冊數	受領年月日	査了年月日	初問 發書年月日	初問 受書年月日	再問 發書年月日	再問 受書年月日	會計檢査院ヘ提出年月日	發送掛受領印
四月分													
五月分													
六月分													
七月分													
八月分													
九月分													
十月分													
十一月分													
十二月分													
一月分													
二月分													
三月分													
五月分													
計													

第六十七號書式ノ乙

檢査濟否原簿（年證明）

計算書種別	歲入徵收額		收入							
會計別	一般	特別	一般				特別			
管理期										
計算書冊數										
檢定書										
附屬書類　枚數										
附屬書類　冊數										
證憑書類　枚數										
證憑書類　冊數										
受領年月日										
初問　發書月日										
初問　受答月日										
再問　發書月日										
再問　受答月日										
推問番號										
提出方督促　發書月日										
提出方督促　受答月日										
督促番號										
會計檢査院へ提出　月日										
會計檢査院へ提出　番號										
認可狀交付月日番號　月日										
認可狀交付月日番號　番號										
任免月日　任										
任免月日　免										
氏名										
受領者印										

計算書種類	歳入歳出外			物品					摘要
會計別				委託			委託外		
管理期									
計算書冊數									
檢定書									
附屬書類 枚數									
附屬書類 冊數									
證憑書類 枚數									
證憑書類 冊數									
受領年月日									
初問 發書月日									
初問 受答月日									
再問 發書月日									
再問 受答月日									
推問番號									
提出方督促 發書月日									
提出方督促 受答月日									
督促番號									
會計檢查院へ提出 月日									
會計檢查院へ提出 番號									
認可狀交付月日番號 月日									
認可狀交付月日番號 番號									
任免月日 任									
任免月日 免									
氏名									
受領者印									

第六十八號書式

年　月　日

政務總監宛　　　官　氏　名　印

何何（事業名）收支計算表

收入		支出	
種目	金額	種目	金額
何何收入		何何作業費	
作業收入		俸給及諸給	
雜收入		事業費	
何何		何何	
收入未濟		支出未濟	
翌年度繰越物件價格		前年度ヨリ繰越物件價格	
前年度支出未濟		前年度收入未濟	
何何		何何	
收入總計		支出總計	
收入剰餘額			

記載例

一　本表ハ印刷、度量衡、蔘業、鹽業、水道、採鑛及土管煉瓦製造等ノ事業ニ付調製スルモノトス

二　他ノ事業ト關聯スルカ爲分割計算シタル收入支出ニ付テハ其ノ割合及分割ノ方法ヲ附記スヘシ

第六十九號書式

何何（事業名）資本金額表（三月三十一日現在）

年度	何何費	何何費	何何費	計

記載例

一　舊韓國政府其ノ他會計所屬ノ如何ヲ問ハス凡テ當初ヨリ支出シタル資本金ニ屬スヘキ費額ヲ計上スルモノトス

一　費目ハ項ヲ以テ記載スヘシ

第七十號書式

何何（事業名）資本現在額調（大正　年三月三十一日現在）

種別	前年度末迄現在額	本年度支出額	增額	減額	差引現在額	備考
土地						
建物						
船舶						
器具						
機械						
何何						
何何						
計						

記載例

一 增減額ノ欄ニハ本年度ニ於ケル價格改定、讓受讓渡、賣却、滅失減耗等ニ依リ增減シタル價格ヲ計上シ差引現在額ハ現存資本ノ見積價格ニ符合セシムルモノトス

二 增減事由ハ別ニ其ノ金額ヲ備考ニ記入シ尙複雜ニ涉ルモノハ別紙ニ調製シ添付スヘシ

第一號表

物品種類別

備品

卓子類、椅子類、書架、戸棚、簞笥、簿記臺、長持、文庫、葛籠雜箱(印箱、鍵箱等)金庫、時計、寒暖計、製圖用器具、測量器具、度量衡器、謄寫版器、行李、鞄類、印章(官印、職印等)眼鏡、烙印、拳銃、車、駕子、暖爐及附屬品、煙草盆、版木、額面、鏡、花瓶、敷物(絨氈等ニシテ取除自由ナルモノ)黑版、鍋、釜、鐵瓶、藥罐、梯子、喞筒、消火器、消防器具類、警鐘製本器具、呼鈴、鋏、庖丁類、屛風、衝立、脚立、帽子掛(臺付)傘立、寢臺夜具、枕、毛布、提燈、行燈、燭臺、ランプ(硝子製ヲ除ク)唾壺(陶製ヲ除ク)、吸殼瓶(硝子製ヲ除ク)、運搬臺、井戸車、釣瓶、鍬、鎌、鋤類、大工道具、醫療器械、炭取、盥、桶、茶盆、濾水器、鐵マット、バケツ、洗面器、旗、天幕手水鉢、タイプライター器、塵取(木製)、鳶口、斧、電話器、自轉車、紙綴器、雪搔、如露、絨ブラシュ、被服類、圖書類、硯、硯箱、算盤、コンパス、烏口、文鎭、筆架、定木、小刀、腰掛、卓子掛、名札掛、

消耗品

雜印、火箸、十能、五德、煙筒、擔、鍵、錠類、電話線、棕梠マット、唾壺(陶製)活字、水入(陶製)風呂敷、網類、掛札、柄杓類、笊類、漏斗、砥石、蠅取器(硝子製)、火消壺、塵取(ブリキ製)植木鉢、筆洗、石盤、インキ壺、糊入、箒類、炮烙、土鍋、灰篩、ブリキ罐、茶碗、土瓶類、茶ホーツ、肉池、刷毛罐、用紙類、筆、墨、ペン軸、ペン先類、インキ類、墨板拭、繪具、繪具皿、白墨印肉、謄寫版類、薪炭、油類、蠟燭、マッチ、藥品、蒟蒻版用雜品生麩、寒天類、膠、封蠟、晒木綿、糊、石鹼、硝子類、麻糸類、海綿、針金、鋲、針、釘、ピン類、菰、莚、繩、叺類、草履、木製小札、リボン類、ランプホヤ、雜巾類、タワシ類、書類鋏、ランプ(硝子製)、塵拂、スタンプ印褥

第二號表

職員專用品及定數表

種目	勅任（局部長參事官）	勅任奏任（課長）	奏任	判任雇員	給仕及之ニ準スヘキモノ	摘要
兩袖卓子	一	一	一			
卓子（應接用）	一	一				
同（執務用）				一		
小卓子					一	
廻轉椅子覆共	一	一	一			
並椅子覆共（應接用）	四以內	三以內				
同（執務用）				一		
小椅子					一	
戸棚	一	一				
雜臺	一					
決裁箱	二以內		二以內			
電鈴又ハ呼鈴	一	一				
製圖板		一	一	一		
製圖用器具		一	一	一		
簿記臺				一		
丸定木				一		
印箱	一	一	一	一		
茶器箱					一	給仕用

備考

一　親任官ノ專用品ハ別ニ之ヲ定ム

二　奏任官以下ノ使用ニ供スル戸棚ハ各室ニ二個（消耗品格納用一個書類格納用一）又ハ參考圖書、備品格納用等トシテ必要ニ應シ適當ノ數ヲ備付クヘシ

三　奏任官以下ノ使用ニ供スル電鈴又ハ呼鈴ハ各室ノ必要ニ應シ適當ノ數ヲ備付クヘシ

四　卓子掛ハ從來備付ノ分ニ限リ當分ノ內其ノ儘使用スルコトヲ得

第三號表

委託檢査除外物品

各證明廳	物品名
各廳	工品材料（建築材料ハ三千圓以上）及收入印紙
庶務部印刷所	事業用物品及製作品
遞信局	郵便切手、事業用物品

管理事務分掌郵便局	事業用物品
郵便局	郵便切手
專賣局	專賣物品
〔平壤鑛業所〕	〔事業用物品及生產物〕
營林廠	木材

九 會計事務章程中取扱方ニ關スル件

大正三年九月
官通第三二四號

政務總監

官房各局長、各部長官、所屬官署ノ長 宛

朝鮮總督府及所屬官署會計事務章程中ノ取扱方ニ關シ左記事項御了知相成度此段及通牒候也

記

一 第四條ノ歲入徵收官ハ其ノ所屬廳ノ歲入ニ付テモ之ヲ管掌スヘキモノトス

二 第八條ノ各廳ニ於テ同條ニ規定スル各官吏中其ノ常置ヲ要セサルモノハ之カ任命ヲ要セス又主管廳ニ主任官吏アリテ其ノ廳ニ主任官吏ノ常置ヲ要セサルモノハ其ノ主管廳主任官吏ノ分任官吏又ハ代理官吏ヲ置クコトヲ得

三 第十一條第一項ノ場合ニ於テ部下ノ官吏ノ職務ノ都合又ハ其ノ他ノ事由ニ依リ同項規程ノ官吏ニ任命スルコト能ハサルトキハ其ノ廳ノ長ハ同項但書ノ規程ニ依リ自ラ其ノ官吏タルコトヲ得

四 第十八號書式ノ用紙ヲ用ユル場合ニハ請求ノ欄ニ其ノ日附ヲ記入シテ債主ノ請求書ヲ省略スルコトヲ得

五 第五十七號書式ノ帳簿ノ記帳ヲ爲スニ當リ其受入ノ場合ニハ該帳簿ノ備考欄ニ受入タル切手類ノ枚數（何錢何枚ト區別シ）ヲ記入スヘシ

一〇 國庫出納金端數計算法ヲ朝鮮、臺灣及樺太ニ施行ノ件

大正五年三月
勅令第五七號

朕國庫出納金端數計算法ヲ朝鮮、臺灣及樺太ニ施行スルノ件ヲ裁可シ茲ニ之ヲ公布セシム

國庫出納金端數計算法ハ之ヲ朝鮮、臺灣及樺太ニ施行ス

附則

本令ハ大正五年四月一日ヨリ之ヲ施行ス

一一 國庫出納金端數計算法

大正五年一月
法律第二號

第一條 國庫ノ收入金又ハ仕拂金ニシテ一錢未滿ノ端數アルトキハ其ノ端數ハ之ヲ切捨ツ其ノ全額一錢未滿ナルトキハ之ヲ一錢トス

第二條 國稅ノ課稅標準額ノ算定ニ付テハ前條ノ規定ヲ準用ス

命令ヲ以テ指定スル國稅ノ課稅標準額ニシテ一圓未滿ノ端數アルトキハ其ノ端數ハ之ヲ切捨ツ

第三條 分割シテ收入シ又ハ仕拂フ金額ニ在リテハ其ノ總額ニ付第一條

ノ規定ヲ準用ス

第四條 分割シテ收入又ハ仕拂ヲ爲ス場合ニ於テ分割金額一錢未滿ナルトキ又ハ之ニ一錢未滿ノ端數ヲ生シタルトキハ其ノ分割金額又ハ端數ハ最初ノ收入金又ハ仕拂金ニ之ヲ合算ス 但シ地租ノ分納額ニ付テハ此ノ限ニ在ラス

第五條 賣藥印紙稅及郵便切手ヲ以テ納ムル郵便料金ニ付テハ本法ヲ適用セス

法律ニ別段ノ定アルモノノ外本法ヲ適用セサルモノハ命令ヲ以テ之ヲ定ム

第六條 本法ハ北海道府縣郡市町村其ノ他勅令ヲ以テ指定シタル公共團體ノ收入及仕拂ニ關シテ之ヲ準用ス

附　則

第七條 本法ハ大正五年四月一日ヨリ之ヲ施行ス

第八條 明治四十年法律第三十一號ハ之ヲ廢止ス但シ本法施行前納入ノ告知ヲ爲シ又ハ仕拂ノ命令ヲ發シタルモノニ付テハ仍其ノ效力ヲ有ス

二　國庫出納金端數計算法ヲ適用セサル種目

大正五年三月
勅令第五六號

國庫ノ收入及仕拂中左ニ揭クル種目ニハ國庫出納金端數計算法ヲ適用セス

一　切手及印紙類賣下代金
二　沒入金、沒收金及犯罪ニ基ク追徵金
三　法令ニ依リ當然國庫ニ歸屬スル收入金
四　貨幣交換差金
五　外國貨幣ヲ基礎トスル收入金及仕拂金
六　缺損補塡金
七　切手貯金拂込金

附　則

本令ハ大正五年四月一日ヨリ之ヲ施行ス

三　公共團體ノ收入及仕拂ニ關シ國庫出納金端數計算法準用ノ件

大正五年八月
勅令第二〇九號

改正　一一年四第二〇九號

第一條 國庫出納金端數計算法第六條ノ規定ニ依リ公共團體ヲ指定スルコト左ノ如シ

郡組合
市制第六條ノ市ノ區
北海道及沖繩縣ノ區
水利組合
北海道土功組合
朝鮮ノ地方費、府、府郡島學校費、學校組合、面及水利組合、臺灣ノ州廳地方費、市及街庄、樺太ノ町村

第二條 國庫出納金端數計算法第六條ノ公共團體ノ收入及仕拂中左ニ揭クル種目ニハ同法ヲ準用セス

一　法令ニ依リ當然公共團體ニ歸屬スル收入金
二　貨幣交換差金

三　外國貨幣ヲ基礎トスル收入金及仕拂金
四　缺損補塡金

附　則

本令ハ大正五年九月一日ヨリ之ヲ施行ス

一四　國庫出納金端數計算法ニ關スル件

大正五年四月二十四日
官通第五七號
總務局長

各所屬官署ノ長宛

首題ノ件ニ關シ左記ノ通決定候條此段及通牒候也

記

一　高等官等俸給令ニ依ル年俸ノ如キハ仕拂フヘキ總額ト云フヲ得サルニ付第四條ノ適用ナク月割又ハ日割ニ依ル現支給額ニ付第一條ヲ適用シ其端數ヲ切捨ツヘキコト

一五　國庫金ノ收支上厘位切捨ニ關スル取扱方ノ件

明治四十四年一月十六日
會計局長通牒朝會發第一號

國庫金ノ收支上厘位切捨ニ關スル取扱方從來區區ニ相涉リ不便不尠候條自今左ノ通リ御取扱相成度此段及通牒候也

記

數廉ノ物件賣買代金ヲ同時ニ取纒メ收入又ハ仕拂ヲ爲ス場合ニ於テハ其ノ合計高ニ於テ一錢未滿ノ端數ヲ切捨テ其ノ內譯ノ品目ヲ各別ニ整理スル必要アルトキハ其ノ內譯中或一品ノ價格ヨリ切捨タル厘位ヲ減額整理スヘキモノトス

一六　政府ト私人トノ債務ノ相殺ニ關スル件

大正十一年四月
大藏省訓令第一五號

政府ト私人トノ債務ノ相殺アリタル場合ニ於ケル歲入徵收官ノ事務取扱方左ノ通定ム

政府ト私人トノ債務ノ相殺アリタルトキハ其ノ相殺額ニ付テハ歲入徵收官ハ納入告知書（支出官納）ヲ支出官ニ送付スヘシ

前項ノ場合ニ於テ政府ノ收納スヘキ金額ニシテ相殺額ニ超過スルトキハ其ノ超過額ニ對シテハ一般歲入徵收ノ例ニ依リ納入告知書ヲ納人ニ交付シ納入ノ手續ヲ爲サシムヘシ

附　則

本令ハ公布ノ日ヨリ之ヲ施行ス

明治三十四年大藏省訓令第二十六號ハ之ヲ廢止ス

〔參照〕

明治三十四年七月十日大藏省訓令第二十六號ハ政府ト私人トノ債務相殺金額取扱順序ノ件ナリ

一七　朝鮮總督府官報ノ發行及發賣ニ關スル件

明治四十三年八月
統告第一九七號

改正　四三年一〇總告第三五號

第一條　朝鮮總督府官報ハ（印刷局）ニ於テ發行ス

第二條　官報ハ左ノ定價ヲ以テ發賣ス

一　一箇月分（月ノ初日ヨリ末日マテ逓達費共）　金五十五錢
二　一　部（逓達費共）　金　三　錢

第三條　官報ヲ購求セムトスルモノハ官廳ヲ除クノ外其ノ定價ヲ（印刷局）ニ前納スヘシ

第四條　舊韓國官報及統監府公報購求ノ爲納付シタル料金ハ總督府官報購求ノ爲納付シタル料金ト看做ス

一八　朝鮮總督府官報廣告掲載ノ件

大正元年十月
總告第七三號

朝鮮總督府官報廣告掲載ノ件左ノ通改正シ大正元年十一月一日ヨリ之ヲ施行ス

第一條　各官廳又ハ公署ノ廣告ハ朝鮮總督府官報ニ掲載スルコトヲ得

第二條　各官廳ノ廣告ハ登記ニ關スル公告ヲ除クノ外廣告料ヲ要セス

第三條　銀行會社等ノ報告類ニシテ法令又ハ其ノ定款ニ依リ廣告ヲ要スルモノハ朝鮮總督府官報ニ掲載ヲ請フコトヲ得

第四條　官報廣告料ハ左ノ如シ

四號活字	一行	一回	四十五錢
五號活字	一行	一回	四十錢
六號活字	一行	一回	三十錢
登記ニ關スル公告			
五號活字	一行	一回	三十錢
六號活字	一行	一回	二十錢

罫表類ヲ挿入スルモノハ前項ニ準シ行數ニ見積リ計算ス

第五條　官報廣告ノ掲載ハ原稿ヲ添ヘ朝鮮總督官房總務局總務課ニ請求スヘシ

廣告ノ體裁、活字ノ種類等ハ朝鮮總督官房總務局總務課ニ於テ之ヲ定ム

第六條　官報廣告料ハ朝鮮總督官房總務局印刷所之ヲ徴收ス

一九　豫定經費算出概則

明治二十二年六月
閣令第一九號

各省

第一條　經費ヲ算出スルニハ其必要ヲ生スル法律命令契約其他經費ヲ請求スル確實ノ理由ヲ示スヘシ

第二條　經費中其給與ニ屬スルモノハ一人當リノ給額ヨリ積算シ又其物件ニ屬スルモノハ一箇當リノ費用ヨリ積算スヘシ

第三條　一人當リノ給額ヲ算出スルニハ規定ノ給額アルモノハ其規定ノ額ヲ基トシ又規定ノ給額ナキモノハ各其據ル所ヲ示スヘシ

第四條　一箇當リノ費用ヲ算出スルニハ規定ノ價格アルモノハ其價格ヲ基トシ又規定ノ價格ナキモノハ時時ノ相場ニ據リ其據ル所ヲ示スヘシ

第五條　給與ニ屬スル經費ヲ積算スルニハ定員アルモノハ定員ヲ限度トシ定員ナキモノハ前年度四月一日ノ現員ヲ標準トスヘシ　但事務ノ繁閑ニ隨ヒ臨時傭入及解傭ヲナス人員ハ前前年度以前三箇年度ノ人員ノ平均ヲ標準トスヘシ

第六條　物件ニ屬スル經費ヲ積算スルニハ規定ノ箇數アルモノハ規定ノ箇數ヲ限度トシ規定ノ箇數ナキモノハ前前年度以前三箇年度間ニ實際使用ニ供シタル箇數ノ平均ヲ標準トスヘシ

第七條 國債償還ノ金額(定期アルモノヲ除ク)ハ財政ノ都合ニ依リ其利子及手數料ハ定規ニ據リ之ヲ豫算スヘシ

第八條 常例ノ旅行ニ屬スル旅費ハ各用務毎ニ人員、旅費等級、里程及滯在日數ヲ概定シテ豫算スヘシ

第九條 法律命令契約ニ據リ支出スヘキ總金額ノ定リタルモノハ其總金額ヲ以テ豫算額トスヘシ

第十條 前各條ニ據ルヘカラサル經費ハ最モ適實ノ方法ヲ以テ豫算シ其計算ノ基ク所ヲ示スヘシ

二〇 歲入歲出豫算概定順序

明治二十二年三月
閣令第一二號

第一條 歲入ノ事務管理廳ハ毎年度歲入概算書ヲ調製シ前年度五月三十一日マテニ之ヲ大藏大臣ニ送付スヘシ

第二條 歲入概算書ハ經常ト臨時トニ大別シ更ニ之ヲ款項目ニ區分シ前年度ノ豫算ニ比シ增減ノ理由ヲ說明スヘシ

第三條 各省大臣ハ毎年度歲出概算ヲ調製シ前年度五月三十一日マテニ之ヲ大藏大臣ニ送付スヘシ

第四條 歲出概算書ハ各省ノ所管經費ヲ經常ト臨時トニ大別シ更ニ之ヲ款項ニ區分シ前年度ノ豫算ニ比シ增減ノ理由ヲ說明スヘシ

第五條 大藏大臣ハ各廳ノ歲入概算書及歲出概算書ヲ檢案シ歲入出ヲ對照調理シ歲入出總概算書ヲ調製シ前年度六月三十日マテニ之ヲ閣議ニ提出スヘシ

第六條 歲入出總概算書ハ歲入出共ニ經常ト臨時トニ大別シ更ニ之ヲ款項ニ區分シ前年度ニ比シ增減ノ理由ヲ說明スヘシ

第七條 內閣ニ於テハ前年度七月十五日マテハ歲入出總概算書ヲ決定スヘシ

第八條 各省大臣ハ內閣ニ於テ決定シタル各省所管經費毎項ノ概算額以內ニ於テ節約ヲ旨トシ毎年度ノ各省豫定經費要求書ヲ調製シ前年度八月三十一日マテニ之ヲ大藏大臣ニ送付スヘシ

第九條 歲入概算書及歲出概算書ノ樣式ハ大藏大臣之ヲ定ムヘシ

第十條 明治二十三年度豫算ニ限リ前各條ノ期限ヲ一箇月間延スコトヲ得

二一 豫算編成順序並第二豫備金支出要求手續

大正十一年五月
總訓令第二五號
朝鮮總督府所屬官署

第一條 左記ノ區分ニ依リ當該各官ハ次年度歲入歲出ニ關スル計畫書及之ニ伴フ收支ノ說明書ヲ作リ其ノ前年度ノ豫算ニ比較シ增減アルモノハ其ノ事由及計算ノ基ク所ヲ明ニシタル調書ヲ添ヘ第一號乃至第十五號ノ各官ニ在リテハ五月三十一日迄ニ、第十六號乃至第二十一號ノ各官ニ在リテハ六月三十日迄ニ各二通ヲ本府ニ提出スヘシ

一 道府郡島警察署及慈惠醫院ニ關スルモノハ道知事
二 濟生院ニ關スルモノハ濟生院長
三 醫院ニ關スルモノハ醫院長
四 警察官講習所ニ關スルモノハ警察官講習所長
五 官立學校ニ關スルモノハ官立學校長

六 税關ニ關スルモノハ税關長
七 營林廠ニ關スルモノハ營林廠長
八 勸業模範場ニ關スルモノハ勸業模範場長
九 中央試驗所ニ關スルモノハ中央試驗所長
十 獸疫血清製造所ニ關スルモノハ獸疫血清製造所長
十一 水産試驗場ニ關スルモノハ水産試驗場長
十二 高等法院ニ關スルモノハ高等法院長
十三 覆審法院ニ關スルモノハ覆審法院長
十四 地方法院ニ關スルモノ覆審法院所在地ニ在リテハ覆審法院長其ノ他ハ地方法院長
十五 監獄ニ關スルモノハ典獄
十六 高等土地調査委員會ニ關スルモノハ其ノ委員長
十七 林野調査委員會ニ關スルモノハ其ノ委員長
十八 遞信官署及海員審判所ニ關スルモノハ遞信局長
十九 專賣局ニ關スルモノ專賣局長
二十 中樞院及朝鮮部隊ニ關スルモノハ庶務部長
二十一 以上各號ノ外本府各局部主管ニ關スルモノハ各局部長

第二條 前條ノ書類ノ提出アリタルトキハ第一號中道府郡島ノ歳出及第二號ニ關スルモノハ內務局長、第一號中警察署道慈惠醫院第三號及第四號ニ關スルモノハ警務局長、第五號ニ關スルコノハ學務局長、第一號中道府郡島ノ歳入及第六號ニ關スルモノハ財務局長、第七號乃至第十一號ニ關スルモノハ殖産局長、第十二號乃至第十五號ニ關スルモノハ法務局長其ノ書類ヲ取纏メ意見ヲ附シ六月三十日迄ニ財務局長ニ交付スヘシ

第三條 財務局長ハ前二條ノ書類ニ依リ七月三十一日迄ニ査定案ヲ作成シ朝鮮總督ニ提出スヘシ

第四條 財務局長ハ朝鮮總督ノ裁定ニ基キ豫定計算書及各目明細書ヲ作成スルニ必要ナル書類ヲ調製シ參照書類ヲ添ヘ所管大臣ニ送付ノ手續ヲ爲スヘシ

第五條 第二豫備金支出要求手續ニ關シテハ前各條ノ規定ヲ準用ス

三三 豫算概算ニ關スル件

大正四年三月監第五三號
法務局長通牒

改正 大正一一年四月一四日

朝鮮總督府及所屬官署會計事務章程第二十五條ニ依リ提出可相成次年度歳入歳出ニ關スル計畫及既定事項ノ改廢竝之ニ伴フ收支ノ說明書ハ大正五年度以降別紙各項ニ依リ調製相成度此段及通牒候也

追テ本件ノ書類提出ノ遲延ハ延テ一般概算書作製ニ關係ヲ及ホシ候條所定期日迄ニハ無相違本府ヘ到達ノ日取ヲ以テ其地發送相成樣豫メ御留意相成度爲念添申候也

（別紙）

一 豫算ニ計上スル金額ハ各節ニ於テ圓位未滿ノ端數ヲ切捨テ圓位ニ止ムルモノトス

歳入ノ部

一 歳入豫算ニ付テハ書式第一號ノ概算書ヲ提出スヘシ

一 歳入概算額算出ハ總テ確實ナル根據アルヲ要シ增減ニ對シテハ其事

由テ詳細ニ説明スルモノトス　但シ算出ニ付キテハ左記ニ依ルヘシ

(イ)官業及官有財産收入

一　本項ノ豫算ハ當該年度ノ計畫ニ依リ定マルヘキモノナルヲ以テ歳出豫算ト彼是連絡ヲ保チ囚徒工錢ノ就業延人員一人當金額、又ハ特別作業即チ煉瓦、土管、瓦ニ對スル製作收入ノ數量、單價等ハ確實ナル根據アル數ニ依リテ算出シ其ノ算出方法ヲ説明シ參考表ヲ添附スヘシ

一　普通作業ト煉瓦、土管、瓦作業ノ囚徒工錢及製作收入ハ各表共之ヲ區分掲記シ尙普通作業ニ在テハ書式第一號ノ一ノ内譯表ヲ又煉瓦、土管、瓦作業ニ在リテハ書式第一號ノ二ニ依ル收入概算額ニ對スル内譯明細書ヲ添附スヘシ

一　前項各表ノ外書式第一號ノ三ニ依ル前前三箇年度間ニ於ケル實收額表ヲ添附スヘシ

(ロ)雜　收　入

本項ノ豫算ハ其ノ收入ノ性質ニ依リ一定ノ基準ニ依ルコト能ハサルヲ以テ其ノ根據ハ前前三箇年度（例令五年度ヨリ稱シナハ三年、二年、元年ノ三箇年度ヲ謂フ）實收額ノ平均額ニ依ル但シ算出ノ基礎タル三箇年ノ實收額ハ書式第一號ノ四ニ依リ調製シ本調書ニ添附スヘシ

歳　出　ノ　部

一　第二號ノ書式ニ依ル概算調書ヲ提出スヘシ（裁判及監獄費）

一　本年度概算額ハ當該年度ノ計畫ニ依リ算定スヘキハ勿論ナルモ主トシテ前年度豫算配賦額及前年度四月一日現在所要額ヲ基トシ之ニ當該年度ノ計畫ニ依リ定マルヘキ金額ヲ增減シテ算定スヘシ　但シ本件調書提出迄ニ前年度豫算ノ配賦ヲ受ケサル場合ニ於テハ前々年度豫算配賦額トス（以下同シ）

一　前年度ニ比シ經費ノ增減アルモノハモトノ通項別ニシタル別紙書式第二號ノ一ノ内譯書ヲ添附スヘシ

一　要求人員ニ對シテハ書式第二號ノ二ノ增減一覽表ヲ添附スルコト

一　本年度概算額各目算出方法ハ大略左記ニ依ルヘシ

一　俸給（休職俸給ヲ除ク）雜給及雜費ノ内監獄醫以下俸給囑託手當傭人料

前年度四月一日現在ノ所要額ヲ基トシ之ニ要求人員ヲ增減シタルモノトス　但シ一人當金額ハ俸給ニ在テハ四月一日現在員ノ平均額ニ依リ又雜給及雜費ニ在テハ所要見込額ニ依ル　但シ傭人料中ノ職工人夫賃ハ所要見込額ヲ各廳別トシテ備考欄ニ記載ノコト

一　廳　費

普通廳費

一　要求人員ハ女監取締以上ノ人員ニ對シ一人當要求金額ヲ乘シタルモノヲ目節ニ配當スヘシ　但シ目節配當ノ標準ハ前前三箇年度ノ仕拂濟額ヲ以テ百分比例トナス

特別廳費

一　特別廳費トナシ得ヘキ費目ハ電燈料、備品費又ハ圖書購入費（本費ハ一人當定額ヲ以テ支辨難出來ト認メタル特種ノモノナルコト）電話料、廳舍及敷地借料トシ書式第二號ノ三ニ依リ所要見込額ニ基キ算出シ普通廳費ノ各目ニ加算スヘシ（二號三ノ調書ハ添付ノコト）

一　前前三箇年度ノ廳費支拂額ハ書式第二號ノ四ニ依リ調製添附スヘシ

一　旅　費

一　旅費ハ所要見込額ヲ掲上シ轉任（各官專行ニ屬スルモノ）召集、巡回、臨時出張（會同ノ爲メ東京ノ出張ハ之レヲ除ク）ニ區分シ更ニ出張者及用務箇所（滯在期間共）每ノ金額ヲ別紙ニ內譯スヘシ

但シ右內譯表ハ大正五年度ニ限リ明治四十五年五月官通牒第百七十七號書式ニ依リ調製スヘシ（本內譯表ハ本件調書提出期日迄ニ調製不能ノ場合ハ追テ提出差支ヘナシ）

一　宿舍料、被服及帶具費

前年度四月一日現在ノ所要額ヲ基トシ之ニ要求人員ヲ增減シタルモノトス　但シ要求人員ニ對スル一人當平均額ハ所要見込額ニ依ル但シ宿舍料人員ハ全額支給ノモノト半額支給ノモノトヲ示シタル表ヲ添附スヘシ

一　監獄職員特別手當

人員ハ前年度四月一日支給ノ人員ヲ基トシ之ニ要求人員ヲ增減シタルモノ又一人當ノ金額ハ規定額ノ通　但シ右支給人員ニ付テハ定員トノ割合ヲ各職每ニ表示スヘシ

一　雜費ノ內翻譯及寫字料、諸謝金、廣告及手數料、舟車馬類傭賃

所要見込額ニ依ル　但シ本節金額ノ區別ハ各廳ノ箇所數及一箇所當ノ金額ヲ示シタル表ヲ添附スヘシ

一　同上賄料

所要見込額ニ依ル但シ書式第二號ノ五ノ內譯表ヲ添附スヘシ

一　同上給水料、清潔費、點燈料

所要見込額ニ依ル但シ內譯ハ書式第二號ノ三ニ依ル

一　在監人費

一　在監人員及其ノ割合又ハ各職ノ要求人員等ハ前年度四月一日現在ヲ基礎トシ之ヲ所要見込人員ヲ增減スヘシ

一　一人當及其ノ他ノ單價ハ所要見込額ニ依ル

一　電燈料、點燈料、給水料、土地、家屋、器具機械等ノ借料醫療用器具機械費ハ書式第二號ノ三ニ依リ算出シタル額ニ依ル

一　修繕費

特種ノモノヲ除ク外ハ前々三箇年度ノ平均額ニ依リ各廳別ニ算出スヘシ但シ臨時ニ要スル大破修繕ノ如キ特種ノ所要額ニ對シテハ事由ヲモ附記スルコト

以上ノ外必要ナル科目ニ付テハ見込ニ依リ算出掲上ノコト

書式第一號

大正　年度歲入豫算概算調書

科目	本年度概算額	前年度概算額	比較ノ差 増	比較ノ差 減	備考
經常部 臨時部					
款					
項					
目					
節					

備考

一、科目ハ前々年度ノ科目ニ依ル

一、前年度概算額トハ曩ニ各廳ヨリ提出シタル概算額ヲ云フ

一、雑收入ノ內辨償及違約金並ニ懲罰及沒收金ニ對シテハ大正三年度科目解疏ノ通區分シ節トシテ之ヲ掲記スヘシ

第一號ノ一

大正　年度囚徒工錢及製作收入概算額內譯書

一金何圓

內譯

區別	就業延人員	一人當額	計金額
囚徒工錢	人		
製作收入（工錢）（材料代等）	人		
合計	人		

備考

一、囚徒工錢ハ（內地人、朝鮮人ニ區別シ）且工錢ニ高低アル場合ハ平均ニ依ル

一、計金額ハ一人當ヲ延人員ニ乘シタルモノトス

第一號ノ二

大正　年度煉瓦（瓦又ハ土管）收入概算額內譯明細書

種別	生産見込數	供給見込數	單價	金額	備考
燒過一等					
同　二等					
同　三等					
並　一等					
何々					
計					

備考

一、煉瓦、瓦、土管ハ各別紙ニ調製スヘシ

一、本表ニハ前前三箇年度ニ於ケル各種別ノ生産數ト供給數トヲ示シタル參考表ヲ添附スヘシ

第一號ノ三

囚徒工錢及製作收入實收額表

	就業延人員 元年度	就業延人員 二年度	就業延人員 三年度	就業延人員 平均人員	一人當額 〃	一人當額 〃	一人當額 〃	一人當額 平均額	小計 〃	小計 〃	小計 〃	小計 平均額
囚徒工錢												
製作收入（工錢）（材料代等）												
計												

備考

一、普通作業ト特別作業（煉瓦、瓦、土管數）トハ之ヲ區分シ掲上スヘシ

第一號ノ四

歳入實收額調書

科目	元年度	二年度	三年度	合計	平均額
—					
—					
—					
—					
—					
合計					

備考

一、科目ハ第一號書式概算調書ニ記載シタルモノト同一タルヘシ

一、實收見込額ハ朱ヲ以テ內書シ其ノ算出ノ基礎ヲ說明スヘシ

一、實收額ニ於テ他年度ニ比シ著シク增減アルモノハ其ノ理由ヲ附スヘシ

書式第二號

大正　年度經費概算調書

款 項 目	本年度概算額	前年度豫算額	前年度豫算額ニ比シ增減	備考
經常部				
第　款裁判及監獄費				
一、俸給				
一、勅任俸給				何官何人　圓 一人平均（本俸　圓 加俸　圓）
二、奏任俸給				同上（各官別ニ列記スルヲ要ス）
三、判任俸給				同上
二、廳費				
一、備品費				節金額ハ目ノ次ニ記載ノコト
二、圖書及印刷費				
三、筆紙墨文具				
四、消耗品				
五、通信運搬費				
六、廳舍及敷地借料				
三、雜給雜費				

款	項	目				備考
		一、監獄醫以下俸給				何々何人　圓 （但シ一人平均）本俸　圓 加俸　圓
		二、旅費				（各職別ニ列記スヘシ）
		三、給與				
		四、雇員給				何人　圓 但シ一人平均　圓 （內地人朝鮮人ヲ區別スヘシ以下同シ）
		五、傭人料				廷丁何人　圓 一人平均　圓 給仕何人　圓
		六、宿舍料				奏任官何人　圓 一人平均　圓 判任官何人　圓
		七、被服及帶具費				廷丁何人　圓 一人平均　圓
		八、雜費				
	四、裁判及登記諸費					
		一、裁判費				
		二、登記諸費				
	五、在監人費					
		一、食費				
		二、被服費				
		三、就役費				
		四、給與				
		五、雜費				
第二款　修繕費						
	一、裁判監獄修繕					
		一、裁判修繕				
		二、監獄修繕				

備考

一、科目ハ前年度科目ニ依ル

一、前年度豫算額トハ前年度ノ豫算配賦額ヲ謂フ若シ本件調書提出迄ニ前年度豫算ノ配賦ヲ受ケサル場合ニ於テハ前前年度ノ配賦豫算額トス

一、本年度概算額ノ內譯ハ本表下欄備考ニ記載スヘシ

一、本表ニ顯ハレタル增減ノ金額ハ別紙書式第二號ノ一ノ金額ト符合スルコトヲ要ス

第二號ノ一

在來ノ經費ニ對スル增減額內譯

一、事務多忙ノ爲何官何人ノ增員ヲ要ス又ハ電燈料（其ノ他主トシテ實費ニ基クモノ）ノ實費何何事由ノ爲增（又ハ減）其ノ科目金額左ノ如シ

款	項	目	金額	內譯
—				
	—			
		—	—	

第二號ノ二

定員增減一覽表

職別	前年度四月一日配賦人員	ノ爲增人員	ノ爲減人員	差引大正何年度要求人員
勅任				
判事				
檢事				
奏任				
判事 內地人				
判事 朝鮮人				
何々				

備考

一、判任以下傭人ニ至ルマテ前記ニ倣ヒ記載スヘシ但シ監獄ニ在リテハ傭人ハ雜給及雜費支辨ト在監人費支辨トヲ區分スヘシ

第二號ノ三

實費ニ基ク經費所要額調

區別	所要年額 確定額	所要年額 見込額	所要年額 計	將來必要見込年額	合計
廳費					
電燈料（瓦斯共）					
內 本廳分					
內 何支廳分					
內 何出張所分					
內 本監分					
內 何分監分					
電話料					
內 本廳ノ分					
內 何支廳ノ分					

備考

一、所要年額ノ內確定額ハ契約其ノ他ニヨリ支出額ノ確定セル見込額ハ支出ヲ要スルモノニシテ其ノ額ノ一定セサルモノノ見込額ヲ掲記スルモノトス

一、將來必要見込年額ハ將來ニ於テ支出ヲ要スヘキモノノ見込額ヲ掲記スルモノトス
一、前項ノ金額ハ算出ノ根據ヲ説明シ尚電話ニ付テハ別紙附表ヲ添附スヘシ

（付表）電話架設箇所調

區別	廳舍		官舍		計		備考
	箇數	料金年額	箇數	料金年額	箇數	料金年額	
覆審法院							
地方法院							
何支廳							
何監獄							
何分監							
計							

備考
一、廳舍ノ内私設又ハ増設ノ分ハ其ノ旨ヲ記載シ官舍ノ分ハ使用者ノ官名ヲ備考欄ニ記載スヘシ

第二號ノ四

廳費支拂濟額表

科目	元年度	二年度	三年度	平均額
項				
目				
節				
｜				
｜				
｜				
計				

備考
一、最終年度ノ支拂濟額中ニハ仕拂義務確定額ヲモ包含セシムルコト
一、節ハ大正二年度歳出科目ノ通トス

第二號ノ五

宿直及徹夜勤務一夜平均人員調

廳名	宿直人員				徹夜人員			
	判任	廷丁	何々	何々	〃	〃	〃	〃
何覆審法院								
何地方法院								
何支廳								
何監獄								
何分監								

計								

備考

一、徹夜人員ハ一夜平均一人未滿ノモノト雖モ其ノ割合ヲ記載スルコト

一、雜給及雜費支辨ト在監人支辨トハ之ヲ區分スヘシ

三三　監獄經費實費調ノ件

大正十年四月

法務局長通牒

各監獄典獄宛

調査上必要有之候條監獄經費實費額等別紙樣式ニ依リ調査ノ上大正九年度以降每年前年度分ヲ翌年七月末日迄ニ提出相成度爲念通牒候也

（別紙）

監獄經費實費調　大正　年度

	實費額			內譯		
	配付豫算仕拂額	本府直接支拂額	計	本監	何分監	何分監
俸給						
奏任俸給						
判任俸給						
賞與						
事務費						
監獄醫以下俸給						
廳費						
備品費						
圖書及印刷費						
筆紙墨文具						
消耗品						
通信運搬費						
廳舍及敷地借料						
旅費						
給與						
傭人料						
宿舍料						
被服及帶具費						
雜費						
飜譯及寫字料						
諸謝金						

廣告及手數料	賄料	舟車馬類傭賃	在監人費	食費	飲料代	藥代	被服費	新調費	修繕費	就役費	材料費	器具機械費	土地家屋等借料	授業手費	給與	作業賞與金

釋放時給與	在監中給與	其他	雜費	護送費	被護送者費	護送官吏旅費	馭者馬丁費	馬車馬匹費	運轉手助手費	自動車費	療養費	藥品等代	醫療器具等費	滋養品代	雜費	器具機械費

消耗品費	
埋葬費	
慈惠費	
圖書費	
運搬費	
何々	
修繕費	
何々	
合計	

注意

一、普通就役費ト煉瓦土管等製造事業費トハ就役費中ニ於テ區別記載ヲ要ス

二、裁判及監獄以外ノ費目ニ屬スル經費ノ支出アリタル場合ハ修繕費ノ項ノ次ニ當該ノ項ヲ設ケ且其ノ内譯ヲ目ニ別チ記載ヲ要ス

三、本調ハ決算額ニ符合スルヲ要ス

附表ノ一

	本監			何分監			何分監		
	年度内買入量	平均單價	總代價	年度内買入量	平均單價	總代價	年度内買入量	平均單價	總代價
玄米（内地又ハ朝鮮）石									

附表ノ二

白米（〃）	〃	
大豆（〃）	〃	
何麥（〃）	〃	
何々（〃）	〃	
菜品目 蔬菜類（民間ヨリ買入）	貫	
同同上（監獄耕作）	〃	
味噌（民間ヨリ買入）	〃	
同（監獄造入）	〃	
醬油（民間ヨリ買入）	石	
同（監獄造入）	〃	
炊事用其他塊炭又ハ粉炭	噸	
同　薪	貫	
浴場用　同上	噸	
同　薪	貫	

	本監	何分監	何分監
食費、食料　飯代　菜代			
實給一日一人平均飯量			

	現在馬匹數、馬匹一頭ニ要シタル馬糧費	在監人費ニ屬スル電燈料	同上水道料	在監人員 受刑者(勞役場留置共)	在監人員 被告人	給食延人員(三食ヲ一人トス)	自辨食延人員(〃)	作業賞與金給與人員 在監中	作業賞與金給與人員 釋放時	慈惠金給與人員	投藥延人員	滋養物給與人員	護送人員	大正 年三月三十一日現在 作業賞與金計算高 金額	大正 年三月三十一日現在 作業賞與金計算高 人員
本監															
何分監															
何分監															

附表ノ三

廳費ニ屬スル電燈料	同上電話料	雜給及雜費ニ屬スル給水料	非番勤務手當支給人員	同上金額	賄料支給人員	同上金額	特別手當支給金額	大正 年三月末日現在特別手當給與人員及給額	囑託手當支給金額
			看守 人 女監取締 人		看守長 人 看守 人 何々 人			通譯 何圓 人 兼掌 何圓 人 武術教授兼掌 何圓 人 何	

二四 一般會計所屬歲入豫算資料報告方ノ件

大正七年六月十九日 司第四九號

政務總監

監獄典獄宛

一般會計ニ屬スル歲入豫算資料左記樣式ニ據リ毎年六月十五日迄ニ提出

相成度候也

追テ大正八年度分ハ此際至急提出相成度

左　記

様式

官吏遺族扶助法納金

	六月一日現在人員	俸給年額	納金額	備考
勅任	人	圓	圓	
奏任				
判任				
計				

二五　大正十一年度歳出豫算中第一豫備金ヲ以テ補充シ得ヘキ費途ノ件（抄）

大正十一年六月勅令第三三二號

大正十一年度歳出豫算中第一豫備金ヲ以テ補充シ得ヘキ費途左ノ通之ヲ定ム

退官及死亡賜金

官吏療治料

死傷手當

賠償金及訴訟費

地所家屋公課

巡査看守守衛及警査給助

囚人及刑事被告人押送及留置諸費

裁判及登記諸費

在監人費

萬國郵便電信約費

附　則

本令ハ公布ノ日ヨリ之ヲ施行ス

二六　大正十一年度歳入歳出科目解疏（抄）

朝鮮總督府特別會計

歳入

經常部

款	項	目	解疏
朝鮮歳入	官業及官有財産收入	囚徒工錢及製作收入	監獄ニ於ケル囚徒工錢、製作品賣却代（大正二年十月二十五日會第六〇〇一號務總局長ヨリ各典獄ヘノ通牒參照）
	雜收入	官有物貸下料	地所、家屋貸下料
		官有物拂下代	水産試驗場ノ收入、勸業模範場ノ收入、中央試驗所ノ收入、諸學校試作品收入、獸疫血精製造所

	ノ收入、不用品拂下代、官有財產(元軍用地ヲ除ク)拂下代等
辨償及違約金	辨償金、違約金
雜入	諸手數料、請願巡査費納付金、學校生徒授業料、銀行貸下金返納、博物館觀覽料並同區域圖及陳列品目錄賣下代、諸返納金、其他

歲出

經常部

款	項	目	解疏
總督府			
	俸給		
		勅任俸給	(中樞院ノ分ヲモ含ム)總督、政務總監、局長、中樞院書記官長、部長、參事官、監察官、事務官、技師
		奏任俸給	參事官、監察官、秘書官、書記官、事務官、視學官、編修官、博物館主事、技師、通譯官
		判任俸給	屬、編修書記、視學、技手、通譯生
		賞與	
		年功加俸及特別俸加給	(中樞院ノ分ヲモ含ム)
	事務費		
	廳費		附屬品及修繕費共並ニ私設電話電鈴ノ在來ノモノニ增減變更ヲナス場合(附屬器具共)及水道電燈瓦斯ノ附屬器具ハ本費支辨トス但家屋ノ新營及修繕ニ伴ハサルモノ(四十四年十二月官通牒第三七八號參照)
		備品費	器具機械
			卓子、椅子、腰掛、簿記臺、箪笥、長持、戸棚(家屋ニ附屬セサルモノ)、行李、鞄、金庫、時計、晴雨計、寒暖計、顯微鏡、額、呼鈴、度量衡、擊劍道具、角燈、行燈、提燈、金屬洋燈、燭臺、印章(官印、廳印、職印)、版木、押印臺、國旗、幕、卓子掛、椅子覆、衝立、帽子掛、札掛、新聞掛、傘立、水管、煙筒(家屋ニ附屬セサルモノ)、自轉車、水管馬車、撒水車、運搬車、擔架、置煖爐、置竈、火鉢、火鉢臺、火運器、シチリン(金屬製)、石炭入、炭入、据風呂、盥、桶、釣瓶(井戸車ニ取付クルモノヲ除ク)、水漉器、消毒器、便器(家屋ニ取付クルモノヲ除ク)、靴拭(金屬製)、靴箆、鋸、鎌、鍬、斧、鉋、鉈、錐、釘拔、金槌、鋏、鏝、スコツプ、萬力、螺旋廻シ、バケツ、洗面器、鍋、釜、庖丁、甕類、箱類、製本用具、紙綴器、臥具、雨具、印刷機(謄寫用インキ、石版用インキ、藥品

ノ類ハ最初購入ノ際器械ニ附屬スルトキハ其器械ニ込メ單獨ニ購入スルトキハ他ノ相當科目ヨリ支辨ス)、製圖版、防火機、測量機、寫眞機ノ類、其他他ノ目ニ屬セサル備品ニシテ物品類別上備品ノ取扱ヲ爲スモノ

雜品

雜印(印章ヲ除ク)、活字、靴拭(金屬製ヲ除ク)、乾電池、絲、麻絲、塵取、灰落、紙屑籠、目籠、風呂敷、雪搔、雪靴、旗(小旗類)、手拭、草履、下駄、刷毛、櫛、土瓶、茶碗、コップ、皿(金屬製ヲ除ク)、書類挾、火箸、火搔、五德、十能、擂棒、漏斗、鑪、土鍋、土七輪、硝子ランプ、灰篩、硝子、砥石、サンドペーパー、ランプホヤ、柄杓、石油ポンプ、塵拂、煤拂、箒類、ランプ釣、團扇、錠、鍵、如露、霧吹、紐、リボン、繩、綱、細引、叺莞、空罐、空樽、小札、門札、制札、針金、鋲類、釘、針類、晒木綿、鹿皮、雜巾、黑板拭、タワシ、水漉砂ノ類、粉末消火器、其他他ノ目ニ屬セサル備品ニシテ物品類別上消耗品ノ取扱ヲ爲スモノ

圖書及印刷費

圖書購買費

書籍、繪圖、地圖、規則書、官報、新聞、雜誌、職員錄、電話番號簿、曆ノ類(既成ノ寫眞購買代ヲモ含ム)

製本費

圖書、帳簿類ノ裝釘(請負製本ノモノニ限ル)

印刷費

令達書、規則書、圖書、公文書、年報、書籍、地圖、報告書類ノ印刷代及廳舍等ノ寫眞料(用紙ヲ別ニ購入シテ印刷ヲ爲サシメタルトキハ其印刷費ノミヲ支辨シ用紙代及表裝費ヲ込メ印刷ヲ請負ハシメタルトキハ其用紙代及表裝費共支辨ス)

筆紙墨文具

諸用紙

各種用紙封筒繪圖寫布クロース類

諸帳簿

名簿、手帳、諸臺帳、會計帳簿、寫眞及繪葉書ブックノ類(簿冊トナリタルモノ)

筆墨印肉類

毛筆、鉛筆、石筆、繪具筆、繪刷毛、ペン軸、ペン先、繪具、胡粉、各種墨、朱粉、印肉(印肉ノ練替ハ請負ヲ以テ爲サシメタルトキ及特ニ材料ヲ購入シテ練替ヲ爲サシメタルトキノ費用ヲモ支辨ス)、印肉油、インキ、墨汁、紫粉、骨筆、鐵筆、硝子筆ノ類

硯小道具類

硯、硯箱、硯石、算盤、石盤、肉池、スタンプ印褥、烏口、文鎮、小刀、燒鏝小鋏、定木、コ

ンパス、繪具皿、インキ壺、水入、筆架、糊入、筆洗、消護謨、亞鉛板（謄寫用）、ブリキ板（同上）、硝子板（同上）、海綿、海綿入、吸取器ノ類 附屬品及修繕共）

消耗品

薪炭油類

薪、木炭、石炭、各種油ノ類

雜用品

樟腦、曹達、硫黃、硝酸、硫酸、稀鹽酸、錯酸、石炭酸、丹礬、リンリン、丁子、ナフタリン等ノ藥品、綿、ウイス、襤褸、膠、石鹼、防臭藥、ペンキ、漆、ワニス、酒精、寫眞用藥品、乾板ノ類、押取紙、蠟燭、封蠟、生麩、葛粉、糊、護謨紐、合鉋、鋸屑、マッチ、附木、火繩、燈芯、寒天、電話電鈴用藥品、肥料、水（水道配水ヲ除ク）ノ類

瓦斯電燈料

點火料（引換電球代ヲ含ム）、點火器借料、メートル料、電扇料、充電料、電力料等

通信運搬費

通信費

郵便切手及葉書、電報後納料、郵便電信料（小包郵便料ヲ含ム）、郵便電信爲替料、電信持込賃、公用狀送達使賃、電話加入登記料、電話架設費、市外通通話料、電話機修繕料、電話機移轉料及使用料、電話加入名義書換料、電話機維持費（電話機ノ保存掃除ニ要スル費用）、電鈴保守料、電話機破損辨償金

警備電話及警察專用電話維持費（本府ニ限ル）

運搬費

物品運送費、荷造費（雇入人夫ヲシテ物品ヲ荷造又ハ運搬スル場合ヲモ含ム）、荷造用材料、關稅保險料及通關料ノ類

廳舍及敷地借料

借地料、借家料、倉敷料等

陳列品費

陳列品購入及運搬

旅費	出張、赴任及歸鄉
給與	交際手當、中樞院議官手當、諸囑託手當、諸委員手當、講習會手當、囑託員雇員傭人ノ慰勞金
雇員給	（寫字生ヲ含ム）
傭人料	常傭人、臨時傭人ノ給料及賃金
宿舍料	官舍ニ居住セサル官吏ノ宿舍料
被服費	巡視、守衛、運轉手、商品陳列館看守、消防機關手、給仕、小使、馭者、馬丁非常駈付人夫等ニ給スル被服類及代料
馬匹費	補充馬匹代、馬糧代、馬小屋使用備品及消耗品代、馬具購入及馬具馬車修繕費石鹼、クリーム油代等

款	項	目	摘要
		德行者表彰費	諸支出金ノ款項褒賞費ノ目支出ノモノヲ除ク
		雜費	**翻譯及寫字料** 翻譯料、寫字料、寫圖料、算入料、但枚數當ヲ以テ支給スルモノニ限ル **諸謝金** 醫師、官物拾得者、評價人、鑑定人、臨時取調謝金、揮毫料、通事、非常駈付人囑託謝金 **廣告料** 公文揭載廣告料、諸手數料 **賄料** 宿直居殘及徹夜勤務並ニ臨時賄料、非常事變ノ際ニ於ケル炊出費用 **舟車** 車馬類傭賃 船、人力車、馬車、荷車、馬匹、擔軍及諸乘物ノ傭賃（市內電車賃共） ヌクテ捕獲者賞與 **接待費** 商品陳列館、博物館及東京出張員事務所ノ來賓接待下關、大阪觀光團接待費 **雜費** 水道給水栓消火栓使用料其他給水費（水汲傭夫賃ヲ除ク）、請負ニ係ル便所及塵芥掃除費 請負ニ係ル點燈料、物件借料、活動寫眞映寫場借上料、同上撮影費等、煖爐据付及掃除料、門松、其他雜費
裁判監獄俸給及供託費	俸給	勅任俸給	判事、檢事
		奏任俸給	判事、檢事、典獄、典獄補、書記長、通譯官、司法官試補
		判任俸給	書記、看守長、技手、通譯生
		休職俸給	
		賞與	
		年功加俸及特別俸加給	
	事務費	監獄醫以下俸給	監獄醫、教誨師、教師、藥劑師、看守部長、看守、女監取締
		廳費	總督府事務費ノ項廳費目ノ解疏ニ準ス
		旅費	出張、赴任及歸鄉、但シ裁判及登記諸費並ニ在監人費ノ支辨ニ屬スルモノヲ除ク
		給與	裁判所事務囑託手當、監獄醫師及教誨師ノ囑託手當、通譯擊劍柔術其他特別ノ技能ヲ有スル看守長、看守、女監取締ニ給スル特別手當、看守、女監取締ニ給スル非番勤務手當、本項支辨ノ待遇官吏、囑託員、雇員、傭人、慰勞金（渡切費支辨ノ傭人ノ慰勞金ヲ除ク）
		雇員給	
		傭人料	巡視、給仕、電話交換手、廷丁、小使、監丁、機關手、火夫ノ給料、職工人夫ノ賃金
		宿舍料	

	被服及帯具費	及看守、女監取締、巡視、廷丁、監丁、給仕、小使、機關手、火夫ニ貸與及給與スヘキ被服代(代料渡共)
	雑費	飜譯及寫字料、諸謝金、廣告及手數料(裁判及登記諸費ニ屬スル廣告ヲ除ク)、賄料(在監人費ヨリ支辨ノモノヲ除ク)、舟車馬類傭賃(在監人費及裁判費ヨリ支辨ノモノヲ除ク)、雑費ニシテ其解疏ハ總督府ノ款事務費ノ項雑費ノ目ニ準ス
看守教習所費	廳費	普通廳費ノ內譯ニ同シ
	給與	給與(教習生給與)、教授囑託給、雇員給(事務員、通譯)、傭人料(小使、雑役人夫)、被服及帯具費(教習生、小使ニ貸與及給與スヘキ被服類代「代料渡共」)、宿舍料(教習生)、手當(教習生)等
	雑費	賄料、卒業式費、給水料、教習生募集費等
裁判及登記諸費	裁判費	裁判ニ關スル臨檢及搜査旅費、司法事務代理員出張旅費、檢事事務取扱者ノ旅費、執達吏ノ職務ヲ行フ吏員ノ旅費、執達吏事務取扱者立替金、證人鑑定人等ノ旅費及手當(助手ニ要スルモノヲ除ク)、臨檢及搜査上要スル傭人賃及車代、寫眞費、臨檢先席料、郵便送達費、差押物件入費、

		公證事務取扱費、訴訟上救助費、破產執行費、人事訴訟費、非訟事件費、鑑定ニ要スル諸費、裁判ニ關スル雑費等
	登記諸費	登記ニ關スル諸用紙及印刷料(製本費共、但シ報告往復等ニ要スル用紙ヲ除ク)、登記事項公告料(公告ヲナス新聞紙ノ指定公告料共)、公證事務ニ關スル諸用紙帳簿登記通告費等 大正二年十月二十五日會第六〇〇一號總務局長ヨリ各典獄ヘノ通牒監獄生產品價格算定ニ關スル件參照
在監人費	食費	米、麥、粟、稗、黍、小豆、馬鈴薯ノ如キ主食物(搗賃及挽割賃共)、肉、蔬菜、醬油、味噌等ノ如キ副食物並ニ辨當代
	被服費	單衣、袷衣、綿入衣、襦衣、袴下、褌、帯、手拭、足袋、女囚前掛、肩當、胸當、襟番號布、夜具類、笠、蓑、下駄、草鞋、莚、圓坐等ノ新調修理及夜具ノ損料等
	就役費	(一)授業手、機關手、火夫鐵工ノ給料、慰勞金、旅費、賄料、被服費及雑役人夫賃等 (二)土地家屋器具機械等ノ借料 (三)器具機械新調修繕費 (四)農工業材料素品、種物及船車馬類費(飼養料共) (五)農工業材料素品、製品器具機械等ノ運搬ニ要スル費用 (六)煉瓦、瓦及土管製作ニ要ス

			ル製造工賃、原土購入及運搬費、原土調合費、砂採取及運搬費、器具機械費、燃料購入費、器具機械補修費、雜費等
		給與	作業賞與金、作業ニ基ク死傷手當金、逃走密告者賞與金、非常時功勞者賞與金等ノ類
		雜費	護送費 押送官吏ノ旅費、被押送者護送途中ノ賄費、船車馬賃藥餌及塵紙、押送用馬車馬具馬匹等ノ費用（馬飼養料共）、馬車設備費、自働車維持費及運轉手、助手馭者馬丁ノ給料、被服費賄料 療養費 在監人醫療用器具、機械、藥餌藥藥及藥包紙等ノ費用 雜費 （一）在監人ニ要スル器具（附屬品及修繕共）例ヘハ手錠、腰捕繩、笞刑臺其他ノ刑具、腰掛、食卓、鍋、運搬臺、火箸、十能、柄杓、飯櫃、杓子、食器、笊、樽、盥、天秤棒、度量衡、臼、杵、煙筒、風呂桶、木札、札掛、消火器、ランプ、電球、唾壺、傾器、下駄箱、剃刀、鋏バリカン、硯、肉池等ノ類 （二）在監人ニ要スル消耗品例ヘハ薪、炭、油、マッチ、消毒藥品、筆墨等ノ類及在監人ニ給スル諸用紙、齒磨鹽、箸、布巾、雜巾、縫絲代等並ニ監房病監炊事場工場構內ニ於ケル電燈料點燈料及給水料 （三）埋葬費用 （四）在監人ニ貸與又ハ給與スル圖書紙筆墨文具等ノ費用 （五）本項食費、被服費、雜費ヲ以テ購入シタル物品ノ運送費 釋放者給與金其他ノ雜費

修繕費			建造物及附屬物ノ移轉（建造物ノ大體ノ原形ヲ維持シテ其ノ位置ヲ變更スルコト）、模樣替（建造物ノ面積容積若ハ延長ヲ增加セス其一部ニ變更ヲ加フルコト）、補修（土地建造物ノ位置原形ヲ維持スル爲メ手入又ハ返地ノ復舊等ヲ爲スコト）ニ關スル經費
	修繕費	總督府修繕	建造物及附屬物ノ修繕並ニ水道電燈、瓦斯ノ在來ノモノニ增減變更ヲ爲ス工費（附屬器具ヲ除ク）、【四十四年十二月官通牒第三七八號參照】並庭園及植木ノ手入補植費共並ニ懸掛、井戶車、井戶ポンプ、傾器（家屋ニ取付クルモノ）釣瓶（井戶車ニ取付クルモノ）蒸汽暖房、ペーチカ等
		裁判所及監獄修繕	同上
		各所修繕	他ノ科目ノ支辨ニ屬セサル建物及附屬物ノ修繕但シ水道電燈瓦斯ノ在來ノモノニ增減變更ヲ爲

			ス工費(附屬器具ヲ除ク)【四十四年十二月官通牒第三七八號參照】並ニ庭園及植木ノ手入補植費共(營林廠、遞信官署及專賣局ノ修繕ハ本目ニ含マス)
諸支出金			
	諸支出金		
		退官賜金	明治二十三年勅令第九十八號ニ依リ文官判任以上ノモノニ支給スルモノ
		死亡賜金	明治四十三年勅令第百三十四號高等官俸給令、同年勅令第百三十五號判任官俸給令ニ依リ支給スルモノ
		官吏療治料	明治二十五年勅令第八十號ニ依リ官吏職務上負傷者ニ給スル療治料
		死傷手當	大正七年勅令第三八二號傭人扶助令、明治十二年太政官達第四十號技術工藝者死傷手當內規、同十九年閣令第二十三號及同三十三年法律第三十號傳染病豫防救治ニ從事スル者ノ手當金ノ件、同年勅令第百四十一號同療治料ノ件ニ依リ支給スルモノ
		巡査看守給助	明治三十四年七月勅令第百四十九號巡査看守療治料給助料及弔祭料給與令ニ依リ要スルモノ

韓国併合史研究資料 ⑫
朝鮮刑務提要（中）

2018 年 4 月　復刻版第 1 刷発行

原本編著者　朝鮮総督府看守教習所
発 行 者　北 村 正 光
発 行 所　株式会社 龍 溪 書 舎
〒179-0085　東京都練馬区早宮 2-2-17
TEL 03-5920-5222・FAX 03-5920-5227

ISBN978-4-8447-0477-5
朝鮮刑務提要(上・中・下) 全 3 冊　**分売不可**
落丁、乱丁本はお取替えいたします。

印刷：大 鳳 印 刷
製本：高橋製本所